빌리 서머스 1

BILLY SUMMERS

by Stephen King

STEPHEN KING

빌리 서머스 1

BILLY SUMMERS

스티븐 킹 이은선 옮김

황금가지

레이먼드와 세라 제인 스프루스를 생각하며

"나 한때 길을 잃었으나 이제는 찾았고"
—「어메이징 그레이스」

일러두기

• 본문에는 스티븐 킹의 의도에 따라 일부러 틀리게 표기된 맞춤법이 있습니다.

• 본문의 각주는 옮긴이 주입니다.

차례
———

1장

1

빌리 서머스는 호텔 로비에 앉아서 그를 태우고 갈 차량을
기다리고 있다. 지금은 금요일 정오다. 그는 『아치의 친구들
과 여자들』이라는 조그만 잡지 크기의 만화책을 손에 들고 있
지만, 에밀 졸라와 졸라의 세 번째 소설이자 획기적인 작품인
『테레즈 라캥』에 대해 생각하고 있다. 그건 아주 청년다운 작
품이라는 생각을 하고 있다. 졸라가 훗날 깊고 어마어마했던
것으로 밝혀질 광맥을 캐기 시작했다는 생각을 하고 있다. 졸
라는 현재에도 그렇고 과거에도 그랬고 찰스 디킨스의 끔찍
버전이라는 생각을 하고 있다. 이걸 주제로 논문을 쓰면 훌륭
하겠다는 생각을 하고 있다. 그가 논문을 써 본 적은 없지만.

12시 2분에 문이 열리면서 두 남자가 로비로 들어온다. 한쪽은 키가 크고 검은 머리를 1950년대 올백 스타일로 빗어 넘겼다. 다른 쪽은 키가 작고 안경을 썼다. 둘 다 양복을 입고 있다. 닉의 부하들은 모두 양복을 입는다. 빌리는 키가 큰 쪽을 서부에서 만난 적 있다. 오래전부터 닉과 함께 일한 친구고 이름은 프랭크 매킨토시다. 올백 스타일 때문에 닉의 부하들 사이에서 프랭키 엘비스, 또는 뒤통수에 조그맣게 생긴 원형 탈모 때문에 민둥산 엘비스라고 불린다. 하지만 면전에 대고 그렇게 부르는 사람은 없다. 다른 쪽은 빌리가 모르는 남자다. 현지인인가 보다.

매킨토시가 손을 내민다. 빌리는 일어나 그 손을 잡는다.

"빌리, 오랜만이야. 얼굴 보니까 좋네."

"나도 얼굴 보니까 좋네, 프랭크."

"이쪽은 폴리 로건."

"안녕하세요, 폴리."

빌리는 키가 작은 남자와 악수한다.

"만나서 정말 반가워요, 빌리."

매킨토시는 빌리가 들고 있던 만화책을 가져간다.

"만화책 사랑은 여전한가 보네."

"맞아. 내가 만화책을 아주 좋아하지. 재밌는 것만. 슈퍼히어로 나오는 것도 가끔 보지만 별로 좋아하지는 않아."

매킨토시는 페이지를 펄럭펄럭 넘기더니 뭔가를 폴리 로건에게 보여 준다.

"이 깔치들 좀 봐. 보면서 딸딸이를 칠 수도 있겠어."

"베티하고 베로니카야." 빌리는 만화책을 다시 가져간다. "베로니카는 아치의 여자친구고 베티는 여자친구가 되고 싶어 하는 여자지."

"책도 읽으십니까?" 로건이 묻는다.

"장기 출장을 갈 때는요. 그리고 잡지도 읽죠. 하지만 대개는 만화를 봅니다."

"네, 네."

그러고 나서 로건은 매킨토시를 향해 윙크를 날린다. 너무 대놓고 그래서 매킨토시는 미간을 찌푸리지만 빌리는 상관하지 않는다.

"이제 차를 타러 갈까?" 매킨토시가 묻는다.

"좋지."

빌리는 만화책을 뒷주머니에 넣는다. 아치와 젖가슴이 큰 그의 여자들. 거기에 대해서도 쓸 수 있는 논문이 있다. 바뀌지 않는 헤어스타일과 태도가 주는 위안에 대해. 리버데일*과 그곳에서는 흐르지 않는 시간에 대해.

"그럼 출발하자고. 닉이 기다리고 있으니."

---

* 아치와 친구들을 소재로 한 만화 시리즈의 배경이 되는 마을.

2

매킨토시가 운전을 한다. 로건은 키가 작으니 자기가 뒤에 앉겠다고 한다. 빌리는 서쪽으로 가겠거니 생각한다. 이 도시의 부촌이 그쪽에 있고 닉 머제리언은 집 안에서건 밖에서건 사치스럽게 지내는 것을 좋아하기 때문이다. 그리고 닉은 호텔 생활을 하지 않는다. 하지만 그들이 향한 방향은 북동쪽이다.

시내를 벗어나 3킬로미터를 달리자 빌리의 눈에는 하류 중산층의 거주지로 보이는 지역이 나온다. 그가 어린 시절에 살았던 트레일러하우스보다는 서너 단계 위지만 부촌과는 거리가 멀다. 큼지막한 대문이 달린 집은 없다. 조그만 앞마당 잔디밭에서 스프링클러가 돌아가는 랜치하우스*로 이루어진 동네다. 집들은 대부분 단층이다. 대부분 관리가 잘 되어 있지만 몇 채는 칠을 다시 해야겠고 바랭이가 앞마당을 점령한 곳도 있다. 판지로 깨진 유리창을 막은 집도 한 채 보인다. 또 다른 어느 집에서는 버뮤다 반바지와 흰색 러닝셔츠를 입은 뚱뚱한 남자가 코스트코 아니면 샘스 클럽에서 사 온 마당용 의자에 앉아서 맥주를 마시며 그들이 지나가는 것을 바라보고 있다. 한동안 미국에서 호시절이 이어지고 있지만 앞으로 달라질 것이다. 빌리는 이런 동네들을 잘 안다. 이런 동네가 척도

---

* 옆으로 길쭉하고 지붕이 얕은 단층집.

라 할 수 있는데, 여기는 이미 내리막길로 접어들고 있다. 여기 사는 사람들은 출퇴근 카드를 찍어야 하는 그런 데서 일을 하고 있으리라.

매킨토시가 군데군데 잔디가 뜯긴 2층짜리 집 앞 진입로에 차를 댄다. 은은한 노란색으로 칠한 집이다. 나쁘지는 않다. 다만 며칠 동안이라도 닉 머제리언이 자기 거처로 선택할 만한 곳이 아니다. 쿠폰을 모으는 아내와 두 아이가 있는 기계 수리공이나 공항 말단 직원이 매달 대출금을 갚고 목요일 저녁에는 맥주 내기 볼링을 쳐 가며 살 만한 곳이다.

로건이 빌리를 위해 문을 열어 준다. 빌리는 「아치」 만화책을 계기판에 얹어 두고 차에서 내린다.

매킨토시가 앞장서서 현관 앞 계단을 올라간다. 밖은 덥지만 안에는 에어컨이 틀어져 있다. 닉 머제리언이 부엌 앞 짧은 복도에 서 있다. 가격이 이 집의 한 달 대출금에 육박할지 모르는 양복을 입고 있다. 벗어지기 시작한 머리칼은 위를 부풀려서 올백으로 넘기지 않고 납작하게 빗었다. 둥그스름한 얼굴은 라스베이거스에서 까무잡잡하게 태웠다. 덩치가 크지만 그가 와락 끌어안았을 때 빌리의 몸에 닿은 불룩한 배는 돌처럼 단단하다.

"빌리!" 그렇게 외친 닉이 빌리의 양쪽 뺨에 쪽 소리를 내 가며 따뜻하고 푸짐하게 입을 맞춘다. 닉은 100만 달러짜리 미소를 짓고 있다. "빌리, 빌리, 이 친구야. 얼굴 보니까 좋구먼!"

"저도 좋습니다, 사장님." 빌리는 좌우를 두리번거린다. "보통은 이보다 근사한 데 묵으시지 않나요?" 그는 말을 하다 말고 멈춘다. "그런 걸 물어보는 게 실례인지 모르겠지만."

닉은 폭소를 터뜨린다. 남들까지 전염시키는 듣기 좋은 웃음소리가 함박 미소와 잘 어울린다. 매킨토시도 덩달아 폭소를 터뜨리고 로건은 미소를 짓는다.

"웨스트사이드에 집 한 채 얻어 놨지. 단기로. 주인 없는 동안 대신 봐 주는 거라고 할까. 앞마당에 분수대도 있어. 한가운데에 발가벗은 꼬맹이가 서 있는 분수대 말이야. 그런 꼬맹이를 뭐라고 하더라……."

케루빔. 빌리는 생각하지만 말로 꺼내지는 않는다. 계속 웃고만 있다.

"아무튼 그 꼬맹이가 오줌을 싸고 있지. 나중에 보여 줄게, 나중에. 아니, 여긴 내 집이 아니야, 빌리. 자네 집이지. 그러니까 자네가 일을 맡겠다고 할 경우에 말이야."

3

닉은 빌리에게 집을 구경시켜 준다.

"가구가 다 있어."

마치 이 집을 팔려는 사람 같은 말투다. 어쩌면 어느 정도는 집을 팔려고 하는 게 맞는 말일지 모른다.

이 집 2층에는 방 세 개와 욕실 두 개가 있는데, 욕실 하나는 아이들용인지 좀 작다. 1층에는 부엌, 거실, 너무 작아서 골방이나 다름없는 식당이 있다. 지하실은 카펫이 깔려 있고 한쪽 끝에는 대형 TV가, 다른 쪽 끝에는 탁구대가 설치된 방으로 개조됐다. 여기에 트랙 조명이 달렸다. 닉은 이 공간을 오락실이라고 부르는데, 그들이 앉아 있는 곳이 여기다.

매킨토시가 그들에게 뭐 좀 마시겠느냐고 묻는다. 탄산음료, 맥주, 레모네이드 그리고 아이스티가 준비되어 있다고 한다.

"나는 아널드 파머*로 줘." 닉이 말한다. "반반으로. 얼음 많이."

빌리는 그거 맛있겠다고 말한다. 그들은 음료가 나올 때까지 잡담을 나눈다. 날씨 이야기, 이 남부 국경 지방은 얼마나 더운지. 닉은 빌리가 여기까지 오는 길이 어땠는지 궁금해한다. 빌리는 괜찮았다고 대답하지만 어디에 있다가 왔는지는 얘기하지 않고, 닉도 묻지 않는다. 닉은 그 빌어먹을 트럼프의 근황을 묻고 빌리는 근황을 알려 준다. 둘이서 할 얘기는 그것으로 동이 나지만 그때 매킨토시가 쟁반에 길쭉한 유리잔 두 개를 담아서 들고 온다. 그가 나가자 닉이 본론으로 들어간다.

"자네 친구 버키한테 연락했더니 자네가 은퇴하고 싶어 한다고 전하더군."

---

* 레모네이드와 아이스티를 섞어서 만드는 무알코올 칵테일.

"고민 중입니다. 오래 했으니까요. 너무 오래 했죠."

"하긴. 그나저나 올해 몇 살이지?"

"마흔넷이요."

"군복을 벗은 이후에 계속 이 일을 하고 있나?"

"그런 셈이죠."

그는 닉도 다 아는 얘기라고 장담할 수 있다.

"전부 합하면 몇 번이었지?"

빌리는 어깨를 으쓱한다.

"정확하게는 모르겠는데요."

열일곱 번이다. 첫 타깃, 팔에 깁스를 했던 그 남자까지 치면 열여덟 번이다.

"버키 말로는 보수가 괜찮으면 자네가 한 번 더 할지도 모른 다던데."

닉은 빌리가 물어보길 기다린다. 그러나 빌리가 아무것도 묻지 않자 하던 얘기를 계속한다.

"이번 일은 보수가 아주 괜찮아. 성공하면 따뜻한 데서 여생을 보낼 수 있어. 해먹에서 피냐 콜라다를 마시면서." 닉이 다시 아까처럼 씩 웃는다. "200만이야. 50만은 착수금, 나머지는 이후에."

빌리는 대본에 없던 휘파람을 분다. 닉과 프랭크와 폴리 같은 친구들 앞에서 *바보 빌리*인 척할 때 쓰는 그 대본은 안전벨트와 같은 개념이다. 안전벨트를 하는 이유는 교통사고가 날 거라고 생각해서가 아니라 언덕 너머에서 누가 내 차로로 넘어올지 모르기 때문이지 않은가. 이런 논리는 사람들이 온 사방에서 갑자기 핸들을 꺾고 고속도로에서 역주행을 하는, 인생이라는 도로에도 마찬가지로 적용된다.

"그렇게 많이 주는 이유가 뭡니까?" 지금까지 빌리가 일을 하고 최고로 많이 받은 금액은 70만 달러였다. "정치인은 아니죠? 저는 그런 일은 하지 않거든요."

"전혀 아니야."

"나쁜 놈인가요?"

닉은 폭소를 터뜨리고 고개를 젓더니 진심 어린 애정이 담긴 눈빛으로 빌리를 쳐다본다.

"자네는 항상 똑같은 걸 물어보는군."

빌리는 고개를 끄덕인다.

바보 빌리는 가짜일지 몰라도 이건 진짜다. 그는 나쁜 놈만 처단한다. 밤에 단잠을 잘 수 있는 이유가 그 때문이다. 빌리가 나쁜 놈들 밑에서 일을 하고 돈을 버는 건 맞지만 그는 이걸 도덕적인 딜레마라고 생각하지 않는다. 나쁜 놈들이 사람을 고용해 다른 나쁜 놈들을 죽인다는데 뭐가 문제인가. 그는 기본적으로 자신을 총을 든 쓰레기 청소부라고 생각한다.

"아주 나쁜 놈이야."

"네……."

"그리고 그 200만은 내 돈이 아니야. 이번에 나는 이른바 수

수료를 챙기는 중개인이지. 자네 보수를 건드리지는 않을 거야. 내 몫은 따로 있거든." 닉은 허벅지 사이로 손깍지를 끼고 몸을 앞으로 숙인다. "타깃은 자네 같은 프로 저격수야. 다만 이 친구는 상대가 나쁜 놈인지 좋은 놈인지 묻질 않아. 상대를 구별하지 않아. 보수만 괜찮으면 일을 맡지. 일단 이 친구 이름은 조라고 하겠네. 6년 전인가 7년 전인가, 아무튼 그건 상관없지만, 이 조라는 친구가 학교에 가던 열다섯 살짜리를 제거한 적이 있어. 그 아이가 나쁜 놈이었을까? 아니. 사실 그 아이는 우등생이었어. 하지만 그 아이의 아빠에게 메시지를 전하려는 사람이 있었던 거야. 아이가 메시지였던 거지. 조는 메신저였고."

빌리는 그 말이 진짜일지 궁금하다. 무슨 동화 속 이야기 같은 면이 있긴 하지만 어째 진짜 같다.

"저더러 저격수를 저격해 달라는 말씀이로군요."

그는 마치 확실하게 정리하려는 듯 이렇게 말한다.

"바로 그거야. 조는 현재 로스앤젤레스에 있는 멘스 센트럴 구치소에 있어. 폭행과 성폭행 미수로. 이 성폭행 미수가 어떻게 된 건가 하면, 미투(Me Too)에 혈안이 된 여자라면 생각이 다르겠지만 좀 어이가 없는 케이스야. 컨퍼런스 참석차 로스앤젤레스에 온 어떤 여자 작가, 그것도 *페미니스트* 작가를 이 놈이 매춘부로 착각했다지 뭔가. 그래서 같이 자자고 했다더군. 아마도 좀 거칠게 그랬겠지. 그러고는 페퍼 스프레이 세례를 당하자 그 여자 이빨 하나를 부러뜨리고 턱을 뽑아 놨대. 그 덕에 그 여자는 아마 책을 10만 부는 더 팔아 치웠을 거야. 그럼 고발할 게 아니라 고마워해야 하는 거 아닌가?"

빌리는 아무 대답도 하지 않는다.

"빌리, 이 친구야, 생각을 해 봐. 이 남자는 수많은 타깃을 해치웠고 그중 몇 명은 아주 까다로운 상대였는데, 레즈비언 페미에게 페퍼 스프레이 세례를 당하다니. 웃기지 않냐고."

빌리는 예의상 미소를 짓는다.

"LA면 이 나라의 반대편인데요."

"맞아. 하지만 그 친구가 거기로 건너가기 전에 여기 있었단 말이지. 왜 여기 있었는지는 모르겠고 관심도 없지만, 포커를 칠 만한 곳을 찾다가 누군가에게 적당한 데를 추천받았다는 건 알아. 이 친구는 자기가 큰손이라고 생각했거든. 아무튼 간단히 줄이자면 조는 돈을 많이 잃었어. 새벽 5시쯤에 누가 제일 많이 땄는지 판가름이 나니까 조는 그 이긴 사람의 배를 총으로 쏘고 자기 돈뿐 아니라 판돈을 전부 쓸어갔어. 아마 같이 포커를 친 멍청이일 텐데, 누군가가 나서서 막으려고 하니까 그자도 쏘았고."

"그래서 둘 다 죽었나요?"

"돈을 딴 사람은 병원에서 죽었지만 그 전에 조의 신원을 밝혔지. 막으려고 했던 남자는 살았어. 그 남자 역시 조의 신원을 밝혔고. 또 뭐가 있는지 아나?"

빌리는 고개를 젓는다.

"CCTV 영상. 이 이야기의 행방을 알겠지?"

빌리는 완벽하게 알 수 있다.

"글쎄요."

"캘리포니아에서는 조를 폭행죄로 체포했어. 그건 기소 성립이 될 거야. 성폭행 미수는 취하될지 몰라. 그 작가를 골목이나 뭐 그런 데로 끌고 간 것도 아니고 돈을 주겠다고 했으니 단순 매매춘이고 지방검사도 그건 그냥 넘길 거야. 구치소에서 보낸 기간도 있고 하니 90일 수감형을 받겠지. 하지만 여기서 저지른 짓은 살인이고 미시시피강 이쪽에서는 살인을 아주 심각하게 생각한단 말이지."

빌리도 그렇다는 걸 안다. 공화당을 지지하는 주에서는 잔인한 살인범을 안락사에 처한다.

"CCTV 영상까지 공개되면 배심원단이 이 조라는 친구에게 주사를 맞히라고 할 게 거의 확실해. 무슨 말인지 알지?"

"네."

"조의 변호사는 다른 주로 재판을 이관하려 하고 있어. 놀랍지 않지. 범죄인 인도가 뭔지 알지?"

"네."

"그래. 조의 변호사가 모든 걸 동원해 싸우고 있고 그 인간이 무능력한 변호사도 아니거든. 이미 심리를 30일 연기시켜 놨고 그 기간 동안 온갖 지연 작전을 생각해 내겠지만 결국에는 패소할 수밖에 없어. 그리고 조는 현재 독방에 있어, 그놈을 면도칼로 찌르려고 한 자가 있어서. 조가 면도칼을 떨어뜨리고 그자의 손목을 부러뜨렸지만 그 한 명을 시작으로 앞으로 몇 명이 더 면도칼을 들이댈지 모르니까."

"조직 폭력배가 개입됐나요? LA 갱단이 그자에게 앙심을 품었나요?"

닉은 어깨를 으쓱한다.

"누가 알겠나? 현재 조는 다른 돼지들과 섞일 필요 없이 30분 동안 마당을 독차지해 가며 독방 생활을 하고 있어. 그러는 동안 변호사가 여러 사람과 접촉 중이야. 살인 재판을 무사 통과하지 못하면 자기 고객이 엄청난 폭탄을 터뜨릴 예정이라는 메시지를 전달하면서."

"그게 가능한 얘긴가요?" 이 조라는 작자의 손에 죽은 사람이 나쁜 놈이었다 하더라도 빌리는 그게 가능한 얘기라고 믿고 싶지 않다. "검사들이 사형은 아예 배제하거나 2급 살인으로 감형하거나 뭐 그럴 수도 있다는 겁니까?"

"제법이로군, 빌리. 방향을 제대로 짚었어. 하지만 내가 듣기로는 모든 기소를 기각하는 것이 조의 목표라는군. 엄청난 카드를 쥐고 있는 모양이야."

"뭔가를 내주면 살인죄를 모면할 수 있다고 생각하는 거로 군요."

"수도 없이 살인죄를 모면했던 사람이 그렇게 얘기하다니 재밌구먼." 닉은 말하고 폭소를 터뜨린다.

빌리는 웃지 않는다.

"저는 포커에서 돈을 잃었다고 사람을 쏜 적은 없어요. 돈을 훔친 적도 없고요."

닉은 열심히 고개를 끄덕인다.

"나도 알아, 빌리. 나쁜 놈들만 제거했지. 내가 농담을 좀 한 걸세. 음료 마시지그래."

빌리는 음료를 마신다. 그러면서 생각한다. *한 건에 200만 달러라.* 그리고 또 생각한다. *대가가 뭘까?*

"이자가 입을 다물어 주길 간절히 바라는 사람이 있는 모양이로군요."

닉은 빌리가 엄청난 추론을 제기하기라도 한 것처럼 손가락 총으로 그를 겨눈다.

"바로 그거야. 아무튼 내가 여기 현지인을 통해 메시지를 전달받았는데, 자네도 이 일을 수락하면 그 사람을 만나게 되겠네만, 최고 중의 최고로 꼽히는 프로 저격수를 찾는다는 메시지였어. 내가 보기에는 빌리 서머스면 쓰펄, 만사 해결이란 말이지."

"이자를 해치우되 LA가 아니라 여기서 해치우길 바라시는 거로군요."

"내가 그러는 게 아니야. 나는 그냥 중개인이라니까. 다른 사람이. 돈이 아주 많은 어떤 사람이."

"걸림돌이 뭡니까?"

닉이 다시 씩 웃는다. 또다시 손가락 총으로 빌리를 겨눈다.

"본론으로 들어가자는 거로군? 쓰펄, 본론으로 들어가자는 거야. 사실 걸림돌이랄 게 없어. 아니, 어떻게 생각하는가에 따라 걸림돌이 될 수도 있겠군. 바로 시간이야. 자네는 여기서……."

그는 노란색의 이 조그만 집을 향해 손을 흔든다. 어쩌면 주변 동네까지 가리키는 것일 수도 있다. 빌리도 나중에 알게 되겠지만 동네 이름은 미드우드다. 어쩌면 미시시피 서쪽, 메이슨 딕슨 선* 바로 아래에 있는 이 도시 전체를 가리키는 것일 수도 있다.

"……꽤 오랫동안 지내야 해."

4

그들은 좀 더 이야기를 나눈다. 닉은 빌리에게 위치가 설정됐다고 한다. 그러니까 빌리가 타깃을 저격할 장소가 정해졌다는 말이다. 닉은 좀 더 보고 들은 뒤에 결정해도 된다고 한

---

* 메릴랜드주와 펜실베이니아주의 경계선으로 미국 남부와 북부의 경계. 과거 노예제도 찬성 주와 반대 주의 경계이기도 하다.

다. 켄 호프가 안내를 맡을 거라고 한다. 현지인인데 오늘은
자리를 비웠다고 한다.

"제가 무슨 총을 쓰는지 그 사람이 압니까?"

제안을 수락하겠다는 말이라고 볼 수는 없지만 그쪽 방향
으로 한 걸음 성큼 다가간 거나 다름없다. 가만히 앉아 있다가
한 방 쏘기만 하면 200만 달러를 받을 수 있다니. 거부하기 힘
든 제안이다.

닉은 고개를 끄덕인다.

"그럼 됐고, 언제 이 호프라는 친구를 만날 수 있을까요?"

"내일. 그 친구가 오늘 저녁에 자네 호텔로 전화해 시간과
장소를 알려 줄 거야."

"제가 그 일을 맡기로 하면 여기로 건너온 이유를 그럴듯하
게 포장할 핑계가 필요할 텐데요."

"전부 준비해 놨어, 아주 멋지게. 조르조가 아이디어를 냈
지. 내일 저녁에 자네가 호프를 만나고 난 뒤에 알려 줄게."

닉은 자리에서 일어난다. 손을 내민다. 빌리는 그 손을 잡는
다. 그는 전에도 닉과 악수한 적이 있지만 악수를 하면서 좋아
한 적은 한 번도 없다. 닉은 나쁜 놈이다. 하지만 호감이 아예
없는 것은 아니다. 닉도 프로이고 특유의 그 함박웃음이 잘 먹
히기 때문이다.

5

　폴리 로건이 빌리를 호텔까지 다시 태워다 준다. 폴리는 말
수가 별로 없다. 빌리에게 라디오를 틀어도 되겠느냐고 묻고
빌리가 그러라고 하자 소프트 록 채널을 튼다. 중간에 그가 말
한다. "로긴스 앤드 메시나가 최고예요." 시더 가에서 누가 앞
으로 끼어들자 욕을 한 것 말고는 그게 전부다.

　빌리는 신경 쓰지 않는다. 그는 지금까지 본 영화 중에 마지
막 한탕을 준비하는 도둑들이 등장하는 작품을 떠올리는 중
이다. 누아르가 한 장르라면, '마지막 한탕'은 서브 장르다. 그
런 영화에서 마지막 한탕은 항상 문제가 생긴다. 빌리는 도둑
도 아니고 조직 폭력배와 함께 일을 하지도 않으며 미신을 믿
지 않지만 그래도 마지막 한탕이라는 단어에 신경이 쓰인다.
보수가 너무 많기 때문일 수도 있다. 누가, 어떤 이유로 그 돈
을 내는지 모르기 때문일 수도 있다. 닉에게 타깃이 예전에 열
다섯 살짜리 우등생을 제거했다는 이야기를 들었기 때문일
수도 있다.

　"여기 계속 있을 거예요?" 폴리가 호텔 앞마당에 차를 대며
묻는다. "왜냐하면 이 호프라는 남자가 필요한 장비를 챙겨 줄
거거든요. 내가 직접 할 수도 있었는데 닉이 안 된대요."

　빌리는 여기 계속 있을 생각일까?

　"모르겠어요. 어쩌면요." 그는 내리다 말고 이렇게 얘기한

다. "아마도요."

6

빌리는 자기 방으로 들어가 노트북을 켠다. 노트북 시간을
변경하고 VPN을 체크한다. 해커들은 호텔을 사랑한다. 범죄
인 인도 심리는 기록이 공개되기 때문에 로스앤젤레스 카운
티 법원을 검색할 수도 있지만 그보다 더 간단하게 알아보는
방법이 있다. 그리고 그는 꼭 알아보고 싶다. 신뢰하되 검증하
겠다고 했던 로널드 레이건의 말에도 일리가 있다.*

빌리는 《LA 타임스》 홈페이지로 들어가 6개월 구독권을 산
다. 토머스 하디라는 가상의 인물 앞으로 발부된 신용카드로
결제를 하는데, 빌리가 가장 좋아하는 작가가 토머스 하디다.
자연주의 작가 중에서는 그렇다. 구독자용 화면이 뜨자 '페미
니스트 작가'와 '성폭행 미수'라고 입력한다. 기사가 대여섯
개 뜨더니 뒤로 갈수록 점점 짧아진다. 페미니스트 작가의 사
진도 있는데, 섹시하고 할 말이 많아 보인다. 혐의가 제기된
사건은 베벌리힐스 호텔 앞마당에서 벌어졌다. 가해 추정자는

---

* 로널드 레이건 미국 대통령이 1980년대 후반 옛 소련 공산당의 미하일 고르바초프 서기장과 핵
군축 협상을 벌였을 때 국민들에게 밝힌 원칙이다.

다수의 신분증과 신용카드를 소지하고 있었다. 《LA 타임스》에 따르면 본명은 조엘 랜돌프 앨런이다. 2012년 매사추세츠에서 성폭행으로 기소됐지만 재판에서 승소했다.

조는 본명에 가까운 이름이었군. 빌리는 생각한다.

그다음에는 이 도시의 지역 신문사 홈페이지로 들어가 또다시 토머스 하디의 신용카드로 유료의 벽을 뚫고 '살인사건 피해자 포커'를 검색한다.

사건이 소개되어 있고 기사에 딸린 CCTV 사진이 상당히 결정적이다. 1시간만 전이었어도 범인의 얼굴이 제대로 보이지 않았을 텐데, 사진 맨 아래 찍힌 시각이 5:18 AM이다. 해가 완전히 뜨지는 않았지만 고개를 내민 시각이라 골목길에 서 있는 남자의 얼굴이 특히 검사의 입장에서는 더할 나위 없이 선명하다. 그는 주머니에 손을 넣고 하역장 주차 금지라고 적혀 있는 문 앞에 서 있다. 빌리가 배심원이라면 오로지 그 사진만을 근거로 사형에 한 표 던졌을 것이다. 빌리 서머스로 말할 것 같으면 사전 모의 전문가인데, 지금 보고 있는 것이 바로 사전 모의 현장이기 때문이다.

레드 블러프 신문에 실린 가장 최근 기사에 따르면 조엘 앨런은 로스앤젤레스에서 서로 연관성이 없는 사건의 범인으로 체포됐다고 되어 있다.

빌리는 닉이 그를 모든 걸 액면 그대로 받아들이는 사람이라 믿고 있다고 장담할 수 있다. 빌리가 이 바닥에서 일을 하는 동안 그를 고용한 다른 모든 사람처럼 닉도 빌리가 저격수로는 훌륭하지만 머리가 조금 모자란다고, 어쩌면 살짝 자폐증이 있을지도 모른다고 생각한다. 빌리가 워낙 공을 들여서 수위를 조절하기 때문에 *바보 빌리*를 믿는다. 그는 입을 멍하니 벌리거나 눈을 게슴츠레하게 뜨거나 노골적으로 바보짓을 하지 않는다. 「아치」 만화책이 효과 만점이다. 그가 읽고 있는 에밀 졸라의 소설은 여행가방 깊숙이 숨겨져 있다. 누가 그 여행가방을 뒤지다가 그 책을 발견했다? 빌리는 비행기 좌석 주머니에 누가 두고 갔길래 표지의 여자가 마음에 들어서 챙겼다고 둘러댈 것이다.

그는 우등생이었다던 열다섯 살짜리에 대해서도 찾아볼까 고민하지만 정보가 부족하다. 오후 내내 인터넷을 뒤져도 찾지 못할 수 있다. 찾는다 한들 그 아이가 맞는지 확인할 길이 없다. 닉에게 들은 다른 이야기가 사실이라는 걸 확인한 것만으로 충분하다.

그는 샌드위치와 차를 주문한다. 배달이 되자 창가에 앉아 『테레즈 라캥』을 읽으며 먹는다. 제임스 M. 케인*의 소설과 1950년대 EC 코믹스의 공포 만화를 섞어 놓은 것 같다는 생각을 한다. 늦은 점심식사를 마친 뒤에는 손을 베개 아래에 넣어 뒤통수를 받치고 거기 숨어 있는 냉기를 느끼며 침대에 눕

---

* 미국의 하드보일드 범죄소설 작가. 대표작으로 『포스트맨은 벨을 두 번 울린다』가 있다.

는다. 그 냉기는 젊음과 미모처럼 오래가지 않는다. 빌리는 이 켄 호프라는 친구가 뭐라는지 들어 보고 그것도 사실로 밝혀지면 일을 맡을까 고민한다. 기다림이 힘들 테고 그는 기다리는 데 재주가 없지만(참선도 배워 보았지만 소용이 없었다.), 200만 달러를 받는다면 기다릴 수 있다.

빌리는 눈을 감고 잠을 청한다.

그날 저녁 7시에 그는 룸서비스로 저녁을 해결하며 노트북으로 「아스팔트 정글」을 본다. 마지막 한탕의 징크스를 다룬 영화다. 전화벨이 울린다. 켄 호프다. 호프는 빌리에게 내일 오후에 만날 장소를 알려 준다. 빌리는 받아 적지 않는다. 어디에 적어 놓으면 위험할 수 있고 그는 기억력이 좋다.

2장

1

켄 호프는 빌리가 길거리에서 만난 영화배우 따라쟁이들은
말할 것도 없고 대부분의 남자 영화배우처럼 사나흘 면도를
깜빡한 양 지저분하게 수염을 길렀다. 빨간 머리인 호프로서
는 안타까운 선택이다. 거칠거나 터프하기는커녕 심한 일광화
상을 입은 것처럼 보인다.

두 사람은 선스팟 카페라는 음식점의 야외 파라솔 테이블에
앉아 있다. 메인 가와 코트 가가 만나는 모퉁이에 있는 음식점
이다. 빌리가 짐작하건대 주중에는 상당히 바쁜 매장일 것 같
지만 토요일인 그날 오후에는 내부에 손님이 거의 없다시피 하
고 듬성듬성 테이블이 놓인 야외를 그들이 독차지하고 있다.

호프는 쉰 살 아니면 산전수전 겪은 마흔다섯 살이다. 와인을 한 잔 마시고 있다. 빌리는 다이어트 콜라를 주문했다. 닉의 본거지는 라스베이거스이니, 호프가 닉의 부하인 것 같지는 않다. 하지만 닉은 여러 사업에 발을 담그고 있고 그게 전부 서부에 있는 것도 아니다. 닉 머제리언과 켄 호프는 어찌어찌 연결되어 있을 수도 있고 호프는 이번 일에 돈을 대는 사람과 한통속일 수도 있다. 이번 일이 실행에 옮겨진다면 말이다.

"길 건너편 저 건물이 내 거예요. 22층밖에 안 되지만 레드 블러프에서 두 번째로 높은 건물이니 그 정도면 충분하죠. 히긴스 센터가 올라가면 세 번째가 될 거예요. 그 건물은 30층이거든요. 안에 몰도 있고. 거기에도 내 지분이 있긴 하지만 이 건물은? 온전히 내 새끼예요. 트럼프가 경제를 살리겠다고 했을 때 다들 웃었지만 효과가 있어요. 분명히."

빌리는 트럼프나 트럼프의 경제 정책에는 전혀 관심이 없지만 전문가적인 관점에서 그 건물을 유심히 들여다본다. 타깃을 저격할 곳이 그 건물인 게 분명하다. 이름은 제러드 타워다. 22층밖에 안 되는 건물을 타워라고 하다니 뻥이 좀 심하다는 생각이 들지만, 다 쓰러져 가는 벽돌 건물이 대부분인 이 도시에서는 타워처럼 보일지 모른다. 관리가 잘된 건물 앞 잔디밭에는 사무 공간과 고급 아파트 완비라고 적힌 팻말이 꽂혀 있다. 그 아래에 연락처도 적혀 있다. 팻말이 그 자리를 지킨 지 꽤 된 것처럼 보인다.

"하지만 내 예상과는 다르게 전개되고 있어요. 경제가 살아나고 있는 건 맞고 돈 있는 사람들이 슬슬 움직이고 있고 2020년은 이보다 더 좋아지겠죠. 하지만 인터넷 기반 사업이 얼마나 많은지 알아요, 빌리? 빌리라도 불러도 되죠?"

"그럼요."

"요지가 뭔가 하면, 올해에는 내가 좀 여유가 없다는 거예요. WWE 주식을 사는 바람에 자금 운용에 문제가 생겨서. 하지만 계열사가 세 갠데 어떻게 거부할 수 있겠어요?"

빌리는 이게 다 무슨 소린지 도무지 알 길이 없다. 프로 레슬링 얘긴가? 아니면 TV에서 계속 광고가 나오는 몬스터 트럭 잼 쇼 얘긴가? 빌리도 알 거라고 호프가 생각하는 눈치이기에 그는 아는 척 고개를 끄덕인다.

"이 도시의 돈 많은 유지들은 나더러 무리한다고 하지만 투자가 상책 아니겠어요? 주사위도 뜨거울 때 던지고. 돈을 벌려면 돈을 써야죠, 안 그래요?"

"그렇죠."

"그러니까 할 일을 해야지 어쩌겠어요. 그리고 나는 좋은 기회가 보이면 그게 좋은 기회라는 걸 알거든요. 조금 위험하기는 하지만 잠깐 쓸 돈이 필요해요. 그리고 닉이 장담하더군요. 당신은 잡히더라도, 물론 그럴 일은 없겠지만, 만약 그러더라도 배후를 폭로하는 일은 없을 거라고."

"네, 맞습니다."

빌리는 잡힌 적이 없고 이번에도 잡힐 생각이 없다.

"이 바닥의 원칙이다, 맞나요?"

"그렇습니다."

빌리가 짐작하건대 켄 호프는 영화를 너무 많이 본 것 같다. 그중 몇 편은 아마 서브 장르가 '마지막 한탕'이었을 것이다. 그는 이 친구가 얼른 본론으로 들어갔으면 좋겠다는 생각을 한다. 파라솔이 있긴 해도 야외는 덥다. 그리고 끈적끈적하다. 이건 새들이나 좋아함직한 날씨고 어쩌면 그 녀석들도 별로 환영하지 않을지 모른다.

"내가 5층 모서리에 근사한 스위트룸을 잡아 놨어요. 방은 세 개예요. 사무실, 대기실, 간이 주방. 간이 주방, 끝내주죠, 예? 대기 시간이 아무리 길어도 끄떡없을 거예요. 아주 편안하게 지낼 수 있을 거예요. 이런 것까지 확인하고 싶지는 않지만 다섯까지 셀 줄은 알죠?"

그럼요. 심지어 걸으면서 껌을 씹는 것도 동시에 할 수 있는 걸요.

그 건물은 정사각형이고 창문 달린 크래커 상자 모양이라 5층의 코너 스위트룸이 두 개지만, 빌리는 호프가 둘 중 어느 쪽을 말하는지 안다. 왼쪽 방이다. 그는 길이가 두 블록밖에 안 되는 코트 가를 창문에서부터 대각선으로 훑는다. 법원 계단에서 끝나는 그 대각선이, 그가 만약 이 일을 맡는다면 총알이 날아가게 될 경로다. 법원은 얼기설기 뻗은 회색 화강암 건물이다. 최소 20개는 되어 보이는 계단을 올라가면 눈을 가린 정의의 여신이 저울을 들고 한복판에 서 있는 광장이 나온다. 그가 켄 호프에게 절대 얘기하지 않을 수많은 사항 가운데 하나를 공개하자면 정의의 여신의 기원은 아우구스투스 황제가 만들어 냈다고 볼 수 있는 로마의 유스티티아 여신이다.

빌리는 5층의 코너 스위트룸으로 재차 시선을 돌려 대각선을 다시 한번 눈으로 그린다. 창문에서 계단까지는 500미터쯤 되어 보인다. 강풍이 불어도 성공할 수 있는 거리다. 물론 제대로 된 장비가 있어야 하지만.

"저를 위해서 뭘 준비하셨나요, 호프 씨?"

"네?"

순간 *바보* 호프가 전면으로 부각된다. 빌리는 오른손 집게손가락을 동그랗게 구부린다. *왜 이러세요*의 뜻으로 해석될 수도 있는 동작이지만 이번 경우에는 그렇지가 않다.

"아! 그거요! 당신이 부탁한 걸로 준비했죠." 좌우를 두리번거린 호프는 아무도 없는 걸 확인한 뒤에도 언성을 낮춘다. "레밍턴 700이요."

"M24 말씀이죠."

군대에서 쓰이는 레밍턴 700이 M24다.

"M……?" 호프는 뒷주머니에서 지갑을 꺼내 엄지손가락으로 훑는다. 쪽지를 한 장 꺼내 쳐다본다. "M24, 맞네요."

쪽지를 다시 지갑에 넣으려고 하는 그에게 빌리가 손을 내민다.

호프는 쪽지를 건넨다. 빌리는 쪽지를 자기 주머니에 넣는다. 나중에 닉을 만나러 가기 전에 호텔 화장실 변기에 버리고 물을 내릴 것이다. 이런 식으로 뭘 적어 놓으면 안 된다. 이 호프라는 작자가 나중에 골칫거리가 되지 않기만을 바랄 따름이다.

"옵틱은요?"

"네?"

"스코프. 조준기요."

호프는 당황해서 어쩔 줄 몰라한다.

"당신이 준비해 달라고 한 거였죠?"

"그것도 적어 놨나요?"

"방금 당신에게 준 쪽지에다가요."

"알겠습니다."

"장비는 어디에 두었는가 하면……"

"그건 알려 주지 않아도 됩니다. 이 일을 맡을지도 아직 결정하지 않았으니까요." 하지만 사실은 결정을 내린 상태다. "저 건물에는 경비가 있나요?" 다시 *바보 빌리*가 물음직한 질문이다.

"네. 그럼요."

"만약 내가 이 일을 맡게 되면 장비를 5층까지 들고 가는 건 내가 합니다. 그렇게 알고 있어도 될까요, 호프 씨?"

"네, 그럼요."

호프는 안심하는 눈치다.

"그럼 할 얘기는 다 한 것 같군요." 빌리는 자리에서 일어나 손을 내민다. "만나서 정말 반가웠습니다."

사실은 그렇지 않았다. 빌리는 이 남자를 믿어도 될지 확신이 서지 않고, 그 황당하고 꾀죄죄한 수염이 영 못마땅하다. 뻣뻣한 빨간색 털로 둘러싸인 입술에 키스하고 싶은 여자가 과연 있을까?

호프는 그의 손을 잡는다.

"나도 반가웠어요, 빌리. 내가 요즘 힘든 시기를 지나고 있어서 말이죠. 『영웅의 여정』이라는 책 읽어 봤어요?"

빌리는 읽었지만 고개를 젓는다.

"꼭 읽어 봐요, 꼭. 나는 문학적인 부분은 건너뛰고 본론부터 읽었어요. 나로 말할 것 같으면 허튼소리는 제치고 핵심으로 직행하는 성격이라. 그 책을 쓴 작가 이름은 기억이 나지 않지만 모든 인간은 영웅이 되려면 그 전에 시험의 시기를 거쳐야 한다고 하더군요. 지금 내가 그 시기를 거치고 있는 거예요."

암살범에게 저격용 소총과 망루를 제공하는 식으로 말이지. 빌리는 생각한다. 조지프 캠벨이 그것도 영웅의 범주에 든다고 할지 잘 모르겠다.

"음, 시험에 통과하시길 바랍니다."

2

빌리는 여기에 남기로 하면 결국에는 차를 한 대 마련해야 할 거라고 짐작하지만, 지금 당장은 길을 모르니 즐겁게 폴리 로건의 차를 타고 호텔에서 닉이 '주인 대신 봐주고 있는' 집 으로 이동한다. 그 집은 빌리가 어제 예상했던 것처럼 판에 박 힌 대저택으로, 8000제곱미터 정도 되어 보이는 잔디 위에 얼 기설기 지어 놓은 흉물이다. 폴리가 선바이저에 달린 장치에 엄지손가락을 갖다 대자 대문이 열리더니 길고 구불구불한 진입로가 등장한다. 실제로 케루빔이 물웅덩이에 대고 계속 오줌을 싸고 있고, 어스름에 덮여 보이지 않는 조명이 다른 조 각상들(로마 병사상과 맨 가슴을 드러낸 처녀상)을 비추고 있다. 집 도 불을 밝혀 그 졸렬한 과잉이 더욱 도드라져 보인다. 빌리 눈에는 슈퍼마켓과 대형 교회가 낳은 사생아처럼 보인다. 이 건 집이 아니라 건축학계의 빨간색 골프 바지다.

프랭키 엘비스라고도 불리는 프랭크 매킨토시가 끝없이 이 어지는 현관 앞 베란다에서 그를 기다리고 있다. 검은색 양복 에 수수한 파란색 넥타이를 매고 있다. 그를 보면 악덕 사채업 자를 대신해 채무자 다리 부러뜨리는 일로 사회생활을 시작 했다는 걸 어느 누구도 짐작하지 못할 것이다. 물론 그건 오래 전, 거물급으로 성장하기 전 얘기다. 그가 장원의 주인처럼 손 을 내밀고 현관 앞 계단을 반쯤 내려온다. 아니면 장원 주인의 집사라고 해야 할까.

닉은 이번에도 현관 안쪽 입구에서 기다리고 있는데, 입구가 미드우드의 초라한 노란색 집보다 훨씬 으리으리하다. 닉도 거구지만 함께 있는 남자는 덩치가 어마어마해서 130킬로그램이 훨씬 넘어 보인다. 닉의 라스베이거스 간부진 사이에서는 조지 피그스라고 불리는(이번에도 어느 누구도 면전에 대고 그렇게 부르지는 않는다.) 조르조 피그릴리다. 닉이 CEO라면 조르조는 그의 COO다. 그 둘이 홈베이스를 떠나 이 먼 곳까지 온 걸 보면 닉이 중개 수수료라고 표현한 돈의 액수가 어마어마한 모양이다. 빌리는 200만 달러를 약속받았다. 이 둘은 얼마를 약속받았거나 이미 챙겼을까? 조엘 앨런 때문에 전전긍긍하는 사람이 있다는 얘기다. 그자는 아마 이런 집, 아니면 이보다 더 흉물스러운 집을 소유하고 있을 것이다. 그럴 수가 있다니 믿기 어렵지만 아마 그럴 것이다.

닉이 빌리의 어깨를 치며 말한다.

"자네는 이 뚱보가 조르조 피그릴리인 줄 알겠지?"

"그렇게 보이는데요."

빌리가 조심스럽게 말하자 조르조는 그보다 더 기름질 수 없게 빙그레 웃는다.

고개를 끄덕인 닉은 그 100만 달러짜리 웃음을 짓고 있다.

"그렇게 보이겠지만 사실은 조지 러소야. 자네 에이전트."

"에이전트요? 제가 운동선수인 척해야 하는 건가요?"

"아니, 그런 에이전트 말고." 닉은 폭소를 터뜨린다. "거실로 들어가지. 음료 마시면서 조르조의 설명을 듣게. 내가 어제 얘기했던 것처럼 계획이 환상적이야."

3

거실은 풀먼 침대차만큼 길다. 달려 있는 샹들리에 세 개 중에서 두 개는 작고 하나는 크다. 가구들은 납작하고 아래로 푹 꺼졌다. 추가된 케루빔 둘이 전신 거울을 떠받들고 있다. 대형 괘종시계는 이런 공간에 있어서 곤혹스러워하는 듯한 분위기를 풍긴다.

깡패에서 심복으로 변신한 프랭크 매킨토시가 쟁반에 음료수를 담아서 들고 온다. 빌리와 닉의 몫은 맥주고, 쉰 살에 죽기 전에 최대한 많은 칼로리를 섭취하기로 작정한 것처럼 보이는 조르조의 몫은 초콜릿 몰트 우유인가 싶다. 조르조가 선택해서 앉은 자리는 유일하게 그의 체구에 맞는 의자다. 빌리는 그가 다른 사람에게 부축을 받지 않아도 거기서 일어날 수 있을지 궁금해진다.

닉이 맥주 잔을 든다.

"우리를 위해서 건배. 행복하게 일을 하고 행복하게 마무리 지을 수 있길."

그들이 건배하고 나서 잠시 후에 조르조가 말한다.

"닉한테 들었어. 자네가 이번 일에 관심은 있지만 아직 수락을 하지는 않았고 고민하는 단계라고."

"맞아."

"음, 그럼 편의상 자네가 우리 팀에 합류했다고 치고 논의를 시작할게." 조르조는 빨대로 몰트 우유를 빨아 마신다. "아, 좋다. 따뜻한 저녁에 딱이네."

그러면서 빌리 생각에는 거기 쓰인 천이면 한 고아원 아이들 전체의 옷을 만들어 입힐 수도 있겠다 싶은 양복 재킷의 주머니에서 지갑을 꺼내 그에게 내민다.

빌리는 지갑을 받아든다. 로드 벅스턴이다. 근사하지만 아주 고급스럽지는 않다. 게다가 조금 낡아서 가죽이 두어 군데 쓸리고 찍혔다.

"살펴봐. 이 막막한 도시에서 자네가 누구로 살게 될지 그 안을 보면 알 수 있어."

빌리는 살펴본다. 현금 70달러 정도가 들어 있다. 사진도 몇 장 있는데, 대부분 친구 사이인가 싶은 남자들과 여자들 사진이다. 그에게 아내와 아이들이 있는지 여부는 알 수 없다.

"원래는 포토샵으로 자네 얼굴을 넣으려고 했어." 조르조가 말한다. "그랜드캐니언이나 뭐 그런 데 서 있는 걸로. 그런데 자네 사진을 가지고 있는 사람이 없더군."

"사진을 남기면 문제가 생길 수 있으니까."

닉이 말한다. "지갑에 자기 사진을 넣고 다니는 사람도 별로 없긴 하지. 나도 조르조에게 그렇게 얘기했어."

빌리는 책을 읽는 것처럼 계속 지갑을 뒤진다. 객실에서 저녁을 먹으며 다 읽은 『테레즈 라캥』 대하듯 한다. 여기 남기로 하면 그의 이름은 데이비드 로크리지가 될 것이다. 포츠머스 시코스트 은행에서 발급된 비자카드와 마스터카드를 쓸 것이다.

"신용카드는 한도가 어떻게 되나?" 그는 조르조에게 묻는다.

"마스터는 500, 비자는 1000. 예산이 정해져 있어. 물론 자네 책이 우리의 바람대로 진행된다면 달라질 수 있지만."

빌리는 조르조와 닉을 번갈아 빤히 쳐다보며 이것이 일종의 함정인지 궁금해한다. 두 사람이 그의 *바보 빌리* 연극을 간파한 걸까?

"이 친구는 자네 *저작권* 에이전트야!" 닉이 거의 고함을 지르다시피 한다. "이야말로 배꼽 잡을 일 아닌가?"

"작가로 위장하라고요? 왜 이러세요, 고등학교도 졸업하지 못한 사람한테. 저는 사막에서 고졸 학력 인증서를 받았고 그것도 팔루자와 라마디*에서 사제 폭탄과 지하드 게릴라들을 잘 피해 다녔다고 정부에서 선물한 거예요. 안 돼요. 이건 말도 안 되는 작전이에요."

---

* 양쪽 모두 이라크의 도시다.

"아냐. 천재적인 작전이야. 이 친구 설명을 들어 봐, 빌리. 아니, 지금부터 데이브라고 불러야 하려나?"

"이 작전대로 진행할 생각이라면 저를 데이브라고 부를 일은 없을 겁니다."

본거지와 너무 가까웠다. 가까워도 너무 가까웠다. 그는 책을 좋아한다. 그것만큼은 분명하다. 그리고 가끔은 작가가 되는 꿈을 꾼다. 어쩌다 한 번씩 산문 몇 토막을 끼적이고 항상 폐기 처분하는 수준이긴 하지만.

"잘될 리가 없어요, 닉. 두 분이 이미 준비를 시작했다는 걸 알겠고……." 빌리는 지갑을 들어 보인다. "……그래서 미안하지만 잘될 리가 없어요. 누가 저더러 어떤 책을 쓰고 있느냐고 물으면 뭐라고 대답하겠어요?"

"5분만 시간을 허락해 줘. 길어야 10분. 그런 다음에도 마음에 들지 않으면 쿨하게 바이바이하자고."

빌리는 과연 그럴 수 있을지 의심스럽지만 조르조에게 얘기를 계속해 보라고 한다.

조르조는 다 마신 우유 잔을 자기 의자 옆 테이블(치펜데일 제품인 듯하다.)에 내려놓고 트림을 한다. 하지만 그가 빌리에게로 온전히 관심을 돌리자 조지 피그스의 본모습이 드러난다. 머지않은 미래에 그의 목숨을 앗아 갈 지방의 바다 아래에는 군더더기 없고 탄탄한 이성이 숨겨져 있다.

"자네 같은 친구 입장에서는 언뜻 들었을 때 어떤 생각이 들지 알겠지만 잘될 거야."

빌리는 살짝 긴장을 푼다. 두 사람은 여전히 그의 실체를 간파하지 못했다. 적어도 그 부분에서만큼은 아직 안전하다.

"자네는 최소 6주, 길면 최대 6개월까지 여기 있을 거야." 조르조가 말한다. "그 깜둥이의 변호사가 심리를 언제까지 늦출 수 있는지에 따라 기간이 달라지지. 아니면 언제까지 살인 기소를 어떻게 해 볼 여지가 있다고 생각하는지에 따라. 자네는 건당 보수를 받겠지만 거기에 시간당 보수도 플러스돼. 무슨 말인지 알지?"

빌리는 고개를 끄덕인다.

"그러니까 여기 이 레드 블러프에서 지내는 이유가 있어야 하는데, 여기가 휴양지는 아니란 말이지."

"맞아." 닉이 끼어들고 브로콜리 접시를 본 어린애처럼 인상을 쓴다.

"그리고 법원 근처 그 건물에서 지내는 이유도 있어야 하거든. 그렇기 때문에 작가라고 하자는 거야."

"하지만……"

조르조는 두툼한 손을 들어 보인다.

"자네는 그게 잘될 리 없다고 생각하지만 나는 잘될 거라고 봐. 어째서 그런지 설명할게."

빌리는 미심쩍어하는 표정을 짓지만 그들에게 *바보 빌리*의 가면을 간파당했나 하는 두려움이 사라지고 나니 조르조의 의도를 알 것 같다. 어쩌면 가능성이 있을지도 모르겠다.

"내가 나름 자료 조사를 했어. 문학 잡지도 잔뜩 읽고 인터넷 검색도 숱하게 해 가면서. 내가 만든 시나리오는 이거야. 데이비드 로크리지는 뉴햄프셔주 포츠머스에서 어린 시절을 보냈어. 어렸을 때부터 작가가 되고 싶었지만 고등학교를 간신히 졸업하고 건설현장에서 일을 했지. 그러면서 계속 글을 쓰긴 했지만 노는 걸 너무 좋아했어. 술도 많이 마셨고. 이혼남으로 설정할까 고민도 했지만 그러면 헷갈릴 소지가 너무 많겠더라고."

총에 대해서는 빠삭하지만 다른 건 별로 그렇지 못한 남자의 입장에서는 그렇겠지.

"그러다 마침내 뭔가 그럴듯한 스토리가 떠오르기 시작한 거야. 블로그를 읽어 보니까 갑자기 불붙은 작가들 얘기가 많던데, 자네한테도 그런 일이 벌어진 거지. 그래서 70쪽, 어쩌면 100쪽 정도 원고를 쓸 수 있게 됐고……"

"뭐에 대해서?"

빌리는 이 상황을 재밌게 즐기기 시작했지만 그런 티를 내지 않게 조심한다.

조르조는 닉과 서로 흘끗 쳐다본다. 닉이 어깨를 으쓱하자 조르조가 말을 잇는다.

"그건 아직 정해지지 않았지만 내가 나중에……"

"내가 살아온 이야기 어때? 데이브의 이야기 말이야. 그런 글을 가리켜서……"

"수기라고 하지!"

닉이 「제퍼디!」* 출연자라도 되는 듯 잽싸게 끼어 들어 외친다.

"그래도 되긴 하지." 조르조는 '시도는 가상하지만 설명은 전문가에게 맡기지그래요, 닉.'이라고 말하는 듯한 표정이다. "아니면 소설도 좋고. 중요한 건 에이전트가 절대 함구하라는 명령을 내렸다는 거야. 일급비밀이라고. 글을 쓰고 있다는 건 비밀로 하지 않아. 그래서 그 건물에서 오며 가며 자네를 만나는 사람들은 5층 남자가 글을 쓴다는 건 알지만 뭐에 대해서 쓰는지는 몰라. 그러면 자네가 스토리를 혼동할 일이 없겠지."

내가 그럴 리가 있나.

"데이비드 로크리지는 어쩌다 포츠머스에서 여기로 오게 됐는데? 제러드 타워에서 지내게 된 이유는 뭐고?"

"그 부분이 나는 제일 마음에 들더군."

닉이 얘기한다. 잠자리에 누워서 자기가 제일 좋아하는 이야기를 듣고 있는 어린애 같은 말투인데, 빌리가 보기에는 연극도 과장도 아니다. 닉은 진심으로 이 작전에 찬성하고 있다.

"자네는 인터넷에서 에이전트를 찾았어." 조르조는 여기까지 말하고 잠깐 머뭇거린다. "인터넷을 쓸 줄은 알지?"

"당연하지." 빌리는 뚱뚱한 이 두 남자보다 그가 컴퓨터에

---

* 미국의 퀴즈 프로그램.

대해 아는 게 더 많을 거라고 장담할 수 있지만 그것 역시 어느 누구와도 공유하지 않을 비밀이다. "이메일 써. 가끔 핸드폰으로 게임도 하고. 그리고 코믹솔로지에 접속도 하고. 그건 앱이야. 이것저것 다운받기도 하는데, 그럴 때는 노트북을 쓰지."

"오케이, 좋아. 자네는 에이전트를 찾아. 이런 원고를 쓰고 있다고 이메일을 보내. 그런데 대부분의 에이전트가 제임스 패터슨이나 그 해리 포터 아가씨처럼 돈을 잘 버는, 검증된 작가들만 고집하기 때문에 관심 없다고 하지. 어느 블로그를 읽어 보니까 그게 아이러니라고 하더군. 에이전트가 있어야 책을 출간할 수 있는데 책을 출간하기 전에는 에이전트를 구할 수가 없다고."

"영화도 마찬가지지. 유명한 스타를 모아 놓더라도 결국 중요한 건 에이전트야. 그들이 실질적인 권력자지. 에이전트가 이래라저래라 하면 아 글쎄, 스타들도 시키는 대로 하거든."

조르조는 중간에 끼어든 닉의 말이 끝나길 가만히 기다렸다가 하던 얘기를 계속한다.

"마침내 그래요, 좋아요, 에라 모르겠다, 내가 한번 볼 테니 처음 두어 꼭지만 보내 봐요, 라고 하는 에이전트가 등장해."

"그게 자네란 말이지." 빌리가 말한다.

"그렇지. 나, 조지 러소. 내가 읽어 봐. 괜찮다는 결론을 내려. 그래서 아는 몇몇 출판사 사장에게 원고를 보여 주는데……"

퍽이나 그렇겠다. 네가 아는 '편집자'한테 보여 줘야지. 하지만 그 부분은 필요한 경우 수정하면 그만이다.

"……그 사장들도 마음에 들어하지만 원고가 완성될 때까지 수백만 달러는커녕 거금을 쓰지 않으려고 해. 자네는 미지의 상품이니까. 무슨 말인지 알겠지?"

빌리는 그럴듯한 시나리오에 점점 설득이 돼서 당연히 안다고 대답하고 싶은 걸 꾹 참고 있다. 사실상 아주 훌륭한 시나리오다. 무슨 책을 쓰는지 누설하지 않기로 맹세했다는 부분이 특히 그렇다. 그리고 그가 예전부터 꿈꾸어 왔던 일을 하는 척하면 재미도 있을 것이다.

"반짝하고 끝날 거라는 말이지."

닉이 이를 드러내며 씩 웃는다. 조르조는 고개를 끄덕인다.

"그 비슷해. 시간이 어느 정도 지나. 나는 추가 원고를 기다리지만 데이브는 감감무소식이야. 나는 좀 더 기다려. 여전히 아무 소식이 없어. 결국 나는 그 랍스터의 땅까지 찾아가는데 이 인간이 자기가 무슨 빌어먹을 어니스트 헤밍웨이라도 되는 것처럼 흥청망청 놀고 있어. 일을 하지 않을 때는 동네 친구들과 나가서 놀거나 숙취에 시달려 가며. 알코올과 약물 중독은 천부적인 재능과 한 세트거든."

"그래?"

"입증된 사실이야. 하지만 조지 러소는 이 남자를 구원하기로 마음먹어, 적어도 원고를 완성할 때까지만이라도. 그래서 한 출판사 사장을 설득해 원고를 계약하고 3만이나 아니면 5만의 선금을 받아 내는 거야. 큰돈은 아니지만 적은 돈도 아니고, 업계에서는 마감일이라고 부르는 데드라인까지 원고를 넘기지 않으면 출판사에서 반환을 요구할 수도 있지. 하지만 중요한 건 이거야, 빌리. 수표가 *자네*가 아니라 *내* 앞으로 발행이 됐다는 거."

이제 어떤 시나리오인지 확연해지지만 빌리는 그래도 조르조가 끝까지 설명하도록 내버려 둔다.

"나는 조건을 달아. 자네를 위해서. 자네는 랍스터의 땅과, 코가 비뚤어지도록 마시고 코카인을 해 대는 친구들과 헤어져야 해. 할 것도 없고, 있다 한들 아무도 하지 않는 그런 시궁창 같은 마을이나 도시로 멀리 떠나야 해. 내가 자네에게 집을 하나 빌려주겠다고 해."

"내가 본 그 집 말이지?"

"맞아. 그보다 더 중요하게는 내가 작업실을 마련해 줄 테니 주중에는 날마다 거기로 출근해 조그만 방에 앉아서 일급비밀에 부친 책이 완성될 때까지 열심히 자판을 두드리라고 해. 이 조건을 수락하지 않으면 골든 티켓하고는 안녕이라고."

조르조는 뒤로 기대고 앉는다. 튼튼한 의자지만 그래도 조그맣게 신음한다.

"이래도 형편없는 시나리오라고 생각한다면, 아니, 훌륭한 시나리오긴 하지만 설득이 되지 않는다고 하면 모두 없었던 일로 하지."

닉이 한쪽 손을 든다.

"빌리, 자네가 뭐라고 말을 하기 전에 이게 훌륭한 시나리오일 수밖에 없는 또 다른 이유를 제시하겠네. 자네와 같은 층에서 지내는 모든 사람과 다른 층의 많은 사람이 자네와 안면을 트게 될 거야. 내가 자네를 알다시피 100미터 멀리 있는 동전을 맞히는 것 말고도 다른 재주가 있으니 말이지."

내가 그 정도는 아니지. 크리스 카일*도 그건 못 할 텐데.

"자네는 일부러 친해지려고 않아도 사람들과 잘 지내잖나. 자네를 보면 다들 미소를 짓는단 말이지." 그러고는 빌리가 아니라고 하지도 않았건만 이렇게 덧붙인다. "내 눈으로 봤어! 호프 말로는 날마다 푸드 트럭 두어 대가 그 건물 앞에서 영업을 하고, 날이 좋으면 사람들이 줄을 서서 점심을 사 가지고 야외 벤치에 앉아서 먹는다고 하거든. 자네도 그중 한 명이 될 수 있단 말이지. 기다리는 시간 동안 아무것도 하지 않을 필요는 없잖은가. 사람들과 친해지는 기회로 삼으면 되지. 소설가라는 참신함이 빛을 잃으면 자네는 9시에 출근해 5시가 되면 미드우드의 조그만 집으로 퇴근하는 여느 직장인과 다를 게 없어질 거야."

빌리도 어떻게 하면 그렇게 될 수 있을지 알 것 같다.

---

* 미국 해군 특수부대 소속이었던 전설적인 저격수.

"그러다 마침내 일이 터졌을 때 자네는 아무도 모르는 남일까? 범인인 게 분명한 외부인일까? 아니지, 자네는 몇 달 동안 거기서 지내며 엘리베이터에서 잡담을 나누고, 2층의 미수금 처리 대행업체 직원들과 타코 내기 포커를 칠 거 아닌가."

"그 직원들은 총알이 어디서 날아왔는지 알 겁니다."

"당연하지. 하지만 당장은 아니야. 왜냐하면 처음에는 다들 외부인을 찾을 테니까. 그리고 시선이 다른 데로 분산될 테니까. 그리고 자네는 저격 후 사라질 때 항상 탈출 마술사 뺨치는 실력을 발휘하지 않나. 상황이 파악되기 시작할 때쯤이면 자네는 사라진 지 오래일 테지."

"시선이 다른 데로 분산되다니요?"

"그건 나중에 얘기하기로 하지."

그 말을 듣고 빌리는 닉이 아직 그 부분에 대해서는 마음의 결정을 내리지 못했나 보다는 생각을 한다. 하지만 상대가 닉이다 보니 단언하기는 어렵다.

"시간은 많으니까. 지금 당장은……."

닉이 조지 피그스이기도 하고 조지 러소이기도 한 조르조를 돌아본다. 이제 배턴을 자네에게 넘기겠네라고 말하는 눈빛이다.

조르조는 그 거대한 양복 재킷 주머니에서 이번에는 휴대전화를 꺼낸다.

"말만 해, 빌리. 자네가 원하는 해외은행의 패스코드를 알려만 주면 내가 거기로 50만을 송금할게. 한 40초쯤 걸릴 거야. 접속이 느리면 1분 30초. 그리고 작업에 착수할 수 있게 이 지역 은행으로 활동비도 빵빵하게 입금할게."

빌리는 그들이 얼른 결정을 내리도록 그를 몰아가고 있다는 걸 알아차린다. 도축장에서 활송장치로 내몰리는 소의 이미지가 언뜻 머릿속을 스치고 지나가지만 어마어마한 액수 때문에 생긴 피해망상일 수도 있다. 어쩌면 마지막 한탕은 단순히 수입만 가장 짭짤하면 되는 것이 아니라 가장 흥미진진하기까지 해야 하는 것일지 모른다. 하지만 확인하고 싶은 게 한 가지 더 있다.

"호프가 여기 낀 이유가 뭡니까?"

"그 인간 건물을 써야 하니까." 닉이 얼른 대답한다.

"그렇긴 하지만……." 빌리는 미간을 찌푸리며 엄청 집중하는 표정을 짓는다. "호프 말로는 그 건물에 공실이 많다고 하던데요."

"하지만 5층 코너가 명당이거든. 자네 에이전트인 여기 이 조지가 그자 이름으로 임대하게 했지. 우리는 연루되지 않게."

"호프가 총기 조달도 맡고 있고." 조르조가 말한다. "이미 준비해 놨을 거야. 아무튼 그것도 역추적당할 일은 없을 거야."

빌리는 닉이 그와 함께 있는 걸 아무에게도 보이지 않으려고 심지어 대문에 가로막힌 이 저택의 현관에서조차 몸을 사리는 것을 보며 그럴 거라고 짐작했지만 그래도 찜찜하다. 그가 보기에 호프는 떠버리였고 암살을 계획할 때 떠버리가 주변에 있으면 별로다.

4

　이후 그날 밤. 자정이 가까운 시각. 빌리는 베개 아래에 손을 넣고 호텔 침대에 누워 찰나의 서늘함을 만끽한다. 그는 당연히 그 일을 하겠다고 했고 닉 머제리언 같은 사람에게 그렇게 얘기하고 나면 번복할 방법은 없다. 그는 이제 그의 마지막 한탕이라는 작품에 주연으로 출연 중이다.

　그는 조르조에게 카리브해에 있는 은행 계좌로 50만 달러를 입금해 달라고 했다. 현재 그 계좌에는 상당한 금액이 들어 있는데, 조엘 앨런이 법원 계단에서 죽으면 액수가 한참 더 늘어날 것이다. 아껴 쓰면 아주아주 오랫동안 먹고살기에 충분할 것이다. 그리고 그는 아껴 쓸 것이다. 그에게는 비싼 취미 생활이 없다. 샴페인과 에스코트 서비스는 절대 그의 취향이 아니다. 다른 두 군데 현지 은행에는 데이비드 로크리지가 쓸 수 있는 1만 8000달러가 추가로 들어 있다. 활동비로는 충분하지만 연방 정부의 부비트랩을 건드릴 수 있을 만한 금액은 아니다.

　그는 다른 질문을 두어 개 더 했다. 가장 중요한 문제는 계획을 실행에 옮길 때가 됐을 때 준비 시간이 얼마나 주어지느냐는 것이었다.

"많지는 않아." 닉이 말했다. "하지만 '그자가 15분 뒤에 거기 등장할 거야.' 이런 식도 아니겠지. 용의자 이송 명령이 내려지면 우리가 곧바로 알아차릴 테고 자네는 전화나 문자로 연락을 받을 거야. 최소 24시간은 될 테고 어쩌면 3일, 심지어 일주일이 될 수도 있어. 됐나?"

"네. 15분이면 아무것도 장담할 수 없다는 것만 알아주시면 됩니다. 어쩌면 1시간까지도요."

"그럴 일은 없을 걸세."

"놈이 법원 계단으로 이송되지 않으면요? 다른 문을 쓰면?"

"다른 문이 있긴 해." 조르조가 말했다. "일부 법원 직원들이 이용하는 문. 그래도 5층에서 보이고 거리도 50~60미터밖에 안 돼. 그 정도면 가능하지?"

가능했기에 빌리는 그렇다고 말했다. 닉은 귀찮은 파리라도 쫓으려는 듯 손을 들었다.

"계단으로 이송될 거야, 믿어도 좋아. 또 다른 질문은?"

빌리는 없다고 했고 이제 이렇게 여기 누워서 잠이 오길 기다리며 다시 한번 생각해 보고 있다. 월요일이 되면 에이전트가 그를 위해 임대한 노란색의 아담한 그 집으로 이사할 것이다. *저작권* 에이전트가 임대한 집으로 말이다. 화요일에는 이번에도 조지 피그스가 임대해 놓은 작업실을 둘러볼 것이다.

조르조가 거기서 뭘 하며 시간을 보낼 생각이냐고 물었을 때 빌리는 일단 노트북에 코믹솔로지 앱부터 다운받겠다고 말했다. 그리고 어쩌면 게임도 몇 개.

"만화 읽는 중간에 뭐라도 좀 끼적이는 거 잊지 마." 조르조가 반은 농담, 반은 진담조로 말했다. "그 뭐냐. 캐릭터에 녹아들 수 있게. 맡은 배역에 걸맞게 살라고."

아마 그는 그럴 것이다. 아마 그는 그렇게 할 것이다. 별로 수준이 높지 않은 글을 쓴다 한들 시간을 때울 수는 있을 것이다. 그는 수기를 제안했다. 조르조는 소설을 제안했다. 빌리가 소설을 쓸 수 있을 만큼 똑똑하다고 생각해서가 아니라 누가 물어볼 때 그렇게 대답하면 그만이기 때문이었다. 누가 물어볼 수밖에 없다. 그가 제러드 타워 입주민들과 안면을 트면 물어보는 사람이 많을 수도 있다.

스르르 수면에 빠지려는 찰나 기발한 생각이 잠을 깨운다. 그 둘을 결합하면 안 될 이유도 없지 않을까? 소설이지만, 실제로는 졸라와 하디의 작품을 읽고 심지어 『끝없는 농담』*까지 꾸역꾸역 읽었던 빌리 서머스가 아니라 다른 빌리 서머스가 쓴 수기. 그가 바보 빌리라고 부르는 또 다른 자아가 쓴 책. 그럴 수 있지 않을까? 그는 그 빌리도 자기 자신만큼 잘 알기 때문에 가능하다는 생각이 든다.

---

* 현대 미국 작가 데이비드 포스터 월리스의 소설.

한번 시도해 봐야겠어. 가진 거라고는 시간뿐일 테니 안 될 것도 없잖아? 그는 어떤 식으로 시작하면 좋을지 고민하다 마침내 잠이 든다.

3장

1

빌리 서머스는 또다시 호텔 로비에 앉아서 그를 태우고 갈 차가 오길 기다린다.

지금은 월요일 정오다. 서류가방과 노트북 케이스가 의자 옆에 놓여 있고 그는 또다시 만화책을 읽고 있다. 이번에는 『아치 코믹스 특별판: 영원한 친구』다. 그는 오늘은 『테레즈 라캥』이 아니라 아직까지 보지 못한 5층 작업실에서 어떤 글을 쓸지 생각 중이다. 아직 선명하게 그려지지는 않지만 첫 문장만큼은 정해 놓고 단단히 기억하고 있다. 거기서 다른 문장들이 이어질지 모른다. 아닐 수도 있지만. 그는 성공할 준비가 되어 있지만 실망할 준비도 되어 있다. 그것이 그가 사는 방식이고 지금까지는 별문제가 없었다. 적어도 아직 철창신세를 지고 있지 않은 걸 보면.

12시 4분에 프랭크 매킨토시와 폴리 로건이 정장 차림으로 로비에 들어선다. 서로 악수를 한다. 프랭크는 올백 머리에 다른 기름을 바른 것처럼 보인다.

"체크아웃해야 하나?"

"이미 했어."

"그럼 출발하자고."

빌리는 만화책을 가방 옆 주머니에 넣고 가방을 집는다.

"아냐, 아냐." 프랭크가 말한다. "폴리한테 맡겨. 이 친구 운동 좀 해야 하거든."

폴리는 가운뎃손가락으로 클립처럼 넥타이를 누르지만 가방을 든다. 세 사람은 차가 있는 곳으로 나간다. 프랭크가 운전하고 폴리가 뒤에 앉는다. 그들은 미드우드의 그 아담한 노란색 집으로 향한다. 빌리는 점점 민둥해져 가는 잔디를 보며 물을 주어야겠다고 생각한다. 호스가 없으면 하나 사야겠다. 진입로에 차가 한 대 있다. 소형 도요타고 연식이 몇 년쯤 되어 보이지만, 도요타이다 보니 확실하지는 않다.

"내 차인가?"

"맞아." 프랭크가 말한다. "별건 아니지만 자네 에이전트 예산이 빠듯한가 봐."

폴리가 빌리의 서류가방을 현관 앞 베란다에 내려놓고 재킷

주머니에서 봉투를 꺼내 안에 담긴 열쇠로 문을 연다. 그러고
는 열쇠를 다시 봉투에 담아서 빌리에게 건넨다. 앞면에 *에버
그린 가 24번지*라고 적혀 있다. 어제도 오늘도 도로명 표지판
을 확인하지 않았던 빌리는 이렇게 생각한다. *이제 내 집 주소
를 알게 됐군.*

"차 열쇠는 식탁 위에 있어."

프랭크는 말하고 다시 손을 내민다. 여기서 작별하는 모양
이다. 빌리 입장에서는 그래도 별 상관은 없다.

"조심히 타고 다니세요." 폴리가 말한다.

이후 60초도 안 돼서 두 사람은 사라진다. 아마 거대한 앞마
당에서 케루빔이 계속 오줌을 싸는 대저택으로 돌아갈 것이다.

2

빌리는 2층의 큰방으로 올라가 이제 막 이불을 내놓은 것처
럼 보이는 더블베드 위에 서류가방을 올려놓고 연다. 소지품
을 넣으려고 벽장을 열어 보니 셔츠, 스웨터 두어 벌, 후드 스
웨터 그리고 정장 바지 두 벌로 이미 꽉 찼다. 바닥에는 새 운
동화가 한 켤레 놓여 있다. 전부 사이즈가 맞아 보인다. 서랍
장에는 양말, 속옷, 티셔츠, 랭글러 청바지가 들어 있다. 그는
남은 서랍에 소지품을 넣는다. 별로 많지는 않다. 오는 길에

본 월마트에서 옷을 몇 벌 살 생각이었는데 그럴 필요가 없을 것 같다.

그는 부엌으로 내려간다. 식탁 위에 도요타 자동차 열쇠가 있고 그 옆에 케네스 호프와 사업가라고 새겨진 명함이 있다. *사업가라. 거창하구먼.* 명함을 뒤집어 보니 집 열쇠가 담긴 봉투와 똑같은 필체로 짧게 메모가 적혀 있다. *필요한 게 있으면 바로 연락하세요.* 전화번호가 두 개 적혀 있다. 하나는 사무실, 하나는 휴대전화다.

냉장고 문을 열어 보니 먹을 게 가득 들어 있다. 주스, 우유, 달걀, 베이컨, 봉지에 든 햄과 치즈, 플라스틱 통에 든 감자 샐러드. 도어 포켓 한 칸에는 폴란드 스프링 생수, 또 한 칸에는 콜라가 있고, 여섯 개들이 버드 라이트도 있다. 빌리는 냉동실 서랍을 열었다가 자기도 모르게 미소를 짓는다. 그 안에 담긴 제품이 켄 호프에 대해 많은 것을 알려 주기 때문이다. 그는 현재 독신이고 이혼하기 전까지(이혼 경력이 최소 한 번은 될 거라고 빌리는 장담할 수 있다.) 여자들이 먹이고 물을 주었을 것이다. 1번 타자였던 어머니는 아마 그를 케니라고 부르며 2주마다 이발을 하도록 챙겼을 것이다. 냉동실에는 스토퍼스 사 제품과 피자, 신상 막대 아이스크림 두 상자가 빼곡히 들어 있다. 채소는 생채소도 냉동채소도 없다.

"이 인간 마음에 안 드네."

빌리는 큰 소리로 중얼거린다. 이제 더는 미소를 짓지 않는다.

그렇다. 그리고 그는 호프가 이 일에서 맡은 역할도 마음에 들지 않는다. 계약이 성사된 이후에 호프가 너무 전면에 나서는 건 둘째 치고 닉이 그에게 하지 않은 얘기가 있다. 어쩌면 중요한 문제가 아닐지 모른다. 아니면 중요한 문제일 수도 있다. 트럼프가 최소 하루에 한 번씩 이야기하듯, 누가 알 수 있겠는가?

3

지하실에 돌돌 말린 채로 먼지를 뒤집어쓴 호스가 있다. 그날 저녁에 한낮의 더위가 조금 가시기 시작하자 빌리는 그걸 밖으로 꺼내 집 옆면에 달린 수도꼭지에 끼운다. 청바지에 티셔츠 차림으로 앞마당에 서서 잔디밭에 물을 주는데 옆집에서 어떤 남자가 건너온다. 키가 크고 새까만 피부와 눈부신 대조를 이루는 새하얀 티셔츠를 입고 있다. 캔 맥주 두 개를 들고 있다.

"안녕하세요. 한 동네 주민이 되신 걸 환영하는 뜻에서 시원한 맥주 들고 나왔어요. 자말 애커먼이라고 합니다."

남자는 큼지막한 한쪽 손에 맥주 두 개를 한꺼번에 들고 다른 쪽 손을 내민다.

빌리는 그와 악수한다.

"데이비드 로크리지라고 합니다. 데이브라고 불러요. 그리고 고맙습니다." 그는 수도꼭지를 잠근다. "안으로 들어오세요. 아니면 계단에 앉을까요? 아직 짐 정리를 하지 않아서요."

여기서는 바보 빌리의 가면을 쓸 필요가 없다. 미드우드에서는 좀 더 평범한 빌리로 지내도 된다.

"현관 앞 계단으로 충분합니다."

두 사람은 계단에 앉는다. 캔을 딴다. 피슉. 빌리는 자말의 맥주를 향해 자기 맥주를 기울이고 말한다.

"고맙습니다."

그들은 맥주를 마신다. 잔디밭을 살핀다.

"물을 주는 것만으로는 저 난장판을 살릴 수 없을 거예요. 우리 집에 미라클 고 비료가 있으니까 필요하시면 가져다 쓰세요. 지난달에 윌리 월드 가든 센터에서 원 플러스 원 행사를 하길래 잔뜩 사 놨거든요."

"말씀하신 대로 하는 게 좋을 것 같네요. 안 그래도 윌리 월드에 가려고요. 현관 앞에 놓을 의자를 몇 개 살까 해서요. 하지만 아마 다음 주는 되어야 갈 수 있을 거예요. 아시잖아요, 새집으로 이사하면 얼마나 정신이 없는지."

자말이 웃음을 터뜨렸다.

"암요. 우리는 2009년에 결혼하고 여기가 세 번째 집이에요. 신혼집은 장모님이 살던 곳이었죠." 그가 몸서리를 치는 척하자 빌리는 미소를 짓는다. "애는 둘이에요, 열 살하고 여덟 살. 아들하고 딸이요. 그 아이들이 괴롭히면, 당연히 그럴 텐데, 집에 가라고 윽박지르세요."

"유리창을 깨거나 이 집에 불을 지르지 않는 이상 그럴 일은 없어요."

"자가인가요? 아니면 임대인가요?"

"임대요. 잠깐 여기서 지낼 건데, 얼마 동안이 될지는 모르 겠어요. 불쑥 이런 말 꺼내기 좀 민망하지만 내가 책을 쓰고 있거든요. 쓰려고 노력 중이에요. 원고를 출간하고 심지어 그 걸로 돈을 좀 벌 수도 있을 것 같은데, 그러려면 본격적으로 달려들어야 해서요. 작업실은 시내에 있어요. 제러드 타워인 가? 그런 이름이었던 것 같은데. 거기는 내일 가서 볼 예정이 에요."

자말의 눈이 아주 휘둥그레졌다.

"작가요? 작가가 바로 여기 에버그린 가에 살다니! 오오!"

빌리는 웃음을 터뜨리고 고개를 저었다.

"그럴 것 없어요. 아직은 지망생에 불과하니까."

"그래도요! 와우. 어서 빨리 코린한테 알려야지. 조만간 저 희 집으로 저녁 초대를 해야겠어요. 나중에 사람들한테 알던 사이라고 자랑할 수 있게."

자말이 한쪽 손을 든다. 빌리는 하이파이브를 한다. *자네는 적당히 거리를 두면서 사람들하고 잘 어울려 지내잖아.* 닉은 이렇게 말했다. 맞는 말이고 연극도 아니다. 빌리는 사람들을 좋아하고 그들과 거리를 유지하는 것을 좋아한다. 모순처럼 들릴지 몰라도 모순이 아니다.

"뭐에 대해서 쓰고 계세요? 책 말이에요."

"말하면 안 돼요." 이제 편집이 시작된다. 조르조는 문학 잡지와 온라인 게시글 몇 개를 읽고서 그 바닥을 전부 안다고 생각할지 모르지만 천만의 말씀이다. "엄청난 비밀이거나 그래서가 아니라 함부로 발설하면 안 돼서요. 얘기를 시작했다가는……." 그는 어깨를 으쓱한다.

"아하, 네, 알겠어요." 자말은 미소를 짓는다.

뭐, 그렇다. 이렇게 간단하게 정리된다.

4

그날 저녁에 빌리는 오락실에 있는 대형 TV로 넷플릭스를 이리저리 돌려 본다. 요즘은 이게 대세라는 걸 알고 있었지만 지금까지 살펴볼 생각조차 않지 않았던 건 읽을 책이 워낙 많기 때문이다. 게다가 볼 만한 것도 없어 보인다. 선택지의 숫자 자체가 위협적이라 그는 그냥 일찍 자러 들어가기로 한다. 옷을 갈아입기 전에 휴대전화를 확인해 보니 새로운 에이전트에게서 문자가 와 있다.

G러소: 제러드 타워에서 9시에서 만나자고. 운전하지 말고 우버

타고 와.

빌리에게는 데이비드 로크리지의 전화기도 선불 일회용 전화기도 없다. 조르조도 프랭크 매킨토시도 주지 않았다. 조르조가 그의 개인 번호로 연락했으니 그도 그냥 그걸 쓰기로 한다. 문자 메시지를 암호화하는 앱이 있으니 괜찮을 것이다. 게다가 그에게는 꼭 해야 하는 말이 있다.

빌리S: 오케이. 호프는 데려오지 마.

조르조가 답장을 작성하는 동안 동그라미들이 물결친다. 그리 오래 걸리지는 않는다.

G러소: 어쩔 수 없어. 미안.

동그라미가 사라진다. 대화 종료다.

빌리는 주머니를 비우고 바지와 다른 모든 것을 세탁기에 넣는다. 미간을 찌푸리고 천천히 넣는다. 그는 켄 호프가 마음에 들지 않는다. 사실 그가 말문을 열기 전부터 그랬다. 본능적인 반응이다. 조르조의 부모님과 조부모님은 이걸 *레아치오네 이스틴티바*(본능적 반응)라고 했을 것이다. 하지만 호프는 한 편이다. 조르조의 문자를 보면 알 수 있다. *어쩔 수 없어.* 다른 일도 아니고 이렇게 목숨이 걸린 일에 현지인을 끌어들이다니 닉과 조르조답지 않다. 호프가 한 편인 이유는 그의 건물 때문일까? 부동산 중개인들이 애용하는 표현처럼 입지, 입지, 입지 때문일까? 아니면 닉이 현지인이 아니기 때문일까?

그 어떤 설명도 빌리에게 켄 호프의 존재를 납득시키지 못한다. 올해에는 내가 좀 여유가 없다는 거예요. 그는 이렇게 말했지만, 금전적으로 좀 여유가 없는 정도로 암살 음모에 가담하지는 않을 것이다. 그리고 첫인상—마초처럼 까칠까칠한 수염, 아이조드 셔츠, 주머니가 살짝 나달나달한 다커스 치노 팬츠, 굽이 닳은 구찌 로퍼—부터 그는 취조실에서 거래를 제안받으면 첫 번째로 배신할 인간처럼 보였다. 결국에는 켄 호프 같은 인간들의 전문 분야가 거래였다.

빌리는 침대 위로 올라가 어둠 속에 누워서 베개 아래에 손을 넣고 허공을 응시한다. 차량들이 도로를 달리지만 많지는 않다. 그는 언제면 200만 달러가 많지 않게 느껴지기 시작할지, 언제면 그게 눈먼 돈처럼 느껴지기 시작할지 궁금해진다. 대답은 분명하다. 발을 빼기에는 너무 늦어 버렸을 때다.

5

빌리는 조르조가 지시한 대로 제러드 타워까지 우버를 타고 간다. 호프와 조르조가 앞에서 기다리고 있다. 호프는 까칠까칠한 수염 때문에 여전히 멋쟁이라기보다 떠돌이 일꾼처럼 보이지만(적어도 빌리가 보기에는 그렇다.) 그나마 오늘은 차분하게 여름용 양복에 은은한 회색 넥타이를 매고 있다. 반면에 '조지 러소'는 텐트로 써도 될 만큼 커다란 궁둥이를 청바지로 덮고 그 위에 흉측한 초록색 셔츠 단을 꺼내 입고 있어서 평소보다 더 거대해 보인다. 뚱보들은 거물급 저작권 에이전트가 어느 지방 소도시에 갈 때는 그런 옷을 입으리라는 생각이 드는 모양이다. 발 사이에는 노트북 가방이 끼워져 있다.

호프는 영업사원 같은 *서글서글함*을 조금이나마 자제하기로 마음먹은 눈치다. 조르조가 요청했을 수도 있는데, 그래도 명랑하게 살짝 거수경례를 하는 것까지 참지는 못한다. *대장님, 오셨습니까.*

"어서 오세요. 오늘 오전에는, 주중에는 대개 그런데, 어브딘이 경비를 맡고 있습니다. 운전면허증을 잠깐 보여 달라고 할 텐데 그래도 괜찮으실까요?"

안으로 들어가려면 그럴 수밖에 없을 테니 빌리는 고개를 끄덕인다.

출근한 사람들이 계속 로비를 가로질러 엘리베이터를 향해 가고 있다. 더러는 양복을 입었고 어떤 여자들은 빌리가 또각또각 구두라고 부르는 하이힐을 신었지만, 뜻밖의 많은 숫자가 평상복을 입었고 심지어 상표가 찍힌 티셔츠를 입은 사람도 있다. 그들이 어디에서 근무하는지 그로서는 알 수 없지만 아마 사람들을 만나는 일은 아닐 것이다.

로비 정중앙의 호텔 컨시어지 데스크처럼 생긴 스탠드에 앉아 있는 남자는 약간 뚱뚱하고 나이가 많다. 팔자 주름이 워낙 깊어서 복화술사가 쓰는 등신대 인형 같아 보인다. 완전히 은

퇴한 지 2~3년밖에 되지 않은 전직 경찰이 아닐까 싶다. 금색 실로 폴크 시큐리티라고 새긴 파란색 조끼가 유니폼이다. 저렴한 인력이다. 호프가 난처한 상황에 놓였다는 또 다른 증거다. 이 건물 전체를 그 혼자 맡고 있다면 무척 난처한 상황에 놓였다는 뜻이 된다.

호프는 매력 발산 터보 엔진을 켜고 미소를 지으며 이 남자에게 다가가 손을 내민다.

"잘 지내고 있지요, 어브? 별일 없고요?"

"네, 호프 씨."

"부인은요?"

"가끔 관절염으로 고생하지만 그것 말고는 괜찮습니다."

"이쪽은 지난주에도 만났던 조지 러소, 그리고 이쪽은 데이비드 로크리지. 우리 건물을 작업실로 쓰실 작가님이세요."

"만나서 영광입니다, 로크리지 씨." 딘이 말한다. 미소가 얼굴을 환히 밝히자 아까보다 젊어 보인다. 아주 많이는 아니지만. "여기서 훌륭한 문장을 찾으시기 바랍니다."

빌리가 생각하기에는 고마운 말이다. 어쩌면 최고의 축복이다.

"나도 그랬으면 좋겠어요."

"어떤 책을 쓰실 건지 여쭤 봐도 될까요?"

빌리는 한 손가락을 입술에 갖다 댄다.

"일급비밀이에요."

"아, 알겠습니다. 5층의 그 스위트룸은 근사하죠. 마음에 드실 겁니다. 출입증을 만들려면 사진을 찍어야 하는데요, 괜찮으실까요?"

"그럼요."

"운전면허증 있으십니까?"

빌리는 데이비드 로크리지의 면허증을 건넨다. 딘은 뒷면에 제러드 타워라는 라벨이 붙은 휴대전화로 빌리의 면허증과 얼굴을 차례대로 찍는다. 이제 이 건물의 컴퓨터 서버에 접근하는 걸 허가받았거나 해킹을 할 줄 아는 사람이면 누구나 검색할 수 있는 그의 사진이 남았다. 그는 상관없다고, 이번이 마지막 한탕이라고 속으로 중얼거리지만 그래도 싫다. 아주 찜찜하다.

"이따 나가실 때 출입증 드릴게요. 이 데스크에 아무도 없으면 그걸로 출입하셔야 합니다. 이 리더기에 꽂으시면 돼요. 건물 안에 누가 있는지 체크해야 하거든요. 대개는 제가, 제가 쉬는 날에는 로건이 이 자리를 지키고 있을 테고 그런 경우에는 저희가 들여보내 드릴 겁니다."

"알겠습니다."

"그 출입증으로 메인 가에 있는 주차장도 이용하실 수 있어요. 유효 기간은 4개월이에요. 선생님의 어, 에이전트가 사무실을 임대한 기간이 4개월이라서요. 제가 선생님의 정보를 컴퓨터에 입력하는 대로 출입증을 쓰실 수 있어요. 법원에서 재판이 열리는 중에는 주차장을 포기하시는 편이 좋아요." 조르조가 우버를 타고 오라고 했던 이유가 그 때문이었다. "주차장에 지정석은 없지만 대개는 1층이나 2층에 자리가 있을 거예요. 현재는 입주사가 그리 많지 않은 편이라서요." 그는 미안해하는 눈빛으로 켄 호프를 흘끗 쳐다보고는 다시 새로운 입주민에게로 시선을 돌린다. "제가 필요한 일이 있으면 언제든 사무실 전화기로 11을 누르시면 됩니다. 유선 전화가 설치돼 있으니까요. 저기 저 에이전트께서 그것까지 처리해 놓으셨어요."

"딘 씨가 아주 많은 도움이 됐죠." 조르조가 말한다.

"저분 일이 그거잖아요!" 호프가 명랑하게 외친다. "안 그래요, 어브?"

"맞습니다."

"부인한테 안부 전해 줘요, 얼른 낫길 바란다는 말과 함께. 그 구리 팔찌를 끼면 효과가 있을 텐데. TV에서 광고하는 거 말이에요."

"한번 껴 보라고 할게요."

딘은 그러면서도 다행히 못미더워하는 표정이다.

빌리가 보안 데스크 앞을 지나면서 보니 폴크 시큐리티 경비의 무릎 위에 《스포츠 일러스트레이티드》 수영복 특집이 놓여 있다. 대담무쌍하고 귀여운 아가씨가 표지 모델이다. 빌리는 나중에 그걸 한 권 사자고 머릿속에 새긴다. *바보 빌리는 스포츠를 좋아하고* 그는 귀여운 아가씨를 좋아한다.

그들은 엘리베이터를 타고 5층으로 올라가 아무도 없는 복도로 내린다.

"저쪽에는 회계사 사무실이 있어요." 호프가 한쪽을 가리키며 말한다. "서로 연결된 스위트룸을 두 개 쓰고 있죠. 그리고 변호사 사무실도 몇 개 있어요. 이쪽에는 치과가 있고요. 내 기억상으로는 그래요. 방을 뺐을 수도 있지만. 문패가 없어진 걸 보니 방을 뺀 모양이네요. 임대 중개업체에 물어봐야겠네. 그 사람들 말고는 이 층에 아무도 없어요."

아, 이 인간은 정말 난처하군. 빌리는 다시금 생각한다. 그는 위험을 무릅쓰고 조르조를 흘끗 쳐다보지만 조르조, 아니 조지는 무슨 볼거리라도 있는 듯이 치과가 있었다는 방문을 쳐다보고 있다.

복도 거의 끝에 다다르자 호프가 양복 주머니에서 천으로 된 앞면에 금색으로 GT라고 찍힌 조그만 카드 키 지갑을 꺼낸다.

"이 방 열쇠예요. 스페어 키도 두 장 있어요."

빌리가 카드 키를 리더기에 대고 여기에 회사가 있었다면 조그만 대기실로 쓰였을 공간으로 들어선다. 공기가 답답하다. 퀴퀴한 냄새가 난다.

"윽, 누가 깜빡하고 에어컨을 꺼 놓은 모양이네! 잠시만요."

호프가 벽에 달린 버튼을 두어 개 누르지만 불안하게 아무 일도 벌어지지 않는다. 하지만 잠시 후 천장에 달린 환풍구에서 시원한 바람이 흘러나오기 시작한다. 빌리는 아래로 내려온 호프의 어깨에서 안도하는 그의 심정을 읽는다.

다음 공간은 조그만 회의실로도 쓸 수 있을 만큼 넓은 사무실이다. 책상은 없고 끼어 앉으면 여섯 명이 앉을 수 있을 만한 크기의 길쭉한 테이블만 하나 있다. 그 위에 스테이플스 공책 한 더미, 볼펜 한 상자, 유선 전화기가 놓여 있다. 아침 햇살이 쏟아져 들어오는지라 아마 작업실로 쓰일 이 방이 대기실보다 더 후끈하다. 블라인드를 쳐 놓지도 않았다. 조르조는 목에 대고 셔츠 옷깃으로 부채질을 한다.

"휴우!"

"금방 시원해질 거예요." 호프는 조금 정신없는 말투다. "이 건물에는 최첨단 냉난방 환기 시스템이 설치돼 있거든요. 벌써 시원해지고 있잖아요. 느껴지죠?"

빌리는 실내 기온에는 관심이 없다. 지금 현재로서는 그렇다. 그는 도로와 면한 큼지막한 창문의 오른쪽으로 다가가 대각선으로 법원 계단을 내려다본다. 그런 다음 좀 더 멀찌감치 달린 조그만 문을 다른 대각선으로 내려다본다. 법원 직원들이 이용하는 출입문이다. 그는 장면을 상상해 본다. 경찰차 아니면 옆면에 보안관실 또는 시경이라고 적힌 밴이 그 앞에 멈추어 선다. 치안 공무원이 차에서 내린다. 최소 2인, 어쩌면 3인. 4인일 수도 있을까? 그럴 가능성은 낮다. 그들이 승용차인 경우에는 길가 쪽 문을 열 것이다. 밴인 경우에는 뒷문을 열 것이다. 그는 조엘 앨런이 차에서 내리는 동안 지켜볼 것이다. 경찰이 좌우로 에워싸고 수갑을 차고 있을 테니 그를 알아보는 데에는 아무 문제 없을 것이다.

때가 되면, 알맞은 기회가 찾아오면 그를 저격하는 것은 식은 죽 먹기일 것이다.

"빌리!"

호프가 부르는 소리에 그는 꿈을 꾸다가 깨어난 듯 움찔한다.

호프는 훨씬 작은 방문 앞에 서 있다. 간이 주방이다. 빌리가 돌아보자 그는 「얼마일까요?」*의 모델처럼 손바닥을 위로 들고 편의시설을 죽 가리킨다.

"데이브." 빌리가 말한다. "나 데이브예요."

"맞다. 미안해요. 내가 실수했네. 2구짜리 가스레인지가 있고 오븐은 없지만 전자레인지가 있으니 팝콘, 핫 포켓, 인스턴트식품, 기타 등등 뭐든 데워 먹을 수 있어요. 접시랑 냄비는 찬장에 있고요. 설거지는 싱크대에서 하면 되고 미니 냉장고도 있어요. 안타깝게도 개인 화장실은 별도로 없고 복도 끝에 남녀 화장실이 있지만 그나마 이쪽 끝이라 가까워요. 그리고 또 이거."

호프는 주머니에서 열쇠를 꺼내더니 사무실 겸 회의실과 간이 주방을 나누는 문 위쪽에 달린 직사각형의 나무 패널을 향해 손을 뻗는다. 그가 열쇠를 돌리고 패널을 밀자 위로 올라간다. 안쪽 공간은 높이가 45센티미터, 길이가 120센티미터, 깊

---

* 제시된 상품의 가격을 알아맞히는 참가자에게 상금과 경품을 지급하는 TV 예능 프로그램.

이가 60센티미터쯤 된다. 아무것도 없다.

"창고예요." 그러면서 호프가 총 쏘는 흉내를 낸다. "열쇠가 있으니까 청소부가 오는 금요일에는 잠가 놓으면……"

빌리가 말문을 열기 직전에 조르조가 선수를 친다. 설정상 머리를 쓰는 쪽은 빌리 서머스가 아니라 조르조니 다행이다.

"이 방은 청소 필요 없어요. 금요일은 물론이고 어떤 날에도. 특급 비밀리에 집필 프로젝트가 진행 중인 곳이잖아요. 데이브가 직접 청소하면 돼요. 깔끔한 성격이니까. 그렇지, 데이브?"

빌리는 고개를 끄덕인다. 그는 깔끔한 성격이다.

"딘이랑, 다른 경비는 로건이라고 했죠? 그 사람들이랑 브로더한테도 얘기해요." 그리고 나서 조르조가 이번에는 빌리에게 말한다. "스티븐 브로더. 이 건물 관리인."

빌리는 고개를 끄덕이고 이름을 기억한다.

조르조는 노트북 가방을 테이블에 올려놓고 필기도구를 한쪽 옆으로 치우고는(빌리가 보기에는 서글프면서도 어째 상징적인 제스처다.) 가방을 연다.

"맥북 프로야. 돈 주고 살 수 있는 것 중에 최고이고 최첨단이지. 자네에게 주는 내 선물이야. 원하면 자네 노트북을 써도 되지만 이 아이는…… 부대 장치가 장난 아니지. 이거 작동시킬 수 있지? 어디 설명서나 뭐 그런 게 있을 텐데……."

"내가 알아내 볼게."

그건 아무 문제 없지만 다른 문제는 있을 수 있다. 만약 닉 머제리언이 이 잘빠진 검은색 지뢰에 빌리가 이 방에서 어떤 글을 쓰는지 들여다보는 일종의 요술 거울을 장착하지 않았다면 그는 좋은 기회를 놓친 셈이다. 그리고 닉은 좋은 기회를 놓치는 경우가 많지 않다.

"아, 이런. 그 말을 듣고 보니 생각이 나네요." 호프가 말하고는 주방으로 들어가는 문 위에 달린 창고 열쇠와 함께 다른 명함을 건넨다. "와이파이 비번이요. 100퍼센트 안전해요. 은행 금고만큼 튼튼해요."

뻥 치시네. 빌리는 명함을 주머니에 넣으며 속으로 중얼거린다.

"자. 이만하면 된 것 같군. 이제 자네가 창작 활동에 매진할 수 있게 우리는 사라져 주기로 하지. 갑시다, 켄."

호프는 보여 줄 게 남은 사람처럼 나가기 싫어하는 눈치를 보인다.

"필요한 거 있으면 연락해요, 빌…… 아니 데이브. 뭐가 됐든. 시간 때울 만한 게 필요할까요? TV? 아니면 라디오라도?"

빌리는 고개를 젓는다. 휴대전화에 컨트리와 웨스턴 위주로 방대한 음악 도서관이 구축되어 있다. 앞으로 며칠 동안 할 일이 많지만 나중에 짬을 내서 이 근사한 새 노트북에 노래를 옮겨 놓을 것이다. 닉이 도청하기로 마음먹는다면 리바와 윌리와 행크 주니어*의 시끄러운 친구들을 새롭게 알아 나갈 수 있을 것이다. 어쩌면 그 책을 결국 쓰게 될지도 모른다. 믿을 수 있는 개인 노트북에. 그리고 그는 양쪽 노트북에 보안 조치를 취할 것이다. 새 노트북과 구관인 그의 노트북에 말이다.

조르조가 마침내 호프를 데리고 나가자 빌리 혼자 남는다. 그는 다시 창문 앞으로 돌아가 두 대각선을 따라 시선을 옮긴다. 한 대각선의 끝은 넓은 돌계단이고 다른 대각선의 끝은 직원용 출입문이다. 그는 이후에 어떤 일이 벌어질지 다시 한번 생생하게 눈앞에 그려 본다. 실제 현실에서는 상상과 전혀 다르게 전개되지만 이 일은 항상 이런 식으로 그려 보는 데서 출발한다. 그런 점에서 시와 비슷하다. 달라진 부분들, 뜻밖의 변수, 수정 사항. 닥치면 이런 것들을 처리해야 하지만 맨 처음은 상상이다.

그의 휴대전화에서 문자 알림이 울린다.

G러소: H건은 미안. 그 인간이 조금 진상인 건 나도 알아.

빌리S: 그자를 앞으로 다시 볼 일이 있을까?

G러소: 글쎄.

빌리는 좀 더 확실한 답을 원하지만 지금으로서는 이 정도로 만족하는 수밖에 없다. 어쩔 수 없다.

---

* 미국 컨트리 가수 리바 매킨타이어, 윌리 휴 넬슨, 행크 윌리엄 주니어를 말한다.

6

그가 이제 집이라고 불러야 할 곳에 돌아갈 때는 새로 발급 받은 데이비드 로크리지의 건물 출입증이 주머니에 들어 있다. 내일은 새로 생긴 중고차를 몰고 출근할 것이다. 현관문 앞에 미라클 그로 비료 봉지가 놓여 있고 쪽지가 테이프로 붙어 있다. *이거 쓰세요! 자말 A.*

빌리는 옆집을 향해 손을 흔들지만 그걸 봐 줄 사람이 있는지는 확실치 않다. 아직 정오가 되기 30분 전이다. 애커먼 부부 양쪽 모두 출근했을 것이다. 그는 비료를 안으로 들고 가 복도에 기대 세워 놓고 월마트로 차를 몰고 가서 일회용 전화기 두 대(하나는 대체폰, 하나는 예비용)와 USB 두어 개를 사지만 필요한 USB는 한 개뿐이다. 에밀 졸라 전작을 넣어도 차지하는 공간이 손톱만큼밖에 되지 않을 것이다.

그는 싸구려 올테크 노트북도 충동 구매해 상자째 침실 벽장에 넣는다. 휴대전화와 USB는 현금으로 산다. 노트북은 데이비드 로크리지의 비자카드로 산다. 일회용 휴대전화는 당장 쓸 일이 없고 어쩌면 끝까지 그럴 수도 있다. 아직까지는 그림자에 불과한 출구 전략에 따라 달라진다.

버거킹에 들렀다가 노란 집에 도착해 보니 자전거를 탄 아이 둘이 그 앞에 서 있다. 남자아이와 여자아이고 한 명은 백인, 다른 한 명은 흑인이다. 여자아이가 자말 애커먼과 코린 애커먼의 아이인가 보다.

"새로 이사 온 분이세요?" 남자아이가 묻는다.

"응." 빌리는 앞으로 이 역할에 적응해야겠다는 생각을 한다. 어쩌면 재밌을지 모른다. "나는 데이브 로크리지야. 네 이름은 뭐니?"

"대니 파치오요. 이쪽은 제 친구 섀니스예요. 저는 아홉 살이에요. 얘는 여덟 살이고요."

빌리는 먼저 대니와, 그다음에는 여자아이와 악수한다. 여자아이는 그의 하얀 손 안으로 자신의 갈색 손이 사라지자 겁을 내며 그를 쳐다본다.

"둘 다 만나서 반갑다. 여름방학 재밌게 보내고 있니?"

"책 읽기 프로그램은 괜찮아요. 한 권 읽을 때마다 스티커를 주는데, 저는 지금까지 네 장 받았어요. 섀니스는 다섯 장 받았지만 제가 따라잡을 거예요. 저희는 지금 저희 집으로 가는 길이에요. 점심 먹은 뒤에 친구들이랑 저기 공원에서 모노폴리 할 거예요." 대니가 손으로 가리킨다. "모노폴리는 섄이 들고 와요. 제 말은 항상 레이싱 카예요."

21세기에 혼자 다니는 아이들은 이런 식이로군. 빌리는 놀라워한다. *대단하네.* 그는 그제야 흰색 러닝셔츠에 버뮤다 반바지를 입고 풀 얼룩이 진 운동화를 신은 뚱뚱한 남자가 옆옆집에서 그를 지켜보고 있다는 것을 알아차린다. 그가 이 아이들에게 어떻게 하는지를 지켜보고 있다.

"그럼 바이바이요." 대니가 말하며 자전거에 올라탄다.

"그래, 바이바이야." 빌리의 대답에 두 아이 모두 웃음을 터뜨린다.

그날 오후에 그는 낮잠을 잔다. 이제는 작가니 낮잠을 자도 되는 거 아닌가 싶다. 나중에 일어나서는 냉장고에서 여섯 개들이 버드와이저를 꺼낸다. 그걸 '비료 고마워요. 데이브가.'라고 적은 쪽지와 함께 애커먼의 집 앞 현관에 둔다.

이곳에서는 출발이 좋다. 시내에서는? 거기서도 마찬가지인 것 같다. 바라건대.

어쩌면 호프만 예외다. 호프는 계속 신경이 쓰인다.

7

그날 저녁에 빌리가 잔디밭에 비료를 뿌리는데 자말 애커먼이 빌리의 냉장고에 있었던 맥주 두 개를 들고 건너온다. 자말은 한쪽 가슴팍에는 금색 실로 그의 이름이, 다른 쪽에는 엑설런트 타이어라고 새겨진 초록색 일체형 작업복을 입고 있다. 펩시 캔을 든 남자아이가 그를 따라온다.

"안녕하세요, 로크리지 씨. 이 꼬마 신사는 우리 아들 데릭이에요. 섀니스는 이미 만났다면서요?"

"네, 대니라는 꼬마 신사하고 같이요."

"맥주 감사해요. 어, 지금 쓰고 계신 그거 뭐예요? 우리 와이프가 밀가루 체 칠 때 쓰는 거랑 똑같이 생겼는데."

"바로 그거예요. 월마트에서 비료 살포기를 살까 했는데, 잔디밭이라고 불리는 이곳은……" 빌리는 조그만 민둥 땅을 쳐다보고 어깨를 으쓱한다. "들이는 비용에 비해 소득이 없게 생겨서요."

"그걸로도 효과 만점일 것 같은데요. 저도 한번 써 볼까 봐요. 그나저나 뒤쪽은 어쩌시려고요? 거긴 한참 넓은데."

"거긴 잔디를 먼저 짧게 깎아야 하는데, 잔디 깎는 기계가 없어요. 아직은."

"저희 거 빌려 쓰시면 돼요. 그렇죠, 아빠?"

자말은 아이의 머리칼을 헝클어뜨린다.

"물론이지."

"아니에요, 그건 너무 민폐죠. 하나 사려고요. 쓰려는 원고가 잘 써져서 여기 계속 눌러앉으면."

그들은 현관 앞으로 가서 계단에 앉는다. 빌리는 맥주를 따서 마신다. 맛이 끝내준다. 그는 맛이 끝내준다고 얘기한다.

"어떤 책을 쓰세요?" 데릭이 묻는다. 아이는 두 어른 사이에 앉아 있다.

"일급비밀이야." 빌리가 웃으며 말한다.

"네, 하지만 지어낸 이야기예요, 실제 있었던 이야기예요?"

"양쪽 다야."

"그만." 자말이 말한다. "너무 캐묻는 건 실례야."

길 저쪽 끝에 있는 어느 집에서 여자 하나가 이쪽으로 걸어온다. 50대 중반으로 머리가 희끗희끗하고 밝은색 립스틱을 발랐다. 하이볼 잔을 들었고 똑바로 걷지 못한다.

"켈로그 부인이세요." 자말이 나지막한 목소리로 말한다. "과부예요. 작년에 남편이 돌아가셨어요. 뇌졸중으로." 그는 생각에 잠긴 눈빛으로 빌리의 잔디밭 같지 않은 잔디밭을 쳐다본다. "사실 잔디를 깎던 도중에요."

"지금 무슨 파티 벌여요? 내가 껴도 돼요?"

켈로그 부인은 아직 인도에 서 있고 바람이 불지 않는데도 빌리가 앉아 있는 곳까지 술 냄새가 난다.

"계단에 앉아도 상관없으시면요." 빌리는 일어나 손을 내민다. "데이브 로크리지라고 합니다."

이제 빌리가 섀니스와 대니를 만났을 때 지켜보던 남자까지 등장한다. 그는 러닝셔츠와 버뮤다 반바지를 「우주의 영웅들」 티셔츠와 청바지로 갈아입었다. 키가 크고 뼈만 남은 몸에 홈드레스를 입고 운동화를 신은 금발 여자도 함께 온다. 옆집에서 브라우니 접시처럼 생긴 것을 들고 자말의 아내와 딸이 건너온다. 빌리는 제대로 된 의자에 앉을 수 있게 그들 모두를 안으로 들인다.

이웃이 된 걸 환영합니다. 그는 생각한다.

8

「우주의 영웅들」 티셔츠를 입은 남자와 비쩍 마른 금발은 래글랜드 부부다. 파치오 부부도 아들은 빼고 왔고, 이 블록 맨 끝에 사는 피터슨 부부는 레드와인을 들고 온다. 거실이 꽉 찬다. 조촐하고 흥겨운 즉석 파티다. 빌리는 즐겁게 어울린다. *바보 빌리* 연극을 할 필요가 없기 때문이기도 하고 이 사람들이 마음에 들기 때문이기도 하다. 이미 취해서 화장실을 뒷간이라고 부르며 계속 들락거리는 제인 켈로그도 예외는 아니다. 다음 날이 주중이라 일찍 파하고 모두 자기 집으로 돌아갔을 때, 빌리는 여기서 잘 적응할 수 있겠다는 사실을 깨닫는다. 그는 책을 쓰는 특이한 사람이라 관심이 집중되겠지만 결국에는 지나갈 것이다. 여름 중반까지 조엘 앨런이 이송되지 않으면 그는 한동네에 사는 평범한 남자가 될 것이다. 또 한 명의 이웃이.

빌리가 알아낸 바에 따르면 자말은 엑설런트 타이어의 현장 주임이고, 코리는—세상 참 좁기도 하지—법원 속기사다. 다이앤 파치오는 여름방학에 자말과 코리가 일을 하는 동안 새니스를 살피고 있다. 새니스의 오빠 데릭은 데이 캠프에 다니고 8월에는 야구부 캠프에 갈 것이다. 이 노란 집에 살다가 작년 10월에 갑자기 이사한(폴 래글랜드의 표현에 따르면 '토낀') 듀건 부부는 "거만한 왕재수"였으니 결과적으로 데이브 로크리지는 긍정적인 변화다. 총격 이후에 이들은 기자들에게 그가 아주 괜찮은 사람 같았다고 증언할 것이다. 그래도 상관없다. 스스로 생각하기에도 그는 더러운 일을 할 뿐 괜찮은 사람이다. *나는 적어도 학교에 가던 열다섯 살짜리를 쏜 적은 없잖아.* '조'라고도 불리는 조엘 앨런이 실제로 그런 짓을 저질렀는지는 모르겠지만.

그는 잠자리에 들기 전에 올테크 노트북을 상자에서 꺼내 전원을 켜고 켄 호프를 검색한다. 이제 보니 그는 레드 블러프의 유지다. 엘크스회 회원에, 로터리 회원이다. 이 지역 청년 상공회 회장을 역임했다. 2016년 대선 때 이 지역 공화당 지부장이었고 수염을 기르기 전에 빨간색 MAGA* 모자를 쓰고 찍은 사진이 있다. 도시 설계 위원회 활동도 하다가 이해 상충 혐의가 제기되자 2018년에 사임했다. 제러드 타워를 비롯해 도심에 대여섯 개의 건물을 소유하고 있어서 빌리가 보기에는 도널드 트럼프의 아류 행세를 하는 듯하다. 여기 이 레드 블러프에 한 곳, 앨라배마에 두 곳, 이렇게 세 방송국을 소유하고 있다. 세 군데 모두 월드 와이드 엔터테인먼트 계열 방송사다. 그래서 호프가 WWE를 운운했을 수도 있다. 한 번이 아니라 두 번 이혼했다. 그러니까 위자료가 제법 나간다는 뜻이

---

* 당시 도널드 트럼프의 슬로건 "Make America Great Again(미국을 다시 위대하게 만들자)"의 약자다.

다. 작년 말에 골프장 건설 계획이 엎어졌다. 도심에 다른 건물을 지으려는 계획은 계류 중이다. 카지노 영업 허가 신청도 마찬가지다. 한마디로 시시한 사업 제국이 휘청거리고 있다. 누가 한번 밀치면 낭떠러지로 굴러떨어질 시점이다.

빌리는 침대에 누워서 베개 아래에 손을 넣고 어둠 속을 응시한다. 닉이 켄 호프에게 끌린 이유와 켄 호프가 닉에게 끌린 이유를 알 것 같다. 닉은 매력적일 수 있고(그 100만 달러짜리 미소를 보라.) 일반인들보다 영리하지만 속을 들여다보면 하이에나고, 지나가는 무리 중에서 절뚝거리는 놈을 귀신같이 골라내는 것이 하이에나의 주특기다. 조만간 뒤로 처질 놈을 말이다. 켄 호프는 덤터기를 씌울 호구다. 살인의 덤터기는 아니다. 거기에 대해서는 철통같은 알리바이를 자랑할 것이다. 하지만 경찰에서 살인을 교사한 사람을 찾기 시작하면 닉이 아니라 켄이 지목을 당할 것이다. 빌리는 그러거나 말거나 자신은 상관없다고 결론을 내린다.

베개 아래의 냉기가 소진되자 그는 오른쪽으로 몸을 돌려 거의 곧바로 곯아떨어진다.

좋은 이웃은 피곤한 역할이다.

4장

1

다음 날 빌리는 5층 사무실에서 맥북을 연결하고 솔리테르 카드 게임 앱을 다운받는다. 버전이 10여 개다. 그는 캔필드 버전을 선택하고 카드를 클릭할 때마다 5초 동안 뜸을 들이도록 설정한다. 닉이나 조르조가 그가 뭘 하는지 들여다보기로 마음을 먹더라도(아니면 프랭키 엘비스가 그 임무를 맡을 수도 있다.) 컴퓨터가 혼자 플레이하고 있는 줄은 절대 모를 것이다.

빌리는 창문 앞으로 가서 밖을 내다본다. 코트 가 양쪽으로 차가 줄줄이 주차되어 있는데, 대부분 순찰차다. 선스팟 카페 앞의 파라솔 테이블은 도넛과 대니시 패스트리를 먹는 사람들로 가득하다. 넓은 법원 앞 계단을 내려오는 사람들도 있지만 올라가는 사람들이 훨씬 많다. 개중 몇 명은 체력을 과시하며 빠른 걸음으로 올라간다. 나머지는 터벅터벅 걷는다. 터벅터벅 걷는 사람들은 대부분 변호사다. 사각형의 큼지막한 서류가방을 보면 알 수 있다. 조만간 재판이 열릴 것이다.

그 사실을 입증이라도 하려는 듯, 한때는 빨간색이었겠지만 지금은 빛바랜 분홍색의 조그만 버스 한 대가 막힌 도로를 천천히 달리고 계단을 지나서 큼지막한 석조 건물 오른쪽 끝에 달린 작은 문 앞에서 멈추어 선다. 버스 문이 열린다. 경찰한 명이 내리고 주황색 점프슈트를 입은 재소자들이 일렬로 내린 다음 다시 경찰 한 명이 내린다. 직원용 출입문이 열리고 점프슈트를 입은 남자들이 안으로 들어간다. 그들은 그 안에서 기다렸다가 기소 적부심을 받을 것이다. 흥미롭고 기억에 담을 만한 광경이지만 빌리는 닉의 짐작이 맞을 거라고 믿는다. 앨런은 계단을 지나 정문으로 호송될 것이다. 그게 중요한 문제는 아니다. 어느 쪽으로 이동하건 저격은 거의 비슷하게 이루어질 것이다. 중요한 건 코트 가가 주중에는 번잡하다는 사실이다. 오후에는 인파가 적을지 몰라도 기소 적부심은 대개 오전에 열린다.

자네는 저격 후 사라질 때 항상 탈출 마술사 뺨치는 실력을 발휘하지 않나. 닉은 이렇게 말했다. *상황이 파악되기 시작할 때쯤이면 자네는 사라진 지 오래겠지.*

그는 그래야 한다. 그들이 보수를 지불하는 이유 중에는 종적을 감추어 달라는 것도 있다. 그것이 큰 부분을 차지한다. 닉은 빌리가 종적을 감추는 데 실패하더라도 그를 쓰는 데 따르는 장점이 있다는 걸 안다. 그에게는 배후가 누군지 실토하도록 압박을 가할, 또는 압박을 가하는 도구로 쓰일 친구나 가족이 없다. 그리고 닉은 빌리가 영리한 것과는 거리가 멀다고 생각할지 몰라도 그가 배후의 이름을 분다 한들 2급 살인이나 고살*로 감형될 리 없다는 걸 모를 만큼 어리석지는 않다는 걸 안다. 몇 주 또는 몇 달 전부터 어떤 건물 5층에서 기다리다가 저격용 소총으로 사람을 쏘았다면 죄목에 논의의 여지가 있을 수 없다. 사전 모의라고 시뻘겋고 큼지막하게 적혀 있는 것이나 다름없으니 1급 살인죄라야 할 것이다.

하지만 만약 빌리가 체포된다면 검사 측에서 건넬 수 있는 제안이 하나 있고 닉도 그게 뭔지 안다. 여기는 사형이 시행되는 주다. 영리한 검사라면 빌리에게 주사를 맞는 대신 린컨 교도소에서 살아 보지 않겠느냐고 할지 모른다. 입을 여는 대가로. 빌리는 그런 상황이 찾아오더라도 닉이 빼 줄 수 있지 않을까 싶다. 대신 켄 호프의 이름을 대는 것이다. 어차피 빌리 서머스가 제러드 타워에서 나오다 경찰에 잡히면 호프는 오래 살지 못할 것이다. 어찌 되든 호프는 오래 살지 못한다. 닉 머제리언 같은 부류에게 휘말린 호구들은 대개 그렇다.

---

* 모살과 반대로 사전 모의가 없었던 살인. 우발적 살인과 과실치사가 여기에 해당한다.

빌리도 오래 살지 못할지도 모르지만 그래도 나중에 후회하느니 미리 조심하는 편이 낫다. 그는 등 뒤로 수갑을 찬 채 교도소 계단에서 구를 수도 있다. 샤워를 하다가 뾰족하게 깎은 칫솔에 찔리거나 비누가 목구멍에 처박힐 수도 있다. 한 명, 심지어 두 명까지는 상대할 수 있을지 몰라도 패거리 또는 피플 네이션 갱단의 덩치 서너 명은? 가망 없는 얘기다. 그리고 어떤 경우가 됐든 그가 감옥에 평생 갇혀 있을 의향이 있을까? 그 역시 아니다. 갇히느니 죽는 게 낫다. 짐작하건대 닉도 그걸 알 것이다.

잡히지 않으면 이 어떤 것도 고민할 필요가 없어진다. 그는 잡힌 적이 없고 지금까지 열일곱 번 동안 깔끔하게 탈출했지만 이런 상황을 맞닥뜨린 적도 없었다. 이건 근처에 차를 대기시켜 최상의 도주로를 꼼꼼하게 표시해 놓고 골목길에서 누굴 쏘면 되는 일이 아니다.

바로 맞은편에 시와 카운티 소속 경찰들이 한 트럭 대기 중인 도심의 건물 5층에서 사람을 쏴 죽이고 무슨 수로 사라질 수 있을까? 빌리는 영화라면 어떤 식일지 안다. 악당인 저격수는 소음과 불빛 차단기를 쓸 것이다. 이번 경우에는 그럴 수가 없다. 그러기에는 거리가 조금 멀고 첫 방에 실패하면 두 번째 기회는 없을 것이다. 그리고 총알이 쩍 하고 음속 장벽을 깨는 소리가 선명하게 들릴 것이다. 소음기를 써도 그건 어쩔 수 없다. 그리고 빌리에게는 개인적인 문제도 있다. 그는 기본

적으로 소음기를 절대 믿지 않는다. 멀쩡한 총구에 소음기를 설치했다가 잘못하면 일을 그르칠 수도 있다. 그러니까 요란한 소리가 날 테고 당장은 소음의 출처가 밝혀지지 않을지 몰라도 웅크렸던 사람들이 위를 올려다보면 5층 창문에 동그란 구멍이 나 있는 것을 알아차릴 것이다. 이런 건물은 창문이 열리지 않으니 말이다.

빌리는 이런 문제들 때문에 주눅이 들지는 않는다. 오히려 더욱 집중력을 발휘한다. 쇠사슬에 묶인 채 금고 안으로 들어가 이스트강으로 내던져진다든지 구속복을 입고 고층 건물에 대롱대롱 매달린다든지 하는 위험한 탈출극은 분명 탈출 마술사를 연상시키는 부분이 있다. 빌리에게는 아직 완벽한 계획이 없지만 첫걸음을 내디뎠다. 오늘 재판이 유난히 많아서 그런지 주차장 1층과 2층은 어브 딘에게 들은 것보다 차가 좀 더 많았지만, 4층으로 올라가 보니 마음에 쏙 드는 자리가 있었다. 달리 말해서 프라이버시를 보장받을 수 있는 자리였고 프라이버시는 좋은 것이다. 탈출 마술사도 그 말에 분명 동의할 것이다.

그는 비싼 맥 프로가 계속 혼자 솔리테르를 하고 있는 테이블로 돌아간다. 그의 노트북을 켜서 아마존에 접속한다. 아마존에는 없는 게 없다.

2

제러드 타워 앞 연석에는 승인 차량 외 주차 금지라고 적힌 부분이 있다. 11시 15분이 되자 옆면에 큼지막한 솜브레로*가 그려진 트럭이 그 자리에 멈추어 선다. 솜브레로 아래에 호세 푸드라고 적혀 있다. 그리고 그 아래에 다 같이 즐겨요!라고 적혀 있다. 건물을 나선 사람들이 설탕에 끌린 개미처럼 그 트럭을 향해 터벅터벅 걸어가기 시작한다. 5분 뒤에 다른 트럭이 첫번째 트럭 뒤에 주차한다. 이 트럭의 옆면에는 씩 웃으며 더블 치즈버거를 먹어 치우는 남자아이가 그려져 있다. 사람들이 햄버거와 프렌치프라이와 타코와 엔칠라다를 사려고 줄을 서서 기다리는 가운데, 11시 30분이 되자 핫도그 카트가 등장한다.

점심을 먹을 시간이로군. 이웃 주민을 몇 명 더 만날 시간이기도 하지.

남자 셋, 여자 하나, 이렇게 네 명이 엘리베이터를 기다리고 있다. 다들 정장을 입었고 30대 중반으로 보인다. 여자는 그보다 더 어릴 수도 있다. 빌리는 그들 옆으로 가서 같이 선다. 그중 한 명이 새로 온 작가냐고 묻는다. 기존의 작가가 빌리로 대체되기라도 했다는 걸까? 빌리는 맞는다고 하고 자기 이름을 밝힌다. 그들도 똑같이 존, 짐, 해리, 필리스라고 자기 이름

---

* 챙이 넓은 멕시코 모자.

들을 밝힌다. 빌리는 뭐가 맛있느냐고 묻는다. 존과 해리는 멕시코 음식을 추천한다.

"생선 타코가 끝내줘요."

존이 말한다. 짐은 햄버거도 그럭저럭 괜찮고 어니언링은 A 플러스라고 한다. 필리스는 페티의 칠리 도그를 먹을 거라고 한다.

"전부 뭐 그리 대단한 요리는 아니에요." 해리는 말한다. "하지만 도시락을 싸서 가지고 다니는 것보다는 나으니까요."

빌리가 길 건너편 카페는 어떠냐고 묻자 네 사람 모두 고개를 젓는다. 그 정도로 순식간에 일치단결하다니 재밌어서 그는 씩 웃는다.

"거긴 웬만하면 가지 마세요." 해리가 말한다. "점심때는 손님도 많아요."

"그리고 비싸고요." 존이 덧붙인다. "작가들은 어떨지 모르겠지만 신생 로펌 직원은 동전 한 닢도 아껴야 하거든요."

"이 건물에 입주한 변호사가 많은가요?"

엘리베이터 문이 열리는 동안 빌리는 필리스에게 묻는다.

"저 말고 저 사람들한테 물어보세요. 저는 크레센트 회계사무소 직원이거든요. 전화 받고 소득세 신고서 체크하는."

"변호사가 제법 있어요." 해리가 말한다. "3층과 4층에 몇 명 있고, 그리고 6층에도요. 7층에는 신생 건축 사무소가 있는 걸로 알아요. 그리고 8층에는 포토 스튜디오가 있고요. 카탈로그 촬영하는 상업용 스튜디오요."

"여기가 TV쇼 무대라면 프로그램 제목이 '젊은 변호사들'일 거예요. 여기서 법원 저편으로 두세 블록 가면 나오는 홀랜드가와 에머리 플라자에 대형 로펌들이 모여 있거든요. 우리는 찰싹 붙어서 큰형님들 테이블에서 떨어지는 부스러기를 주워 먹어요."

"그러면서 큰형님들이 죽길 기다리죠." 짐이 존의 말에 그렇게 덧붙인다. "역사와 전통을 자랑하는 로펌에 근무하는 변호사들은 쓰리피스 정장을 입고 보스 호그*처럼 말하고 다니는 공룡이에요."

빌리는 건물 앞에 꽂혀 있었던 팻말을 떠올린다. 사무 공간과 고급 아파트 완비. 그 팻말은 거기 그렇게 꽂혀 있은 지 오래돼 보였고 호프처럼 절박한 분위기를 풍겼다.

"회사에서 임대료 할인을 받았겠어요."

해리는 빌리를 향해 엄지손가락을 들어 보인다.

"정답이요. 거의 믿을 수 없는 금액에 4년 계약을 맺었어요. 건물주는 호프라는 사람인데, 그 사람이 파산 신청을 하더라도 계약이 유지되고요. 변경 불가라. 덕분에 우리 같은 조무래기들은 기반을 넓힐 때까지 시간을 벌 수가 있죠."

"게다가 자기 임대 계약조차 제대로 처리하지 못하는 변호

---

* TV 드라마 「해저드 카운티의 듀크 형제」의 등장인물. 욕심 많고 부패한 의회의원이다.

사는 파산당해도 싸지 않겠어요?"

짐의 말에 젊은 변호사들은 웃음을 터뜨린다. 필리스는 미소를 짓는다. 로비에서 문이 열린다. 세 남자는 점심을 먹겠다는 일념으로 돌진한다. 빌리는 필리스와 함께 좀 더 느긋하게 로비를 가로지른다. 그녀는 화려하지 않은, 작약보다는 데이지에 가까운 미인이다.

"궁금한 게 있는데요."

그러자 그녀는 미소를 짓는다.

"그게 작가의 영업 자산이죠? 호기심이요."

"아마도요. 평상복을 입은 사람들도 많이 보이던데. 저 사람들처럼 말이에요." 빌리는 지금 막 문 앞으로 다가오는 커플을 가리킨다. 남자는 블랙진에 선 라* 티셔츠를 입었다. 동행인 여자는 부른 배를 감추기보다 강조하는 기다란 셔츠를 입었다. 머리칼은 빨간 고무줄로 아무렇게나 하나로 묶었다. "저들이 변호사나 건축 사무소 직원일 리 없잖아요. 포토 스튜디오 직원일 수는 있겠지만 사람 수가 엄청 많더라고요."

"2층 비즈니스 솔루션스 직원이에요. 2층 전체를 쓰는 미수금 처리 대행업체요. 우리가 저들을 BS라고 부르는 것도 다 이유가 있죠."**

---

* 미국의 재즈 작곡가 겸 키보드 연주자.

** BS가 비즈니스 솔루션스의 약자이기도 하지만 개소리를 뜻하는 bullshit의 약자이기도 하다.

필리스는 무슨 악취라도 맡은 듯 콧잔등을 찡그리지만 빌리는 그 말투에서 풍기는 질투의 기미를 놓치지 않는다. 번듯하게 차려입으면 처음에는 신이 날지 몰라도 시간이 지나면 특히 여자들에게는 지겨운 노동이 된다. 머리 손질, 화장, 또각또각 구두. 5층 회계 사무소에서 근무하는 이 미녀도 분명 청바지와 민소매 톱에 립스틱만 살짝 바르고 끝이면 얼마나 편할까 하는 생각을 가끔 할 것이다.

"널찍하게 뻥 뚫린 사무실에서 전화 돌리는 일을 하면 정장을 입을 필요가 없죠. 돈을 갚지 않으면 은행에서 집에 유치권을 설정할 거라고 알리는 상대방에게 자기 모습이 보이지 않을 테니까요." 필리스는 생각에 잠긴 표정으로 문 바로 앞에서 걸음을 멈춘다. "그 회사 매출이 얼마나 되는지 궁금하네."

"그 회사 회계는 다른 데서 맡고 있나 봐요?"

"맞아요. 하지만 책을 출간해서 대박이 나면 저희 회사를 기억해 주세요, 로크리지 씨. 저희도 신생이거든요. 핸드백에 명함이 있을 텐데……."

"됐어요." 빌리는 필리스가 본격적으로 핸드백을 뒤지기 전에 그녀의 손목을 건드린다. "대박이 나면 복도를 걸어가서 그쪽 회사 문을 두드릴게요."

필리스는 미소를 지으며 그를 뜯어보는 표정을 짓는다. 그녀의 왼쪽 약손가락에는 약혼이나 결혼반지가 없다. 빌리는 다른 사람들 같으면 지금이 바로 일 끝나고 자기 사무실에서 술 한잔하겠느냐고 운을 뗄 타이밍이라고 생각을 한다. 그녀가 거절할 수도 있지만, 속눈썹 아래에서 그를 올려다보는 그 눈빛과 미소를 보면 좋다고 할 수도 있겠다는 생각이 든다. 하지만 그는 물어보지 않을 것이다. 사람들을 만나는 건 괜찮다. 호감을 주고받는 것도 괜찮다. 하지만 가까워지면 안 된다. 가까워지는 건 패착이다. 가까워지는 건 위험하다. 은퇴를 하면 달라지겠지만.

3

빌리는 채소가 잔뜩 들어간 햄버거를 사서 변호사 짐과 함께 광장 벤치에 앉는다. 이름은 짐 올브라이트다.

"이거 하나 드셔 보세요." 그가 두툼한 어니언링을 내밀며 말한다. "허벌나게 맛있어요."

과연 그렇다. 빌리가 가서 좀 사 와야겠다고 하자 짐 올브라이트는 잘 생각했다고 한다. 빌리는 조그만 종이배에 어니언링을 담아서 일회용 케첩과 함께 짐의 옆자리로 다시 들고 간다.

"그래서 쓰시는 책은 내용이 뭐예요, 데이브?"

빌리는 한 손가락을 입술에 갖다 댄다.

"일급비밀이에요."

"제가 기밀 유지 협약서에 사인을 해도요? 그건 조니 콜턴

전공인데."

짐이 멕시칸 푸드 트럭 앞에 서 있는 자기 동료를 가리킨다.

"그래도 안 돼요."

"그 신중함에 경의를 표합니다. 작가들은 자기가 쓰고 있는 책에 대해 이야기하는 걸 좋아하는 줄 알았는데 말이죠."

"말이 많은 작가들은 아마 글은 얼마 쓰지 못할 거예요. 하지만 내가 아는 작가는 나뿐이라 순전히 추측이에요." 그러고 나서 빌리는 묻는다. 화제를 돌리기 위해서이기도 하고 진심으로 궁금해서이기도 하다. "저기 핫도그 카트 앞에 있는 저 남자 뭐예요? 날이면 날마다 볼 수 있는 옷차림이 아닌데."

다른 동료들과 함께 멕시칸 푸드 트럭 앞에 줄을 선 남자를 두고 한 말이다. 이 남자는 다른 비즈니스 솔루션스 직원 사이에서도 눈에 띈다. 그가 입은 금색 낙하산 바지는 빌리를 테네시에서 보낸 어린 시절로 데려간다. 그때는 미래의 멋쟁이들이 금요일 저녁이면 그런 옷을 입고 롤러돔으로 춤을 추러 갔다. 남자는 그 바지 위에, 유튜브 영상에서 그 옛날 영국의 유명 록그룹 멤버들이 입었던 하이 칼라 페이즐리 셔츠를 입고 있다. 그 앙상블을 꼭대기가 납작하고 챙이 말린 중절모로 갈무리했다. 그 아래로 풍성한 검은 머리가 어깨까지 쏟아진다.

짐은 폭소를 터뜨린다.

"저 친구는 콜린 화이트예요. 패션 감각이 상당하죠? 엄청 명랑하고 파리의 일요일 오후처럼 생기발랄해요. 비즈니스 솔루션스 직원들은 대개 자기들끼리만 뭉쳐 다니거든요. 막다른 궁지에 몰린 사람들을 닦달해 빚을 받아 내는 것으로 돈을 벌고 있으니 사람들이 좋게 볼 수가 없을 테고 저들도 그걸 알아요. 하지만 콜린은 그냥 평범한 인싸예요." 짐은 고개를 젓는다. "적어도 점심시간에는요. 회사에서 과부와 파산한 수의사를 위협해 주머니를 탈탈 털 때는 어떤 식일지 궁금하긴 해요. 그 회사는 이직이 잦은데, 저 친구는 나보다 더 오래 다니고 있는 걸 보면 수완이 좋은가 봐요."

"얼마나 오래됐는데요?"

"18개월요. 콜린이 킬트를 입고 출근할 때도 있어요. 진짜로요! 망토를 걸칠 때도 있고. 그런가 하면 마이클 잭슨 의상도 있어요. 아시죠? 견장이랑 놋쇠 단추가 달린 기병대 장교복이요."

빌리는 고개를 끄덕인다. 콜린 화이트는 이제 타코가 든 종이 상자를 들고 있다. 그가 가다 말고 필리스에게 뭐라고 말을 건네자 그녀는 고개를 뒤로 젖히고 폭소를 터뜨린다.

"참 괜찮은 친구예요."

짐의 목소리에는 진심 어린 애정이 담겨 있다.

필리스는 걸어가 다른 여자들과 함께 앉는다. 콜린 화이트의 동료들이 자리를 만들어 준다. 그는 자리에 앉기 전에 한쪽 발을 다른 쪽 발 뒤에 두고 한 바퀴 휘리릭 돈다. 마이클 잭슨이 봤더라면 뿌듯해했을 만한 동작이다. 빌리가 보기에 그는 키가 175센티미터 아니면 기껏해야 178센티미터다. 계획을 완성할 또 다른 퍼즐이다. 어쩌면. 주차장 4층, 아마도 앞으로 추가될 노트북 여러 대, 그리고 이제 콜린 화이트. 그는 흔히 볼 수 없는 부류다.

4

그날 오후에 그는 플레이어1이 카드를 버릴 때마다 5초씩 뜸을 들이도록 맥 프로를 설정하고 크리비지*를 돌린다. 그리고 매번 플레이어2가 플레이어1을 이기도록 설정해 놓는다. 이 정도면 구경꾼을 1시간쯤 붙잡아 놓을 수 있을 것이다. 그런 다음 그의 맥북 전원을 켜고 아마존에 다시 접속해 가발을 두 개 주문한다. 하나는 짧은 금발이고 다른 하나는 긴 흑발이다. 다른 때 같으면 가상의 사무실 주소로 배송시켰겠지만, 이번 같은 경우에는 사건 당일 해가 떨어지기 전에 데이비드 로크리지가 저격수로 밝혀질 테니 그럴 필요가 없다.

가발 주문이 끝나자 그는 스테이플스 공책을 그의 개인용 노트북 옆에 두고 매물로 나온 단독주택과 아파트를 인터넷으로 둘러본다. 몇 군데 괜찮은 곳이 있지만 현장 답사는 아마존에서 주문한 물품이 배달된 다음으로 미뤄야 할 것이다.

---

* 카드 게임의 일종.

인터넷으로 임대 매물 검색이 끝났는데 2시밖에 안 됐다. 하루 일과를 마치기에는 너무 이른 시각이다. 이제 본격적으로 글을 쓰기 시작할 때가 됐다. 빌리는 이 문제를 놓고 고민을 많이 했다. 처음에는 그의 노트북에다 글을 쓰려고 했다. 맥북 프로를 쓰면 『1984』에 나오는 텔레스크린도 아니고, 그의 고용주와 어쩌면 '저작권 에이전트'까지 어깨 너머로 글을 읽을 수 있지 않겠는가. 그런데 닉과 조르조가 노트북을 체크했다가 아무것도 없으면 의심하지 않을까? 빌리가 생각하기에는 충분히 그럴 가능성이 있다. 그들은 아무 말도 하지 않겠지만, 빌리가 염탐과 해킹을 얼마나 잘하는지 어렴풋이 알아차릴 수도 있다.

그리고 도청의 가능성을 무릅쓰고 맥북 프로에 글을 써야 하는 또 다른 이유가 있다. 이것은 하나의 도전 과제다. 그는 과연 허구의 인물인 *바보 빌리*의 관점에서 자신의 일대기를 쓸 수 있을까? 위험 요소가 있긴 하지만 가능할지 모른다. 윌리엄 포크너는 『소리와 분노』에서 백치의 이야기를 썼다. 대니얼 키스의 『앨저넌에게 꽃을』도 마찬가지다. 어쩌면 더 있을지 모른다.

빌리는 자동으로 돌아가던 크리비지 게임을 중단하고 워드 창을 연다. 제목은 벤지 콤슨*의 이야기. 닉이나 조르조는 알 리

---

* 『소리와 분노』의 작중 화자로 지적 장애가 있다.

없는, 포크너에 대한 경의의 표현이다. 그는 잠깐 가만히 앉아서 손끝으로 가슴을 두드리며 아무것도 없는 화면을 쳐다본다.

이건 엄청난 도박이야.

이번이 마지막 한탕이잖아. 그는 생각하고 이 순간을 위해 머릿속에 간직하고 있었던 문장을 입력한다.

엄마랑 같이 사는 남자가 팔이 뿌러진 채 집으로 돌아왔다.

거의 1분 동안 이 문장을 보다가 다시 자판을 두드린다.

나는 그 남자 이름조차 기억이 나지 않는다. 하지만 그 남자는 엄청 화가 나 있었다. 깁스를 한 걸 보니 병원에 먼저 들렀다 온 것 같았다. 내 여동생은

빌리는 고개를 젓고 좀 더 매끈하게 문장을 고친다. 적어도 그가 생각하기에는 좀 더 매끈해진 것 같다.

엄마랑 같이 사는 남자가 팔이 뿌러진 채 집으로 돌아왔다. 깁스를 한 걸 보니 병원에 먼저 들렀다 온 것 같았다. 내 여동생은 쿠키를 구우려다가 태웠다. 시간을 재는 걸 깜빡한 모양이다. 집으로 돌아왔을 때 그 남자는 엄청 화가 나 있었다. 그 남자가 내 여동생을 죽였지만 나는 그 사람 이름도 기억이 나지 않는다.

써 놓은 글을 보니 이런 식이면 할 수 있겠다는 생각이 든
다. 게다가 그는 이걸 하고 싶다. 글을 쓰기 시작하기 전에는
누가 물으면 *네, 무슨 일이 벌어졌는지 기억하지만 거의 다 잊
어버렸어요*라고 했을 것이다. 그런데 지금은 기억하는 게 많
아졌다. 이 짧은 단락만으로도 잠겼던 문이 열리고 창이 열렸
다. 설탕을 태운 냄새와 오븐에서 스멀스멀 연기가 났던 것과
레인지 옆면의 이 빠진 부분과 식탁 위 찻잔에 담긴 꽃과 밖에
서 아이들이 "감재 한 개 감재 두 개 감재 세 개 감재 넷."이라
고 노래를 불렀던 것이 기억난다. 그 남자가 부츠발로 묵직하
게 쿵-쿵-쿵 소리를 내며 계단을 올라왔던 것이 기억난다. 그
남자, 그 남자친구. 그리고 이제는 심지어 이름도 기억이 난
다. 밥 레인스였다. 그 남자가 엄마에게 주먹을 휘두르는 소리
가 들렸을 때 *밥이 빠쳤네, 밥이 엄마한테 빠쳤네* 하고 생각했
던 것도 기억이 난다. 엄마가 이후에 웃으며 *그이가 일부러 때
린 건 아니었어*라고 했던 것도 기억이 난다. 그리고 *내 탓이야*
라고 했던 것도.

빌리는 쎙하니 질주하고 싶은 걸 자제해 가며 1시간 반 동
안 글을 쓴다. 닉이나 조르조나 심지어 엘비스가 이 파일을 들
여다본다면 그들 눈에는 *바보 빌리*가 낑낑대며 쓴 것처럼 보
일 것이다. 한 문장, 한 문장 고심해 가며 쓴 것처럼 보일 것이
다. 그는 최소한 일부러 철자를 틀리게 쓸 필요는 없다. 컴퓨
터가 자동으로 수정하지 않은 단어 밑에는 빨간색으로 줄이

뜨니까.

4시에 그는 그때까지 쓴 글을 저장하고 노트북을 끈다. 내일 다시 작업을 시작하는 순간이 기다려진다.

어쩌면 그는 결국 작가일지 모른다.

5

미드우드로 돌아가 보니 문에 압정으로 쪽지가 꽂혀 있다. 한동네에 사는 래글랜드의 집에서 립과 코울슬로와 체리 코블러를 같이 먹자는 초대장이다. 그는 거리를 두는 것처럼 보이지 않으려고 초대에 응하지만 별로 내키지는 않는다. 저녁 식사가 끝나면 맥주를 앞에 놓고 커뮤니티 칼리지 학생은 어쩌고 지저분한 이민자들은 저쩌고 하는 대화가 오가겠거니 생각한다. 그랬다가 폴 래글랜드와 드니즈 래글랜드가 힐러리 클린턴을 뽑았고 트럼프를 못마땅하게 여기며 그를 "엄살 대통령"이라고 부른다는 걸 알고는 깜짝 놀란다. 걸어서 집으로 돌아가는 길에 빌리는 이로써 흰색 러닝셔츠로 사람을 판단하면 안 된다는 사실이 또다시 입증됐다는 생각을 한다.

빌리가 「오자크」라는 넷플릭스 드라마에 빠져들어 3화를 시작했을 때 그의 휴대전화, 즉 데이비드 로크리지의 휴대전화에서 문자 알림음이 들린다. 항상 노심초사하는 에이전트 조지 러소가 첫날을 어떻게 보냈는지 궁금해한다.

D로크: 아주 잘 보냈어. 글도 좀 썼고.

G러소: 다행이로군. 우리가 베스트셀러로 만들어 주겠어. 목요일 저녁에 잠깐 들를 수 있나? 오후 7시에 저녁 같이 먹게. N이 할 얘기가 있다는데.

그렇다면 닉이 아직 여기서 지내느라 라스베이거스 금단증상으로 괴로워하고 있을지 모른다는 뜻이다.

D로크: 오케이. 하지만 H는 사양이야.

G러소: 두말하면 잔소리.

다행이다. 빌리는 켄 호프를 두 번 다시 볼 일이 없다면 만수무강하다가 행복하게 죽을 수 있을 거라는 생각을 한다. 그는 TV를 끄고 침대에 눕는다. 스르르 잠이 들었다가, 새벽의 서막이 시작되기 직전에 스르르 악몽을 꾼다. 어떤 꿈인지는 내일 벤지 콤슨이 되어서 글로 남길 것이다. 죄인을 보호하는 차원에서 이름을 바꾸고.

6

엄마랑 같이 사는 남자가 팔이 부러진 채 집으로 돌아왔다. 깁스를 한 걸 보니 병원에 먼저 들렀다 온 것 같았다. 내 여동생은 쿠키를 구우려다가 태웠다. 시간을 재는 걸 깜빡한 모양이다. 집으로 돌아왔을 때 그 남자는 엄청 화가 나 있었다. 그 남자가 내 여동생을 죽였지만 나는 그 사람 이름도 기억이 나지 않는다. 그 남자는 집으로 들어오자마자 소리를 지르기 시작했다. 나는 트레일러하우스 바닥에서 500피스짜리 퍼즐을 맞추고 있었다. 고양이 두 마리가 실타래를 가지고 노는 그림이었다. 쿠키 때문에 연기가 났는데도 그 남자가 마시던 술 냄새를 느낄 수 있었는데 나중에 알고 보니 윌리스 태번이란 술집에서 시비가 붙었다고 했다. 눈에도 멍이 든 걸 보면 그 남자가 진 게 분명했다. 내 동생

동생의 이름은 캐서린이었지만 그 이름은 쓰지 않을 것이다. 아주 비슷하지만 다른 이름을 쓸 것이다. 캐서린 앤 서머스는 죽던 날 고작 아홉 살이었다. 금발이었고. 조그마했다.

내 동생 케시는 식탁에서 색칠공부를 하고 있었다. 열 살이 되기까지 두세 달 남았고 나이가 두 자리 수가 되는 날을 손꼽아 기다리고 있었다. 나는 열한 살이었고 그 애를 챙기기로 되어 있었다.
엄마의 남자친구는 고함을 지르고 그가 들어오기 직전에 시작된 연기를 손으로 휘저으며 무슨 짓을 저지른 거냐고 거듭 물었고 캐서린은

빌리는 그 순간 화면을 보고 있는 사람이 아무도 없길 바라며 얼른 지운다.

케시는 쿠키를 굽고 있었는데 태운 것 같다고 미안하다고 했다. 그러자 그 남자는 너는 바보 같은 년이라고 이렇게 바보 같다니 믿을 수가 없다고 했다.

그 남자가 오븐 문을 열자 연기가 좀 더 흘러나왔다. 화재경보기가 있었다면 울렸겠지만 우리 트레일러하우스에 화재경보기는 없었다. 남자는 행주를 집어서 연기를 향해 펄럭펄럭 흔들기 시작했다. 내가 일어나서 바깥 문을 열려고 했지만 이미 열려 있었다. 엄마의 남자친구가 쿠키 시트를 꺼내려고 손을 집어넣었다. 멀쩡한 쪽 손으로 시트를 집었지만 행주가 미끄러지는 바람에 남자는 손을 데었고, 케시가 내 도움을 받아 가며 틀로 찍어서 만든 쿠키가 온 사방으로 쏟아졌다. 케시가 주저앉아서 쿠키를 줍자 그때부터 그 남자가 그 애를 죽이기 시작했다. 아니면 그 남자가 깁스한 팔로 그 애의 머리를 때려 벽으로 날려 보내자마자 끝났을지도 모른다. 그 애는 빛의 속도로 날아갔지만 그래도 살아 있었을 수도 있었는데, 그 남자가 날마다 신고 다니던 부츠, 엄마가 오도바이 부츠라고 불렀던 그 부츠로 그 애를 차기 시작했다.

그만해요 그러다 애 잡겠어요 하고 나는 말했지만 남자는 그만하지 않았고 내가 그만해 이 새끼야 씹새 호로자식아 내 동생 때리지 말라고 해도 소용없었다. 그래서 내가 달려들었고 그 남자는 나를 밀쳤고

빌리는 자리에서 일어나 이제—아마도—그의 작업실이 된

사무실 창문 앞으로 다가간다. 사람들이 법원 앞 계단을 오르락내리락하지만 그의 눈에는 보이지 않는다. 그는 물을 마시려고 간이주방으로 들어간다. 손이 떨려서 물을 조금 쏟는다. 저격의 순간에는 항상 일말의 움직임도 없는데 지금은 떨린다. 많이는 아니지만 물을 쏟을 정도는 된다. 입과 목이 바짝 말라서 물을 단숨에 들이켠다.

모든 기억이 되살아나고 그 모든 기억이 수치심을 자극한다. 그는 밥 레인스에게 달려든 부분을 남겨 놓을 것이다. 거의 감당하기 힘든 수준의 진실을 영웅이 등장하는 허구로 덮을 수 있기 때문이다. 그는 밥 레인스가 동생을 발로 차고 짓밟아 멍울이 생기지도 않은 여린 가슴을 으스러뜨리는 동안 그 남자에게 달려들지 않았다. 빌리는 그 애를 챙기기로 되어 있었다. 엄마가 세탁소로 출근할 때마다 맨 마지막으로 하는 말이 동생 잘 챙겨라였다. 하지만 그는 그 애를 챙기지 않고 도망쳤다. 걸음아 날 살려라 도망쳤다.

하지만 그때부터 나는 이미 생각하고 있었지. 그는 노트북이 있는 테이블로 돌아가며 생각한다. *분명 그랬을 거야, 내가 도망쳐 간 곳이 우리 방이 아니었으니까.*

"나는 두 사람 방으로 도망쳤지."

빌리는 잠깐 끊었던 곳에서 다시 시작한다.

그래서 내가 달려들었고 그 남자는 나를 밀쳤고 나는 일어나 트레

일러하우스 맨 끝에 달린 엄마와 남자친구의 방으로 달려가 문을 쾅 닫았다. 남자가 당장 방문을 두드리고 온갖 욕을 퍼부으며 벤지 너 이 문 당장 열라고 안 그러면 이 씨발 새끼 후회하게 될 거라고 했다. 나는 내가 문을 열거나 말거나 남자의 손에 케시처럼 당하리라는 걸 알았다. 그 애는 죽었다. 열한 살짜리 아이라도 그걸 알 수 있었다.

엄마의 남자친구는 전직 군인이라 군대에서 쓰던 사물함을 침대 발치에 두고 이불로 덮어 놓았다. 나는 이불을 젖히고 사물함을 열었다. 그 남자는 거기에 자물쇠를 달아 놓았지만 잠근 적은 거의, 아니면 한 번도 없었다. 만약 자물쇠로 잠가 놓았다면 나는 지금 이 글을 쓰고 있지 않을 것이다. 죽은 목숨이었을 테니까. 그리고 그 총에 장전이 되어 있지 않았다면 마찬가지로 죽은 목숨이었겠지만 나는 장전이 되어 있다는 걸 알았다. 그 남자가 날치기 강씨 도씨들 들어오면 잡겠다며 항상 장전해 놓았기 때문이었다.

날치기 강씨 도씨들. 맙소사, 이런 것들까지 기억이 나다니.

남자는 내가 예상했던 것처럼 문을 부수고 들어왔고

예상했던 게 아니라 확신했지. 기껏해야 MDF 재질이었으니까. 케시와 나는 거의 매일 밤마다 둘이 격하게 뒹구는 소리를 들었지. 엄마가 일찍 퇴근하면 오후에 들었고. 하지만 그것도 그가 쓰지 않고 남겨 둘 이야기다.

남자가 들어왔을 때 나는 침대 발치에 등을 기대고 앉아서 총을 겨누고 있었다. 파라벨럼 총탄을 15개 넣을 수 있는 M9X19였다. 물론 그 당시에는 그 총인지 몰랐지만 무겁다는 건 알았기에 두 손으로 쥐고 가슴에 대고 있었다. 남자는 그 총 이리 내라 이 아무짝에도 쓸모없는 똥바가지야 애들은 총을 가지고 놀면 안 되는 거 모르냐고 했다.

나는 그 말을 듣고 남자의 정중앙을 쏘았다. 남자는 아무 일도 없었던 듯 문 앞에 그대로 서 있었지만 나는 남자의 등 뒤로 피가 튀는 것을 보았다. 반동으로 M9가 내 가슴을 때렸고

빌리는 어 하는 소리가 났던 것을 기억한다. 뒤를 이어 트림하는 소리가 들렸다. 나중에 흉골 위 그 자리에 멍이 들었다.

남자가 쓰러졌다. 나는 그쪽에 다가가며 어쩌면 한 번 더 쏴야 할지 모른다고 속으로 중얼거렸다. 만약 그래야 했다면 나는 그랬을 것이다. 그 인간은 우리 어머니의 남자친구였지만 잘못을 저질렀다. 나쁜 놈이었다!

"그런데 그놈이 죽었지. 밥 레인스가 죽었지."
빌리는 지금까지 쓴 글을 모두 삭제할까, 너무 끔찍한가, 잠깐 고민하다가 그대로 저장한다. 남들은 어떻게 생각할지 몰라도 빌리가 생각하기에는 훌륭하다. 끔찍해서 훌륭하다. 진

실은 때로 끔찍한 법이다. 그는 이제 진정한 작가가 된 것 같다는 생각이 든다. 그것이 작가의 발상이지 않은가. 에밀 졸라도 『테레즈 라캥』을 쓰는 동안, 나나*도 병에 걸려 미모가 모두 문드러져 가는 동안 그런 생각을 했을지 모른다.

빌리의 얼굴이 화끈거린다. 그는 다시 간이주방으로 들어가 얼굴에 물을 끼얹은 뒤 눈을 감고 싱크대 위로 허리를 숙인 채 서 있다. 밥 레인스를 쏜 기억은 아무렇지 않지만 케시를 떠올리면 가슴이 아리다.

동생 잘 챙겨라.

글을 쓸 수 있어서 좋다. 예전부터 글을 쓰고 싶었는데, 지금 이렇게 쓰고 있다. 그래서 좋다. 하지만 이렇게 아플 줄 어느 누가 알았을까?

유선 전화기 벨이 울리는 소리에 그는 화들짝 놀란다. 어브 딘이고 아마존에서 택배가 왔다고 알린다. 빌리는 곧바로 내려가서 받아오겠다고 한다.

"어휴, 그 회사는 안 파는 게 없어요."

빌리는 맞장구치며 생각한다. *당신이 아는 건 새 발의 피지.*

---

* 에밀 졸라의 작품 『나나』의 주인공.

그건 가발이 아니다. 아무리 아마존 특급 배송이라도 가발은 내일에나 배달될 것이다. 오늘 받은 물건은 사무실과 주방 사이 다락방에 넣으면 딱 맞을 크기지만 빌리는 거기에 보관할 생각이 없다. 아마존에서 주문한 물건은 전부 미드우드의 노란 집으로 다시 들고 갈 것이다.

그는 상자를 열고 주문한 물건을 하나씩 꺼낸다. 홍콩의 편타임 사에서 보낸 상자에는 인모(人毛)로 만든 콧수염이 들어있다. 그가 주문한 가발처럼 금색인데, 조금 텁수룩하다. 나중에 다듬어야겠다. 그가 원하는 건 변장이지 남들 눈에 특이해 보이는 것이 아니다. 그다음은 도수 없는 뿔테 안경이다. 이런 안경은 구하기가 의외로 어렵다. 돋보기는 아무 드러그스토어에서나 살 수 있지만 빌리는 시력이 2.0이라 도수가 아주 살짝만 들어가도 머리가 아프다. 안경을 써 보니 살짝 헐렁하다. 브리지를 조일 수도 있지만 그냥 쓰기로 한다. 콧잔등 아래로 살짝 걸쳐 쓰면 학자 분위기를 풍길 수 있을 것이다.

마지막으로 가장 돈이 가장 많이 들어간 오늘의 하이라이트. 아마존에서 판매하는 것인데 맘타임이라는 회사에서 실리콘으로 만든 가짜 임산부 배다. 7개월에서 10개월까지 줄였다 늘였다 할 수 있기 때문에 비쌌다. 찍찍이가 달려 있다. 빌리는 이 가짜 복대가 좀도둑들이 애용하는 소품으로 악명이 높아서 대형 할인점 직원들은 예의 주시하라는 교육을 받는다는 걸 알지만, 그는 가게 물건이나 훔치자고 이 손바닥만 한 도시로 온 것도 아니고 때가 됐을 때 여자가 이걸 두르지도 않을 것이다.

그가 두르게 될 것이다.

5장

1

빌리는 목요일 저녁 7시 조금 전에 닉이 임대한 대저택에 도착한다. 더도 덜도 말고 딱 5분 일찍 오는 것이 초대받은 자의 예의라고 어디에선가 읽은 기억이 있다. 이번에는 폴리가 그를 맞이한다. 닉은 이번에도 홀에서 기다리고 있다. 경찰이 지나가더라도 눈에 띄지 않기 위해서인데, 그럴 가능성이 낮긴 하지만 아예 없지는 않다. 그는 미소의 강도를 최대치로 높이고 두 팔을 벌려 빌리를 와락 끌어안는다.

"샤토브리앙* 준비했어. 요리사를 불렀거든. 이 허접한 도시

---

* 최고급 안심으로 만드는 스테이크.

에서 지내는 이유를 모르겠지만 솜씨가 아주 훌륭해. 자네도 마음에 들 거야. 그런데 그걸로 배를 채우면 안 돼." 그는 빌리를 잡은 채 팔을 쭉 뻗는다. "베이크드 알래스카*가 나올 거라는 소문을 들었거든. 자네 인스턴트식품 질렸지? 그렇지?"

"맞습니다."

그때 프랭크가 등장한다. 분홍색 셔츠에 폭이 넓은 넥타이를 매고, 에디 먼스터**처럼 헤어라인이 V자인 머리칼을 번들번들하게 빗어 넘기고 빙글빙글 높다랗게 쌓아서 조폭 영화에 나오는 조직원처럼 보인다. 제일 먼저 죽임을 당하는 조무래기 말이다. 유리잔 몇 개와 초록색의 큼지막한 병을 쟁반에 담아서 들고 있다.

"샴페인이에요. 모트 앤드 샌던.***"

그는 쟁반을 내려놓고 코르크 마개를 딴다. 펑 하는 소리가 나지도 거품이 부글부글 일지도 않는다. 프랭키 엘비스가 프랑스어는 모를지 몰라도 병을 따는 솜씨 하나는 기가 막히다. 술을 따르는 솜씨도 그 못지않다.

닉이 잔을 든다. 나머지도 따라서 든다.

"성공을 위하여!"

빌리, 폴리 그리고 프랭크는 잔을 서로 부딪치고 샴페인을

---

* 케이크에 아이스크림을 얹고 머랭을 씌워 오븐에 구워 내는 디저트.

** 1960년에 방영된 시트콤 「먼스터 가족」의 어린 아들. 늑대 인간이다.

*** 모에&상동을 모르고 영어식으로 발음한 것이다.

마신다. 샴페인이 곧바로 빌리의 머리를 기분 좋게 하지만 그는 두 번째 잔은 사양한다.

"운전을 해야 해서요. 검문당하면 안 되죠."

"역시 빌리답군." 닉이 친구들에게 말한다. "항상 2보 앞을 생각한다니까?"

"3보요."

빌리의 대구에 닉은 헤니 영맨*이 죽은 이래 이렇게 재밌는 농담은 처음이라는 듯이 껄껄대고 웃는다. 친구들도 의무적으로 따라 웃는다.

"오케이." 닉이 말한다. "샴페인은 이만하면 됐고. *만지아모, 만지아모.*(먹지, 먹자고.)"

프렌치 어니언 수프로 시작해 레드 와인에 졸인 쇠고기를 거쳐 닉이 약속한 것처럼 베이크드 알래스카로 끝나는 훌륭한 코스다. 웃을 줄 모르는 흰색 유니폼의 여자가 음식 시중을 드는데, 디저트만 예외다. 디저트는 닉이 고용한 요리사가 직접 카트를 밀고 와서 기대했던 대로 박수갈채와 칭찬을 듣고 감사의 뜻에서 묵례를 하고 나간다.

닉, 프랭크 그리고 폴리가 대화를 주도하는데, 주로 라스베이거스 얘기다. 누가 거기서 활동 중이고, 누가 거기서 건물을 짓고 있으며, 누가 카지노 영업권을 노리고 있는지. *라스베이*

---

* 미국의 코미디언. 한 줄짜리 촌철살인의 유머로 유명했다.

거스는 이제 한물 갔다는 걸 모르는 사람들처럼 구는군. 빌리는 생각한다. 어쩌면 그들은 정말 모르는 것일 수도 있다. 조르조는 코빼기도 보이지 않는다. 여자가 식후 리큐어를 들고 오지만 빌리는 고개를 젓는다. 닉도 마찬가지다.

"마지, 앨런이랑 같이 이제 그만 가도 좋아. 저녁 잘 먹었네."

"감사합니다, 하지만 이제 막 정리를 시작한……"

"그건 내일 하도록 하고. 자. 이거 앨런에게 전해 주겠나. 우리 영감님의 표현을 빌자면 거마비야." 닉이 마지의 손에 지폐 몇 장을 쥐여 준다. 그녀는 알겠다고 중얼거리고 몸을 돌린다. "그리고 마지?"

여자는 다시 몸을 돌린다.

"이 집 안에서 담배 피운 적 없지?"

"네."

닉은 고개를 끄덕인다.

"얼른 가, 알겠나? 빌리, 우리 둘이 거실로 자리를 옮겨서 잠깐 얘기를 좀 나눌까? 자네들은 다른 할 일을 찾아보도록 해."

폴리는 빌리에게 만나서 반가웠다고 인사하고 현관문 쪽으로 걸음을 옮긴다. 프랭크는 마지를 따라 부엌으로 들어간다. 닉은 이리저리 문댄 디저트 위로 냅킨을 던지고 앞장서서 거실로 향한다. 거실 한쪽 끝에 미노타우로스*도 구울 수 있을

---

* 그리스 신화에 등장하는, 인간의 몸에 소의 머리가 달린 괴물.

만큼 넓은 벽난로가 설치되어 있다. 벽감에는 조각상이 놓여 있고 천장의 그림은 시스티나 성당 벽화*의 포르노 버전 같다.

"근사하지?" 닉이 좌우를 두리번거리며 묻는다.

"그러네요."

대답은 그렇게 하지만 빌리는 이런 데서 살면 머리가 이상해질 수도 있겠다는 생각이 든다.

"앉게, 빌리, 편히 앉아."

빌리는 자리에 앉는다.

"조르조는요? 라스베이거스로 돌아갔습니까?"

"뭐, 거기 있을 수도 있지. 아니면 뉴욕이나 할리우드에서 영화업계 사람들에게 자기 작가가 집필 중인 이 걸작을 홍보하고 있을 수도 있고."

*그러니까 신경 끄*라는 얘기로군. 어떻게 보면 그럴 만도 하다. 이러니저러니 해도 빌리는 고용인에 불과하다. 스테프넥 씨가 좋아했던 그 옛날 서부극에서는 청부살인업자라고 불리는 사람이다.

스테프넥 씨 생각을 하니 깨진 앞 유리창이 햇빛을 받고 반짝거렸던 수천 대의 폐차—어린아이 눈에는 수천 대로 보였고 실제 그 정도로 많았을 수도 있다—가 떠오른다. 그 폐차장을 떠올린 게 얼마 만인가? 과거와 연결된 문이 열렸다. 다시

---

* 미켈란젤로의 「천지창조」를 말한다.

닫고 걸쇠를 채우고 잠글 수도 있지만 그러고 싶지가 않다. 바람이 불어 들어오도록 내버려 두자. 춥지만 상쾌하다. 그가 지금까지 지내 왔던 공간은 답답했다.

"어이, 빌리." 닉이 손가락을 퉁기고 있다. "정신 차려."

"말씀 듣고 있습니다."

"그래? 잠깐 딴 데 정신 팔고 있는 줄 알았네. 저기, 실제로 뭐 좀 쓰고 있나?"

"네."

"실화 아니면 소설?"

"소설이요."

"아치 앤드루스와 그 친구들 얘기는 아니겠지?"

웃으며 묻는 말이다.

빌리도 웃으며 고개를 젓는다.

"난생처음으로 소설을 쓸 때 자기 경험담을 활용하는 경우가 많다고 하잖아. '네가 아는 걸 써라.' 3학년 영어 시간에 이렇게 배운 기억이 나는데. 패러머스 고등학교였지. 고 스파르탄스!* 자네도 그러고 있나?"

빌리는 한 손을 시소처럼 좌우로 흔든다. 그러고는 방금 생각났다는 듯이 이렇게 얘기한다.

"어? 제가 어떤 글을 쓰고 있는지 파악하고 계신 건 아니

---

* 패러머스 고등학교의 구호다.

죠?" 위험한 질문이지만 어쩔 도리가 없다. "왜냐하면 저
는……."

"에이, 설마!" 닉이 놀란 것을 넘어 충격을 받은 말투로 외
치자 빌리는 그가 거짓말을 하고 있다는 것을 알아차린다. "파
악할 수 있다 한들 우리가 뭐 하러 그러겠나?"

"그야 모르죠. 다만……." 빌리가 어깨를 으쓱한다. "……누
가 엿보는 건 싫어서요. 제가 무슨 작가도 아니고 맡은 역할에
충실하려고 글을 쓰는 건데. 그리고 시간도 때울 겸. 그런데
누가 그걸 보면 창피하잖아요."

"노트북에 암호 걸지 않았나?"

빌리는 고개를 끄덕인다.

"그럼 아무도 볼 수가 없겠네." 닉은 몸을 앞으로 숙여 갈색
눈으로 빌리의 눈을 쳐다본다. 빌리에게 베이크드 알래스카에
대해 알려 주었을 때처럼 언성을 낮춘다. "야한 내용인가? 쓰
리썸이 나오고 뭐 그런?"

"아뇨, 에이." 빌리는 말을 잠깐 끊는다. "그렇지는 않아요."

"내가 충고 하나 하자면 섹스 신을 넣어. 그래야 팔리거든."
닉은 빙그레 웃고 거실을 가로질러 장식장 앞으로 간다. "브랜
디 한잔할까 하는데. 자네도 마시겠나?"

"아뇨, 괜찮습니다." 빌리는 닉이 자리로 돌아오길 기다린
다. "조는 아무 소식 없나요?"

"똑같아. 내가 얘기했던 것처럼 변호사가 신병 인도에 항소

를 제기했고 얼마인지 모를 기간 동안 재판이 계류 중이야. 조니 판사가 휴가를 갔거든."

"하지만 자기가 아는 정보에 대해서는 아직 입을 다물고 있고요?"

"입을 열었다면 내가 알았겠지."

"구치소에서 사고를 당해 이송이 아예 안 될 수도 있겠네요."

"구치소 측에서 철저하게 보호하고 있어. 일반 재소자들 손이 닿지 않게, 응?"

"아, 네. 그렇군요."

사고를 당하면 너무 간단해져 버리겠죠? 빌리는 그렇게 반문하지는 못한다. 그러면 너무 똑똑해 보일 수 있다.

"진득하니 기다려, 빌리. 자리를 잡고서. 프랭키 말로는 미드우드에서 동네 사람들을 만나고 그러고 있다던데."

그렇군. 그는 집 근처에서 프랭크를 본 적 없지만 프랭크는 그를 보았다. 닉이 그의 으리으리한 새 노트북을 수시로 체크하고, 그가 임시 거처에서는 어떻게 지내는지 예의 주시하고 있는 것이다. 빌리는 다시 한번 『1984』를 떠올린다.

"네."

"그리고 사무실에서도?"

"그럼요. 대개는 점심시간에. 푸드 트럭 앞에서요."

"잘하고 있군. 풍경 속으로 녹아들어야지. 풍경의 일부가 되는 거야. 그게 자네 주특기 아닌가. 이라크에서도 그랬을 테지."

아무 데서나 그렇게 잘했지. 적어도 밥 레인스를 죽인 이후에는.

화제를 바꿀 타이밍이다.

"시선을 분산시키는 사건을 일으킬 거라고 하셨죠? 나중에 얘기하자고. 지금이 그 나중인가요?"

"맞아." 닉은 브랜디를 한 모금 마시고 가글이라도 되는 것처럼 입 속에서 한 바퀴 돌린 다음 삼킨다. "자네와 함께 일을 할 때 써 보고 싶었던 작전 안에 녹였어. 시선을 분산시키는 사건이 뭔가 하면 플래시팟이야. 그게 뭔지 아나?"

빌리는 알지만 고개를 젓는다.

"록 밴드들이 애용하는 장치지. 쾅 소리와 함께 불빛이 번쩍하고 터져. 간헐 온천처럼. 조가 동부로 이송된다는 확실한 정보가 입수되면 법원 근처에 두어 개 설치할 작정이야. 길모퉁이의 그 카페 뒤편 골목길에는 당연히 하나 설치해야지. 폴리는 주차장에도 하나 놓자는데 거긴 좀 멀어서. 게다가 어느 테러리스트가 주차장을 폭파하겠나?"

빌리는 불안한 표정을 애써 감추지 않는다.

"설마 호프가 그걸 설치하는 건 아니겠죠?"

닉은 두 번째 브랜디는 귀찮게 입 안에서 돌리지 않고 그냥 꿀꺽 삼킨다. 그러다가 기침을 하는데, 기침이 이내 폭소로 바뀐다.

"뭐야, 내가 호프 같은 그란데 필리오 디 푸타나(창녀의 큰아들)한테 그런 일을 맡길 정도로 멍청해 보이나? 자네가 나를 그렇게 생각한다면 슬픈데? 아냐, 내 수족 두어 명이 건너올 거야. 믿음직하고 실력 있는 녀석들이."

호프한테 플래시팟을 맡기지 않으려는 이유는 네가 엮일 수 있기 때문이겠지. 총을 조달해 저격수의 아지트에 갖다 놓는 일을 맡기는 이유는 엮여도 내가 엮일 테니 그런 거고. 너는 '나'를 얼마나 멍청한 인간으로 보는 거야?

"작전이 벌어지는 동안 나는 아마 라스베이거스에 있겠지만 프랭키 엘비스와 폴 로건이 내가 부른 다른 두 녀석과 함께 여기 있을 거야. 뭐든 필요한 게 있으면 그 친구들이 처리해 줄 거야." 닉은 열띤 표정으로 미소를 지으며 몸을 다시 앞으로 숙인다. "아주 근사한 작전이 될 거야. 총성이 모두를 공포 분위기로 몰고 가지. 잠시 후에 플래시팟이 쾅! 쾅! 하고 터지면 그때까지 자리를 지키고 있던 사람들도 미친 듯이 비명을 지르며 도망치게 될 거야. 어디에선가 날아오는 총알! 자살 폭탄 테러! 알카에다다! ISIS다! 기타 등등이다! 하지만 정말로 끝내주는 건 뭔지 아나? 누가 도망치다가 다리가 부러지지 않는 한 다치는 사람은 조엘 앨런뿐이라는 거야. 조엘 앨런, 그게 놈의 본명이지. 코트 가는 아수라장이 될 테고 이로써 내가 자네한테 하고 싶었던 얘기와 연결이 되는데."

"네."

"자네가 탈출 작전을 혼자 준비해 왔고 늘 성공적이었다는 건 알아. 내가 예전에도 말했다시피 탈출 마술사가 울고 갈 수준이었지. 하지만 조르조하고 내가 생각한 좋은 방법이 있는데. 왜냐하면……" 닉은 고개를 젓는다. "이건 어려운 임무가 될 거야. 아무리 자네라도, 아무리 우리가 플래시뱅으로 일대를 아수라장으로 만들어도. 자네가 이미 세워 놓은 계획이 있다면 신의 가호를 빌겠네. 하지만 아직 없다면……"

"없습니다." 계획을 만들어 나가는 단계지만 이렇게 말하고 *바보 빌리*의 미소를 짓는다. "언제든 편하게 말씀하세요."

2

그는 밤 11시에 집—당분간은 노란 집을 집이라고 해야 할 것이다—에 도착한다. 아마존에서 주문한 제품들은 모두 벽장 안에 있다. 앨런이 로스앤젤레스에서 동부로 출발했다는 연락을 받을 때까지 거기 두려고 했는데, 상황이 달라졌다. 빌리는 불안하다.

검은 머리 가발은 때가 될 때까지 여기 두어도 상관없지만 나머지는 들고 나가서 차 트렁크에 넣는다. 내일 온종일 5층 작업실을 비우게 될 테지만 상관없다. 제러드 타워의 상주 작가라 좋은 점이 있다면 규칙적으로 출퇴근해야 하는 회사원이 아니라는 것이다. 그는 언제든 늦게 출근하고 일찍 퇴근해도 된다. 마음이 동하면 밖에 나가서 걸어도 된다. 누가 물어보면 새롭게 떠오른 영감을 연구 중이라고 하면 된다. 아니면 자료를 조사하는 중이라고 해도 된다. 아니면 그냥 좀 쉬는 중이라고 해도 된다. 내일 그는 피어슨 가 658번지까지 아홉 블록을 걸어갈 것이다. 도심 경계선에 있는 3층집이다. 빌리는 부동산 검색 사이트에서 그 집을 이미 찾아보았지만 그걸로는 부족하다. 눈으로 직접 확인해야 한다.

그는 차 문을 잠그고 다시 안으로 들어간다. 반짝이는 새 맥북 프로를 사무실에서 집까지 들고 와 식탁에 두었다. 이제 그는 그 노트북을 열고 벤지 콤슨의 이야기를 읽어 본다. 몇 장 안 되고 벤지가 밥 레인스를 쏘는 시점에서 끝난다. 그는 닉의 관점에서 그 글을 세 번 읽어 본다. 작가들은 자기 경험담을 쓴다는 농담까지 한 걸 보면 닉은 읽어 봤을 것이 분명하다. 빌리는 그렇다고 장담할 수 있다.

닉이 그의 어린 시절을 알게 되는 건 상관없다. 닉은 아마 전부터 파악해 놓았을 것이다. 빌리가 신경 쓰이는 부분이 있다면 아직까지는 *바보 빌리*를 보호해야 한다는 것이다. 써 놓은 두세 장의 원고에 그가 너무 영리해 보일 만한 부분은 없는지 확인하기 전에는 잠을 이룰 수가 없을 것이다. 그래서 네 번째로 읽어 본다.

마침내 그는 노트북을 덮는다. 대부분이 실제 있었던 일이라고 가정할 때, 영어 점수 C를 받는 학생이 쓸 수 없을 법한 문장은 없어 보인다. 맞춤법이 틀린 부분은 거의 없고 구두점도 마찬가지지만 닉이 그건 자동 수정 기능 덕분으로 간주할 것이다. 워드 프로그램은 cant와 can't를 구분하지 못하지만, 컴퓨터 자체가 dont는 항상 don't로 수정하고 맞춤법이 틀리면 빨간색으로 밑줄을 그으며 너무 황당한 문법상의 오류가 있으면 지적한다. 그가 쓴 글은 시제가 왔다 갔다 하지만 그건 컴퓨터의 능력 밖의 일이다. 컴퓨터가 그런 부분까지 표시하는 날이 올지 모르겠지만.

하지만 그는 불안하다.

지금까지 닉을 믿지 못할 이유가 생긴 적은 없다. 그는 누가 봐도 나쁜 놈이지만 빌리를 속이려 든 적은 없었다. 그런데 지금은 속이려 하고 있다. 그렇지 않다면 맥북 프로에 클론 모드를 설정하지 않았다고 딱 잡아뗄 리 없다. 애초에 클론 모드를 설정했을 리 없다. 이 일 자체는 사기극이 아닌 것 같다. 대금의 4분의 1인 50만 달러라는 거금이 그의 계좌에 입금되었다. 하지만 전체적으로 예감이 안 좋다. 아주 안 좋은 건 아니고 살짝 불안하다. 관객들에게 혼란을 일으키려고 카메라를 살짝 기울여 찍은 그런 영화의 한 장면을 보는 것 같다. 영화판에서는 그런 기법을 더치 앵글이라고 하는데, 이 일이 그런 느낌이다. 뒤통수가 근질거린다. 발을 빼겠다고 할 정도는 아니지만 걱정할 만한 수준은 된다. 어차피 이미 수락했기 때문에 발을 뺄 수도 없지만.

그리고 닉이 갑자기 내놓은 탈출 계획도 그렇다. *자네가 이미 세워 놓은 계획이 있다면 신의 가호를 빌겠네. 하지만 아직 없다면 조르조와 내가 생각한 괜찮아 보이는 아이디어가 있는데.*

닉의 아이디어가 형편없어서 찜찜한 건 아니다. 그의 아이디어는 훌륭하다. 하지만 일을 마친 뒤에 사라지는 건 항상 빌리가 처리해 왔는데 닉이 그런 식으로 끼어들면…… 음…….

"뒤통수가 근질거리지."

빌리는 아무도 없는 부엌에 대고 중얼거린다.

닉은 6주 전, 이 일이 현실화되려는 조짐을 보였을 때 폴리로건을 메이컨에 보내 연식이 3년이 넘지 않은 포드 트랜짓 밴을 중고로 구해 오게 했다. 레드 블러프의 공공사업부에서 쓰는 공무용 차량이 트랜짓이었다. 빌리도 노란색과 파란색으로 칠하고 양쪽 옆면에 우리의 임무는 봉사입니다 모토를 적어 놓은 그 차를 여러 대 보았다. 프랭크가 조지아에서 사다가 공공사업부의 색상으로 칠하고 공공사업부의 모토를 적어 놓은 갈색 트랜짓이 시 외곽의 차고에서 대기 중이었다.

"앨런의 인도일이 가까워지면 내 귀에 소식이 들릴 거야." 닉이 브랜디를 조금 더 마셨다. "그러면 내가 아까 얘기한 친구들, 여기로 건너올 거라는 그 녀석들이 그 밴을 타고 이리저리 돌아다니면서 바쁜 척할 거야. 실은 *아무것도 하지 않고,*

한곳에 오래 있지는 않지만 항상 법원과 제러드 타워 근처를 맴돌면서. 여기서 1시간, 저기서 2시간, 이런 식으로. 그러니까 풍경의 일부가 되는 거지. 빌리, 자네처럼."

닉의 설명에 따르면 앨런이 도착하는 날 이 위조 차량이 제러드 타워 근처 길모퉁이에 주차하고 있을 거라고 했다. 공공사업부 소속 인부로 위조한 사람들이 맨홀 뚜껑을 열고 그 안에서 공사를 하는 척하고 있을 수도 있었다. 총이 발사되고 플래시팟이 터지면 사람들이 사방으로 도망칠 것이다. 제러드 타워에서도 마찬가지일 텐데, 거기서 나온 빌리 서머스는 길모퉁이로 달려가 밴의 뒷자리에 올라탈 것이다. 거기서 공공사업부 작업복으로 갈아입으면 된다.

"그 밴이 법원 앞으로 이동할 거야. 경찰이 이미 현장을 지키고 있겠지. 내 부하들과 자네는 밴에서 내려 도울 일이 없느냐고 물어. 바리케이드를 설치해 도로를 봉쇄하거나 뭐 그런일. 하도 정신없는 와중이라 전혀 의심스럽게 보이지 않을 거야. 어때?"

빌리가 보기에도 그랬다. 대담하고 훌륭한 작전이었다.

"경찰은……"

"그냥 가라고 하겠죠. 우리가 공공사업부 소속이긴 해도 민간인이니까요. 그렇죠?"

닉은 폭소를 터뜨리며 박수를 쳤다.

"보라고. 자네를 바보라고 생각하는 인간은 머리에 똥만 든 거라니까? 내 부하들은 네, 알겠습니다, 하고 그 자리에서 떠날 거야. 자네는 거기에서부터 계속 차를 몰고 달려. 물론 차는 바꿔야겠지."

"어디로요?"

"거기서 1600킬로미터 가면 나오는 위스콘신주 데페레로. 거기에 은신처가 있어. 거기서 며칠 편히 쉬면서 잔금이 입금 됐는지 확인하고 그 돈을 어떻게 쓰면 좋을지 고민하는 거지. 이후로 자네는 자유의 몸이니까. 어떤가?"

훌륭했다. 너무 훌륭한가? 함정일 수도 있을까? 이 작전에서 덤터기를 쓰는 사람이 있다면 켄 호프다. 닉의 뜻밖의 제안에서 고민되는 부분이 있다면 빌리가 지금까지 남의 손을 빌려서 탈출을 도모한 적이 없다는 것이다. 그래서 마뜩잖지만 그걸 솔직히 얘기할 수 있는 시점은 아니었다.

"고민 좀 해 봐도 될까요?"

"당연하지. 시간이야 많은걸."

3

빌리는 안방 벽장에서 여행가방을 꺼낸다. 그걸 침대에 올려놓고 연다. 안에 아무것도 없어 보이지만 아니다. 안감 안쪽으로 찍찍이가 달려 있다. 그는 안감을 위로 올려 조그맣고 납작한 가방을 꺼낸다. 똑똑한 사람들, 「아치」 요약본이나 슈퍼마켓 계산대 앞에서 파는 연예 신문보다 어려운 글을 읽는 사람들이라면 에투이라고 부를 만한 가방이다. 그 안에 주소지가 버몬트주 스토로 되어 있는 돌턴 커티스 스미스 앞으로 발행된 신용카드와 운전면허증이 담긴 지갑이 있다.

빌리는 지금까지 일을 하는 동안 이런 지갑을 숱하게 거쳤다. 매 암살 작전(그는 자신이 하는 일을 다르게 포장하지 않는다.)마다 이런 지갑이 한 개가 아니라 최소 10여 개였고 가장 최근 것이 데이비드 로크리지라는 가상의 인물 소유의 지갑이다. 지금까지 그가 사칭한 인물들은 신원이 훌륭한 경우도 있었고 그렇지 않은 경우도 있었다. 데이비드 로크리지의 지갑 안에 든 신용카드와 운전면허증은 아주 훌륭한 수준이지만 이 납작한 회색 가방 안에 든 물건이 그보다 더 낫다. 그 안에 든 물건은 금이다. 5년의 업적이자 그를 또 다른 악당으로 만들 뿐인—솔직히 그렇지 않은가—이 일에서 결국에는 손을 떼야 한다고 결론을 내렸을 때부터 자진해서 들인 수고의 결실이다.

돌턴 스미스는 단순히 로드 벅스터 지갑 안에 담긴, 진짜 같아 보이는 면허증 속 사진이 아니다. 돌턴 스미스는 실제로 존재하는 인물이다. 마스터카드, 아멕스카드 그리고 비자카드는 꾸준히 사용되고 있다. 뱅크 오브 아메리카 직불카드도 마찬가지다. 매일은 아니지만 계좌에 먼지가 쌓이지 않을 정도는 된다. 그의 신용점수는 눈길을 끌 만큼 엄청나지는 않지만 아주 훌륭하다.

적십자 헌혈 카드, 사회 보장 카드, 돌턴의 애플 사용자 모임 회원증도 있다. 여기에 *바보 돌턴*은 없다. 돌턴 커티스 스미스는 프리랜서 컴퓨터 전문가고 제법 짭짤한 부업이 있어서 어디든 바람이 인도하는 대로 갈 수 있다. 지갑 안에는 돌턴이 아내(6년 전에 이혼했다.)와 함께 찍은 사진, 부모님(돌턴이 10대였을 때 세간을 떠들썩하게 했던 교통사고로 운명을 달리했다.)과 함께 찍은 사진, 소원해진 남동생(2000년 대선 때 네이더*를 찍었다는 사실을 돌턴이 알게 됐을 때부터 대화가 단절됐다.)과 찍은 사진도 있다.

돌턴의 출생 증명서와 추천서도 에투이 안에 들어 있다. 돌턴이 컴퓨터를 고쳐 준 개인과 소기업의 추천서도 있고 포츠머스, 시카고, 어바인에서 그에게 집을 빌려준 임대인의 추천서도 있다. 그중 일부는 뉴욕에 사는 그의 해결사 버키 핸슨이 만들어 준 것이다. 버키는 빌리가 전적으로 신뢰하는 유일한 인물이다. 그 나머지는 빌리가 직접 작성했다. 돌턴 스미스는 절대 한곳에서 오래 머물지 않는 부평초 인생이지만 일단 자리를 잡으면 아주 훌륭한 세입자다. 깔끔하고 조용하며 월세를 밀리는 법이 없다.

빌리가 보기에 은근하면서도 흠잡을 데 없이 진실한 돌턴

---

* 미국의 변호사, 정치인. 2000년 대선 때 민주당 성향의 표를 상당히 잠식해 민주당 지지자들로부터 부시 당선의 일등공신이라는 비난을 받았다.

스미스의 실체는 발자국 하나 남지 않은 눈밭처럼 아름답다. 돌턴을 가동시킴으로써 그 아름다움을 훼손하는 것은 생각도 하기 싫지만 돌턴 커티스 스미스를 창조한 목적이 바로 그것이지 않은가. 그렇다. 마지막 한탕, *세간을 떠들썩하게 만들* 마지막 한탕을 마치면 빌리는 사라져 새로운 인물로 둔갑할 수 있다. 평생 그 인물로 살지는 않겠지만, 이 도시에서 무사히 탈출할 수 있다면 그럴 가능성도 있다. 50만 달러의 착수금은 이미 여러 번 세탁을 거쳐 돌턴의 네비스 계좌로 옮겨졌고, 50만이라는 금액이야말로 닉이 이번 일에 얼마나 진심인지를 보여 주는 가장 막강한 증거다. 일이 끝나면 나머지가 입금될 것이다.

돌턴의 면허증 사진에는 빌리와 비슷한 나이, 어쩌면 한두 살 어려 보이는 남자의 얼굴 사진이 박혀 있지만 그는 검은 머리가 아니라 금발이다. 그리고 수염을 길렀다.

4

다음 날 아침에 빌리는 제러드 타워 근처 주차장 4층에 차를 댄다. 그는 외모를 조금 손본 다음 반대 방향으로 걸어간다. 이것이 돌턴 스미스의 데뷔 무대다.

작은 도시에서는 짧은 거리가 큰 차이를 만들 수 있다. 피어슨 가는 메인 가 주차장에서 아홉 블록밖에 안 되지만(제러드 타워가 선명히 보일 정도다.), 넥타이를 맨 남자와 또각또각 구두를 신은 여자들이 자기 일을 하고 웨이터가 메뉴와 함께 와인 리스트를 건네는 식당에서 점심을 먹는 그곳과는 다른 세상이다.

길모퉁이에 잡화점이 있지만 문을 닫았다. 사양길로 접어든 동네들이 그렇듯 이곳도 맛집 불모지다. 술집이 두 군데 있지만 하나는 문을 닫았고 다른 하나는 근근이 버티고 있는 듯이 보인다. 전당포는 수표 현금화와 소액 대출 업무까지 병행 중이다. 조금 더 걸어가면 조그맣고 초라한 상점가가 있다. 그리고 중산층인 척하려고 하지만 기대에 못 미치는 집들이 이어진다.

빌리가 보기에 이 일대가 사양길로 접어든 이유는 그의 목표 지점 바로 맞은편에 자리 잡은 공터 때문인 것 같다. 그 넓은 땅에 돌무더기와 쓰레기가 흩뿌려져 있다. 그 사이를 녹슨 철길이 가로지르는데, 높다랗게 자란 잡초와 여름 미역취에 덮여 거의 보이지도 않는다. 시 소유지와 출입 금지와 위험 접근 금지라고 적힌 팻말이 15미터 간격으로 꽂혀 있다. 예전에는 역사였을 벽돌 건물의 울퉁불퉁한 잔해가 그의 눈에 들어온다. 어쩌면 그곳이 버스 터미널 겸용이었을 수도 있다. 그레이하운드, 트레일웨이스, 서던. 이제는 이 도시의 육상 교통 중심지가 다른 데로 이전했고, 지난 세기말에는 번잡했을지 모를 이 동네는 일종의 만성 폐색성 폐질환을 앓고 있다. 옆으로 누운 녹슨 쇼핑 카트가 인도를 막고 있다. 한쪽 바퀴에 걸린 너덜너덜한 남자용 팬티가 뜨거운 바람을 맞고 펄럭인다. 빌리가 쓰고 있는 돌턴 스미스의 금색 가발도 헝클어지고 셔츠 옷깃도 덩달아 나풀거린다.

집들은 대부분 칠이 벗겨졌다. 일부는 앞에 매물 팻말이 걸려 있다. 658번지도 칠이 벗겨졌지만 그 앞에는 가구 완비 임대 문의 환영 팻말이 걸려 있다. 거기에 부동산 연락처도 적혀 있다. 빌리는 그 번호를 받아 적고 금이 간 시멘트 보도를 걸어가 일렬로 달린 초인종을 확인한다. 집은 3층인데 달린 초인종은 네 개다. 위에서 두 번째 초인종에만 이름이 적혀 있다. 젠슨. 그 초인종을 눌러 본다. 지금 이 시간대에는 아무도 없을 가능성이 크지만 행운의 여신이 그의 편이다.

계단을 내려오는 발소리가 들린다. 젊은 축에 속하는 여자가 문에 달린 지저분한 유리 사이로 내다본다. 그녀의 눈에 보인 사람은 깔끔한 오픈 칼라 셔츠에 정장 바지를 입고 있는 백인 남자다. 금발은 짧게 쳤다. 콧수염은 깔끔하게 다듬었다. 안경을 쓰고 있다. 뚱뚱해서 비만이라고 할 정도는 아니지만 그 비슷하다. 나쁜 사람 같아 보이지 않고 10에서 15킬로그램만 살을 빼면 괜찮아 보일 사람이라 그녀는 문을 열지만 활짝 열지는 않는다.

그러면 내가 밀치고 들어가 바로 그 자리에서 당신을 목 졸라 죽이지 못할 줄 알고? 집 앞 진입로나 길가에 주차된 차가

없으니 당신 남편은 출근했고, 나머지 세 개의 초인종에 아무 이름도 적혀 있지 않은 걸 보면 이 낡은 짝퉁 빅토리아식 주택에 당신밖에 없다는 뜻이잖아.

"방문 판매는 사절이에요."

"아뇨, 부인. 영업하러 온 거 아닙니다. 제가 이 도시는 초행인데 살 만한 집을 찾고 있어요. 여기가 제가 생각한 가격에 딱 맞아서 살기 괜찮은지 궁금해서요. 제 이름은 돌턴 스미스입니다."

빌리는 손을 내밀었다. 젠슨 부인은 형식적으로 살짝 건드리고 손을 거둔다. 하지만 대화는 얼마든지 할 용의가 있다.

"뭐, 보시다시피 아주 대단한 동네는 아니고 가장 가까운 슈퍼마켓도 1.5킬로미터는 가야 나오지만 우리 부부는 전혀 문제를 못 느껴요. 아이들이 맞은편의 예전 기찻길에 가끔 들어가서 아마도 술을 마시고 마리화나를 피우는 것 같고, 모퉁이를 돌면 나오는 집에 밤새도록 짖어 대는 개가 살지만 그게 다예요." 젠슨 부인이 말을 하다 시선을 떨어뜨려 그가 결혼반지를 끼고 있는지 살피고는 없는 걸 확인한다. "스미스 씨가 밤에 짖는 건 아니겠죠? 그러니까 파티를 벌이고 요란하게 음악을 듣고 이런 식으로요."

"아닙니다." 빌리가 웃으며 자기 배를 건드린다. 가짜 임산부 배를 약 7개월 크기로 부풀려 놓았다. "먹는 건 좋아하지만요."

"임대차 계약서에 지나친 소음 관련 조항이 있거든요."

"월세가 얼마인지 여쭤도 될까요?"

"그건 우리 부부만의 비밀이에요. 여기서 살고 싶으면 릭터 씨한테 문의해 보세요. 이 집을 관리하는 분이에요. 이 블록의 다른 집도 몇 개 관리하긴 하지만…… 이 집이 제일 나아요. *제가* 생각하기에는."

"전적으로 이해합니다. 그런 걸 물어봐서 죄송합니다."

부인의 태도가 살짝 부드러워진다.

"3층은 패스하는 게 좋을 거예요. 예전 기찻길 쪽에서 거의 사시사철 바람이 불지만 그래도 찜통이거든요."

"에어컨이 없는 모양이로군요."

"맞아요. 하지만 추운 계절에 난방은 괜찮아요. 물론 돈을 내야 하지만. 전기도요. 전부 계약서 안에 적혀 있어요. 전에도 셋집에서 살아 봤으면 아시겠지만."

"아유, 알다마다요." 빌리는 눈을 굴려 마침내 여자에게서 미소를 유도하는 데 성공한다. 이제 그가 정말로 궁금해하는 점을 물을 수 있다. "지하는 어떤가요? 거기에도 집이 있나요? 초인종을 보니까……"

그녀의 미소가 더욱 커진다.

"네, 맞아요. 그리고 제법 근사해요. 팻말에 적혀 있는 것처럼 가구가 전부 있어요. 뭐, 기본적인 것들뿐이긴 하지만요. 저는 거기서 살고 싶었는데 남편이 우리 서류 심사가 통과되면 너무 작아 보일 수도 있겠다고 하더라고요. 입양을 준비 중이거든요."

빌리는 그 말을 듣고 놀라워한다. 월세가 얼마냐는 질문에는 답을 거부해 놓고 흉금에 품고 있던 결혼 *생활*에서 가장 중요한 정보는 이런 식으로 공개하다니. 사실 그가 월세에 대해 물은 것도 궁금해서라기보다 그래야 진짜 같아 보일 것이기 때문이었다.

"아, 행운을 빕니다. 그리고 감사해요. 이 릭터 씨라는 분과 제가 합의를 보면 부인을 자주 뵐 수도 있겠네요. 그럼 좋은 하루 보내세요."

"스미스 씨도요. 만나서 반가웠습니다."

그녀가 이번에는 손을 내밀어 제대로 악수를 하자, 빌리는 닉이 했던 말을 다시금 떠올린다. *자네는 일부러 친해지려고 않아도 사람들과 잘 지내잖나. 뚱뚱해 보여도 여전하다니 다행이다.*

그가 인도를 걸어가는데 뒤에서 부인이 외친다.

"그 지하층은 한여름에도 기분 좋게 시원할 거예요! 우리가 그 집을 계약했으면 좋았을 텐데!"

빌리는 그녀에게 엄지손가락을 들어 보이고 다시 시내로 발걸음을 옮긴다. 필요한 부분을 모두 확인했고 결론을 내렸다. 여기가 그가 원하는 곳이고 닉 머제리언은 이 집에 대해 전혀 알 필요가 없다.

시내까지 반쯤 갔을 때 사탕, 담배, 잡지, 음료 그리고 플라스틱 케이스 안에 든 일회용 전화기를 파는 구멍가게가 나온다. 그는 전화기를 한 대 사서 현금으로 결제하고 버스 정거장 벤치에 앉아 작동시킨다. 이걸 쓰다가 더는 필요가 없어지면 폐기 처분할 것이다. 다른 전화기도 마찬가지다. 만약 작전이 성공하면 경찰에서는 데이비드 로크리지가 조엘 앨런의 암살범이라는 사실을 곧바로 파악할 것이다. 그리고 데이비드 로크리지는 해병대 시절 저격수로 유명했던 윌리엄 서머스의 가명이라는 사실도 알게 될 것이다. 서머스와 희생양 역할을 맡은 케네스 호프와의 관계도 밝혀질 것이다. 사라진 빌리 서머스, 즉 데이비드 로크리지가 돌턴 스미스로 둔갑했다는 건 반드시 누구도 몰라야 한다. 닉도 거기에 대해서는 절대 알 수 없을 것이다.

그는 뉴욕의 버키 핸슨에게 전화해 안전장치라고 적힌 상자를 에버그린 가의 집으로 보내 달라고 한다.

"그때가 왔구먼? 정말로 일을 접을 작정이야?"

"아마도요. 하지만 자세한 얘기는 나중에 해요."

"좋지. 하지만 어디 시립 교도소에서 콜렉트 콜을 걸지는 말아 줘. 자네는 내 친구니까."

빌리는 전화를 끊고 다시 다른 사람에게 전화를 건다. 이번에는 피어슨 가 658번지를 관리하는 릭터라는 중개업자다.

"가구 완비라고 되어 있던데요. 거기에 인터넷도 포함돼 있는 겁니까?"

"잠시만요." 하지만 잠시라고 하기에는 긴 시간 동안 종이 부스럭거리는 소리가 들린다. 한참 만에 릭터가 말한다. "네. 2년 전에 설치됐네요. 하지만 TV는 없어요. 그건 따로 장만하셔야 해요."

"그렇군요. 그 집 계약을 하고 싶은데요. 내가 그쪽 사무실로 찾아가면 어떨까요?"

"그 집에서 만나서 내부를 보여 드릴 수 있는데요."

"그럴 필요 없어요. 이쪽 지역에 있는 동안 주로 머무는 데로 쓰려는 거니까. 1년이 될 수도, 2년이 될 수도 있어요. 내가 출장을 자주 다니거든요. 동네가 조용해 보여서 그게 좋더군요."

릭터는 폭소를 터뜨린다.

"기차역을 철거한 뒤로 확실히 조용해졌죠. 하지만 거기 주민들은 좀 시끄러워지더라도 가게가 늘어나면 참을 수 있다고 생각할지도요."

빌리는 그와 다음 주 월요일에 만나기로 약속을 잡고 주차장 4층으로 돌아간다. 어느 보안 카메라에도 잡히지 않는 사각지대에 그의 도요타가 주차되어 있다. 보안 카메라가 작동이 되는지도 의문이다. 빌리가 느끼기에는 다들 어마어마하게 한물간 것처럼 보인다. 그는 가발과 콧수염과 안경과 가짜 임산부 배를 뗀다. 그걸 모두 트렁크에 넣고 제러드 타워까지 짧은 거리를 걸어간다.

마침 멕시칸 푸드 트럭이 영업을 하고 있다. 그는 부리토를 사다가 5층에서 근무하는 짐 올브라이트, 존 콜턴 변호사와 함께 먹는다. 비즈니스 솔루션스에서 일하는 멋쟁이 콜린 화이트도 보인다. 오늘은 세일러복을 입고 있어서 엄청 귀여워 보인다.

"못 말리겠네." 짐이 웃으며 말한다. "저 친구 정말 물건이죠?"

"그러게요."

빌리는 맞장구치고 생각한다. *나하고 키가 비슷한 물건이네.*

5

주말 내내 비가 온다. 토요일 오전에 빌리는 월마트에 가서 저렴한 서류가방 두어 개와 과체중인 돌턴 스미스에게 맞는 저렴한 옷을 잔뜩 산다. 계산은 현금으로 한다. 현금에는 기억을 지우는 기능이 있다.

그날 오후에 그는 노란 집 현관 앞에 앉아서 앞마당의 잔디밭을 관찰한다. 생기가 돌기 시작하는 것이 거의 느껴질 정도라 그냥 보는 게 아니라 관찰을 한다. 여기는 그의 집도, 그의 도시도, 그의 주도 아니라서 떠날 때조차 돌아보지 않을 테고 일말의 후회도 없을 것이다. 그래도 소유주로서 자신의 솜씨에 어느 정도 자부심이 느껴진다. 앞으로 두어 주 동안, 어쩌면 8월까지 잔디를 깎을 만한 상태가 아니겠지만 기다릴 수 있다. 그가 콧잔등에 화상 방지 연고를 바르고 반바지에 민소매 티셔츠(어쩌면 러닝셔츠)를 입고 잔디밭으로 나서면 소속감이 한 단계 높아질 것이다. 풍경 속으로 한층 더 녹아들게 될 것이다.

"로크리지 씨?"

그는 옆집으로 고개를 돌린다. 데릭 애커먼과 섀니스 애커먼이 *자기* 집 현관 앞에 서서 비 사이로 그를 쳐다보고 있다. 그를 부른 쪽은 데릭이다.

"엄마께서 방금 슈거 쿠키를 구우셨어요. 몇 개 드시겠느냐고 여쭤 보라고 하셔서요."

"맛있겠다."

빌리는 자리에서 일어나 비를 맞으며 뛰어간다. 여덟 살인 섀니스가 스스럼없이 그의 손을 잡고 안으로 안내한다. 갓 구운 쿠키 냄새에 빌리의 배 속에서 천둥소리가 난다.

그 집은 아담하고 말쑥하며 아주 깔끔하다. 거실에는 액자가 100개쯤 있고 상석을 차지한 피아노 위에도 열 몇 개가 있다. 부엌에서는 코린 애커먼이 오븐에서 이제 막 베이킹 시트를 꺼내고 있다.

"안녕하세요, 옆집 분. 머리 닦게 수건 드릴까요?"

"괜찮아요. 비 사이로 달려왔어요."

코린이 폭소를 터뜨린다.

"그럼 쿠키 드세요. 아이들은 우유랑 같이 먹을 텐데 한 잔 드릴까요? 커피도 있는데."

"우유 좋아요. 조금만 주세요."

"더블 샷으로요?" 그녀는 웃으며 묻는다.

"더블 샷 좋네요." 그도 마주 웃는다.

"그럼 앉으세요."

빌리는 아이들과 함께 앉는다. 코린이 식탁 위에 쿠키 접시를 놓는다.

"조심하세요, 아직 뜨거우니까. 이번에 굽는 거 챙겨 드릴 테니 들고 가세요."

아이들이 쿠키에 달려든다. 빌리도 하나 집는다. 달달하고 맛있다.

"끝내주는데요, 코린? 비 오는 날 딱이에요."

그녀는 아이들에게는 큰 잔에, 빌리에게는 작은 잔에 우유를 따라 준다. 자기도 작은 잔에 우유를 따르고 같이 앉는다. 빗방울이 지붕을 두드린다. 자동차 한 대가 쉬익 하고 지나간다.

"아저씨 책이 일급비밀인 건 아는데요." 데릭이 말한다. "그래도……"

"뭐 먹으면서 말하면 안 되지." 코린이 혼을 낸다. "쿠키 조각이 사방으로 튀잖아."

"저는 안 그러고 있어요." 섀니스가 말한다.

"그래, 너가 최고다." 코린이 말하고는 빌리를 흘끗 곁눈질

한다. "네가 최고야."

데릭은 문법에 전혀 관심이 없다.

"그래도 한 가지만 알려 주시면 안 돼요? 살인이 등장하나요?"

빌리는 시간을 거슬러 올라가 밥 레인스를 떠올린다. 갈비뼈가 모두—그렇다, 하나도 남김없이—부러지고 가슴이 함몰됐던 여동생을 떠올린다. "아니, 살인은 등장하지 않아." 그는 쿠키를 먹는다.

섀니스가 쿠키를 하나 더 집는다.

"하나 더 먹어도 돼. 세 개까지 먹어도 돼. 데릭, 너도. 나머지는 로크리지 씨 드실 거고 또 남겨 놓을 거야. 너희 아빠가 이 쿠키 얼마나 좋아하는지 알지?" 아이들의 어머니가 이번에는 빌리에게 말한다. "자말은 주 6일 근무하고 기회가 되면 야근까지 해요. 우리 둘 다 출근하면 파치오 부부가 이 아이들을 잘 살펴 주고요. 여기도 괜찮은 동네지만 우리는 좀 더 나은 곳에 욕심을 내고 있어요."

"신분 상승을 노리시는군요."

코린은 웃으며 고개를 끄덕인다.

"나는 이사 가기 싫어요." 그러더니 섀니스는 어린아이 특유의 애교 섞인 권위를 실어서 덧붙인다. "*친구들이* 있거든요."

"저도요." 데릭이 말한다. "저기요, 로크리지 씨, 모노폴리 어떻게 하는지 아세요? 저랑 섀니스랑 하려는데 둘이서 하면 재미가 없고 엄마는 안 하신대요."

"맞아, 엄마는 안 할 거야. 세상에서 제일 재미없는 게임이 거든. 오늘 저녁에 아빠더러 같이 하자고 해. 같이 해 주실 거 야, 너무 피곤하면 안 되겠지만."

"그럼 몇 *시간*이나 기다려야 하잖아요. 저는 지금 심심하다 고요."

"저도요." 섀니스가 말한다. "휴대전화가 있으면 크로시 로 드할 수 있을 텐데."

"내년에."

코린이 말하고 눈을 굴린다. 그걸 보고 빌리는 아이가 휴대 전화를 사 달라고 한 지 한참 됐구나 하는 생각을 한다. 어쩌 면 다섯 살 때부터 졸랐을지 모른다.

"할 줄 아세요?" 데릭이 별 기대 없이 묻는다.

"응." 빌리는 식탁 위로 몸을 숙여 데릭 애커먼의 눈을 똑바 로 들여다본다. "그런데 미리 경고하지만 잘해. 그리고 절대 져 주지 않고."

"저도 그래요!" 데릭은 우유로 수염을 만든 채로 웃는다.

"저도 그래요!" 섀니스가 말한다.

"너희는 애들이고 나는 어른이라고 봐주지 않을 거야. 내 땅 으로 너희 피를 흘리게 하고 호텔로 죽여 놓을 거야. 나랑 같 이 게임을 하려면 그걸 먼저 알아야 해."

"좋아요!" 데릭은 벌떡 일어나다가 하마터면 우유를 쏟을 뻔한다.

"좋아요!" 섀니스도 외치고 같이 벌떡 일어난다.

"내가 이기면 너희들 울 거니?"

"아뇨!"

"아뇨!"

"좋아. 그것만 약속하면 돼."

"괜찮으시겠어요?" 코린이 빌리에게 묻는다. "그 게임, 정말이지 온종일 해도 안 끝날 수도 있는데."

"내가 주사위를 굴리는 한 그럴 일 없어요."

"우리, 아래 내려가서 해요." 섀니스가 다시 그의 손을 잡는다.

지하에 있는 방은 빌리의 집에 있는 공간과 크기가 같지만 절반이 남자의 아지트이다. 그 부분만큼 자말이 작업실을 설치하고 벽에는 못으로 공구를 달아 놓았다. 띠톱도 있는데, 빌리는 온오프 스위치에 자물쇠 달린 커버가 씌워져 있는 것을 보고 속으로 자말을 인정한다. 아이들이 쓰는 나머지 절반의 공간에는 장난감과 색칠공부 책이 흩뿌려져 있다. 조그만 텔레비전이 게임팩을 넣는 싸구려 게임기에 연결되어 있다. 어느 집 마당에서 열린 벼룩시장에서 산 모양이다. 보드 게임은 한쪽 벽에 쌓여 있다. 데릭이 모노폴리 상자를 꺼내 어린이용 테이블 위에 올려놓는다.

"로크리지 씨한테는 우리가 앉는 의자가 너무 작겠다." 섀니스가 당황한 목소리로 말한다.

"나는 바닥에 앉을게."

빌리는 의자 하나를 치우고 바닥에 앉는다. 테이블 밑으로 책상다리를 할 만한 공간이 있다.

"말은 뭘로 하실래요? 샌이랑 둘이서 할 때 저는 주로 레이싱 카로 하지만 아저씨가 그걸로 하셔도 돼요."

"아냐, 괜찮아. 너는 뭘로 할래, 샌?"

"골무요." 그러고는 조금 마지못한 듯 덧붙인다. "아저씨가 그걸로 안 하시면요."

빌리는 실크해트를 선택한다. 게임이 시작된다. 40분 뒤에 다시 자기 차례가 찾아오자 데릭이 엄마를 부른다.

"*엄마! 좀 가르쳐 주세요!*"

코린이 계단을 내려와 허리춤에 손을 얹고 게임판과 돈의 배분 상황을 살핀다.

"이런 말 하기 싫지만 너희들 큰일 났네."

"나는 경고했어요." 빌리가 말한다.

"뭘 묻고 싶은데, D? 엄마는 옛날에 가정 과목에서 하마터면 F 받을 뻔했던 사람이라는 걸 잊지 마."

"음, 뭐가 고민인가 하면요. 아저씨가 초록색을 태평양이랑 펜실베이니아, 이렇게 두 개 가지고 있지만 저는 노스캐롤라이나를 가지고 있거든요. 아저씨가 그걸 팔면 900달러를 주겠대요. 제가 산 가격의 세 배지만……."

"그런데?" 코린이 묻는다.

"그런데?" 빌리가 묻는다.

"하지만 그러면 아저씨가 초록색 땅에 건물을 지을 수 있게 되거든요. 아저씨는 이미 파크 플레이스랑 보드워크에 호텔을 지었는데!"

"그래서?" 코린이 묻는다.

"그래서?" 빌리도 묻는다. 그는 씩 웃고 있다.

"나는 화장실이나 가야겠다. 어차피 거의 망한 거나 다름없으니까." 섀니스가 자리에서 일어난다.

"딸, 화장실 간다고 그렇게 동네방네 떠들 필요 없어. 그냥 잠깐 실례하겠다고만 하면 돼."

섀니스는 좀 전처럼 매력 만점의 품위 있는 목소리로 말한다.

"저 얼굴에 살짝 분 좀 바르고 올게요. 됐죠?"

빌리는 폭소를 터뜨린다. 코린도 덩달아 웃는다. 전혀 관심이 없는 데릭은 게임판을 연구하다 말고 자기 엄마를 올려다 본다.

"팔아요, 말아요? 돈이 거의 없다고요!"

"그런 걸 딜레마라고 하지." 빌리가 말한다. "모험을 하느냐 현상을 고수하느냐, 둘 중 하나를 선택해야 한다는 점에서. 그런데 우리끼리 하는 얘기다만, 내가 보기에는 어느 쪽을 선택하든 이미 망했어."

"로크리지 씨 말이 맞는 것 같다."

"아저씨 진짜 운이 좋아요." 데릭이 자기 엄마에게 말한다. "무료 주차 칸에 들어가서 거기 모여 있던 돈을 전부 가졌는데 엄청 많았다고요."

"그리고 내가 실력이 좋기도 하지. 인정해."

데릭은 인상을 쓰지만 오래 그러지는 못한다. 아이는 초록
색 줄무늬가 있는 증서를 집는다.

"1200이요."

"좋아!" 빌리는 외치고 돈을 건넨다.

20분 뒤에 아이들이 파산하고 게임이 끝이 난다. 빌리가 자
리에서 일어날 때 무릎에서 우드득 소리가 나자 아이들은 웃
음을 터뜨린다.

"너희들이 졌으니까 너희들이 게임 치우기다, 괜찮지?"

"우리 아빠도 그러는데." 섀니스가 말한다. "하지만 *아빠*는
가끔 우리한테 져 주세요."

빌리는 웃으며 허리를 숙인다.

"나는 그러지 않아."

"못됐다." 섀니스는 두 손으로 자기 입을 가리고 키득댄다.

대니 파치오가 노란색 우비에 버클을 채우지 않아서 깔때기
처럼 벌어진 장화를 신고 딸랑거리며 계단을 내려온다.

"저도 같이 놀아도 돼요?"

"다음번에. 아이들은 주말에 한 번씩만 무찌르는 게 내 철칙
이거든."

이 아이들 세대에서는 꼽을 준다고 표현할 만한 농담이다.
그런데 갑자기 그들이 살던 트레일러하우스의 스토브 앞 바

닥에 흩뿌려진 탄 쿠키와, 케시의 옆얼굴을 후려치던 밥 레인스의 깁스한 팔이 떠오르면서 더는 재미없어진다. 세 아이는 재미있어하며 웃음을 터뜨린다. 그 아이들은 팔에 새긴 인어 문신이 점점 희미해져 가는 술 취한 거인이 자기 여동생을 짓밟는 광경을 지켜본 적 없기 때문이다.

위로 올라가자 코린이 쿠키 봉지를 건네며 말한다.

"비 오는 날을 재밌는 시간으로 바꿔 주셔서 감사해요."

"나도 재밌었어요."

정말 그랬다. 방금까지는. 그는 집으로 돌아가 쿠키를 쓰레기통에 버린다. 코린 애커먼의 솜씨가 훌륭하지만 이제는 쿠키를 먹는 상상조차 할 수가 없다. 심지어 그걸 쳐다볼 수조차 없다.

6

월요일이 되자 그는 658번지에서 세 블록 가면 나오는 조그맣고 초라한 상점가로 부동산 중개업자를 만나러 간다. 머튼 릭터의 사무실은 태닝숍과 졸리 로저 타투숍 사이에 있는 두 칸짜리 조그만 업소다. 그 앞에 주차된 상당히 낡은 파란색 SUV는 한쪽 옆에는 스티커로 붙인 간판(릭터 부동산)이 다른 쪽 옆면에는 길게 긁힌 자국이 있다. 그는 공들여 작성한 돌턴 스미스의 추천서를 대충 훑어보고는 임대 계약서와 함께 돌려준다. 빌리가 서명해야 하는 부분에 노란색 형광펜으로 표시가 되어 있다.

"시세보다 조금 비싸게 느껴지실 수도 있어요." 릭터는 빌리가 뭐라고 하기라도 한 것처럼 이렇게 말한다. "그리고 맞는 말씀일 수도 있습니다. 하지만 가구와 인터넷을 감안하면 뭐 그렇게 비싼 것도 아니에요. 그리고 오후 6시까지 도로 주차가 안 되니 진입로가 있는 것도 큰 이득이고요. 물론 젠슨 부부와 함께 쓰셔야 하지만……"

"제 차는 주로 공영 주차장에 주차할 생각입니다. 운동도 할 겸해서요." 그는 가짜 배를 토닥인다. "임대료가 조금 비싼 것 같긴 하지만 그 집이 마음에 들어서요."

"보지도 않으셨는데요?" 릭터는 놀라워한다.

"젠슨 부인이 좋게 얘기하던데요."

"아, 그렇군요. 아무튼 조건에 동의하시면……?"

빌리는 서류에 사인하고 돌턴 스미스의 이름으로 첫 수표를 쓴다. 첫 달과 마지막 달 월세 그리고 가구 보증금이다. 보증금이 어찌나 황당한지 냄비는 올클래드, 그릇은 리모주고 전등에는 티파니 갓이 달렸나 싶다.

"IT 쪽에서 일하신다고요?" 릭터가 수표를 책상 서랍에 넣으며 묻는다. 그는 열쇠라고 적힌 봉투를 책상 위로 내밀고, 옆에 두는 것 말고는 별 쓸모가 없는 개를 때리듯 오래된 컴퓨터를 때린다. "이 말 안 듣는 녀석 어떻게 좀 해야겠는데 말이죠."

"내가 지금 일하러 온 건 아니지만 조언을 하나 할 수 있는데요."

"뭔데요?"

"전부 날리기 전에 컴퓨터를 바꾸세요. 난방, 전기, 수도, 전화도 연결해 줍니까?"

릭터는 빌리에게 시상이라도 하는 것처럼 미소를 짓는다.

"아뇨. 그건 전부 손님이 하셔야 합니다."

그러고는 손을 내민다.

빌리는 릭터에게 그럼 중개 수수료는 뭐 하러 받는 거냐고, 계약서도 인터넷에서 다운받아서 세부 조항만 끼워 넣은 거 아니냐고 따질 수도 있지만, 그러거나 말거나 상관있을까? 전혀 없다.

7

빌리는 다시 글을 쓰고 싶지만(그걸 책이라고 부르기에는 시기상조인 것 같고 재수 옴 붙을 수도 있다.) 해야 할 일이 남아 있다. 화요일에 은행들이 문을 여는 시각이 되자 그는 서던트러스트 은행에 가서 데이비드 로크리지의 계좌에 있던 활동비를 일부 인출한다. 세 군데 체인점에 들러 노트북을 전부 현금으로, 모두 올테크 같은 저렴한 브랜드로 세 대 더 장만한다. 그리고 저렴한 스탠드형 TV도 한 대 산다. 그건 돌턴 스미스의 신용 카드로 결제한다.

그다음 차례는 차를 리스하는 것이다. 타고 다니던 도요타는 데이비드 로크리지가 애용하는 주차장과 이 도시의 반대편에 있는 주차장에 세워 둔다. 돌턴 스미스로 분장한 모습을 같은 건물 입주자들에게는 절대 보이면 안 되기 때문이다. 지금은 모든 일벌들이 벌집에 있을 시각이라 그럴 가능성이 낮기는 하지만 그래도 모험을 감행하는 건 바보 같은 짓이다. 그러다 꼬리가 밟힌다.

그는 가발과 안경과 콧수염과 산만 한 배를 장착하고는 우버를 불러 이 도시의 서쪽 끝에 있는 맥코이 퍼드로 가 달라고 한다. 거기서 포드 퓨전을 36개월 동안 리스한다. 딜러는 빌리에게 1년에 1만 7000킬로미터 이상 쓰면 상당히 많은 초과 요금을 지불해야 한다고 알려 준다. 빌리는 그 차를 500킬로미터나 쓸 일이 있을까 싶다. 중요한 건 닉이 빌리가 어떤 차를 타고 다니는지는 알지만, 이제 돌턴 스미스가 쓰게 될 차는 모른다는 것이다. 닉이 뭔가 수상한 일을 계획하고 있을 경우에 대비한 예방책이지만 그뿐만이 아니다. 돌턴 커티스 스미스를 법원 앞 계단에서 벌어질 일과 분리하기 위한 조치이기도 하다. 그를 깨끗하게 유지하기 위한 조치이기도 하다.

빌리는 새 차를 예전 차 옆에 대고(주차장은 다르지만 역시 위층 사각지대다.) TV와 새로 산 노트북을 퓨전으로 옮긴다. 그리고 어젯밤 늦게 도요타 트렁크에 실어 놓은 싸구려 여행가방도 옮긴다. 그 안에는 월마트에서 산 싸구려 옷이 가득 들어 있다. 그는 퓨전을 몰고 피어슨 가 658번지로 가서 진입로에 주차한다. 진입로라고 해 봐야 한가운데에서 풀이 자라는 짧은 아스팔트 길이다. 그는 이사하는 광경을 젠슨 부인이 보기를 바라는데, 바라던 대로 된다.

돌턴 스미스라면 젠슨 부인이 2층 창가에서 내려다보는 걸 알아차릴까? 빌리는 알아차리지 않는 쪽을 택한다. 돌턴은 자기만의 세상 속에서 빠져 지내는 컴퓨터 덕후다. 그는 끙끙대고 씩씩거리며 여행가방 두 개를 문 앞으로 옮기고 중개업자에게 받은 열쇠로 문을 딴다. 계단을 아홉 칸 내려가 돌턴 스미스의 새집이 나오자 그는 다른 열쇠를 넣는다. 문이 열리자마자 곧바로 거실이 등장한다. 그는 업소용 카펫 위에 가방을 내려놓고 이리저리 걸어 다니며 네 개의 방을 체크한다. 화장실까지 합하면 방이 모두 다섯 개다.

비치된 가구들이 제법 괜찮습니다. 릭터는 이렇게 말했다. 그건 아니지만 흉측하지도 않다. *평범하다는* 단어가 연상된다. 침대는 더블이고, 누워 보니 삐걱거리기는 하지만 스프링이 빌리의 몸을 찌르지는 않으니 합격이다. 그가 디스카운트 일렉트로닉스에서 산 것과 같은 소형 TV를 올려놓는 용도인 게 분명한 테이블 앞에는 안락의자가 있다. 의자는 충분히 편

안하지만 얼룩말 무늬는 거의 악몽 수준이다. 뭘로 덮어 버리고 싶어질 것이다.

대체로 이 집이 마음에 든다. 그는 마당과 높이가 같은 좁은 창문 앞으로 다가간다. *꼭 잠망경으로 내다보는 것 같네.* 창밖의 풍경이 마음에 든다. 어쩐지 아늑하다. 그는 특히 옆집 애커먼 가족을 비롯해 미드우드 동네 주민들을 좋아하지만 집은 여기가 나은 것 같다. 안정감이 있다. 낡은 소파도 편안해 보인다. 거기 앉아서 창밖을 내다볼 수 있도록 얼룩말 무늬 의자 자리로 그 소파를 옮기기로 마음을 먹는다. 지나가던 사람들이 집을 쳐다볼지 몰라도 지층 창문 앞에서 밖을 내다보는 그와 눈을 마주치는 경우는 거의 없을 것이다. *여긴 비밀 아지트야. 내가 지하로 몸을 숨겨야 한다면 위스콘신의 은신처가 아니라 여기서 숨겨야겠어. 왜냐하면 여기야말로 실제로 지하……*

등 뒤에서 문을 가만히 두드리는 소리가 들린다. 사실상 덜거덕거리는 소리에 가깝다. 그가 몸을 돌려보니 열어 놓은 문 앞에 젠슨 부인이 서서 손가락으로 문설주를 만지작거리고 있다.

"안녕하세요, 스미스 씨."

"아, 안녕하세요." 돌턴 스미스는 빌리 서머스나 데이비드 로크리지보다 목소리 톤이 조금 높다. 그리고 가벼운 천식 환자처럼 숨소리가 살짝 섞인다. "마침 이사하는 중이었어요, 젠슨 부인." 그는 여행가방을 가리킨다.

"이제 이웃사촌이 됐으니까 그냥 베벌리라고 부르시면 어때요?"

"그래요, 감사합니다. 그럼 저는 돌턴이라고 불러 주세요. 커피나 뭐 다른 걸 대접하지 못해서 죄송하네요. 아무것도 없어서⋯⋯"

"100퍼센트 이해해요. 이사하려니 정신없으시죠?"

"그러네요. 그래도 제가 출장이 잦은 편이라 짐이 많지 않아서 다행이에요. 모텔을 너무 많이 겪었지 뭡니까. 이번 주에도 링컨, 네브래스카, 그다음에는 오마하에 가야 해요." 빌리가 터득한 바에 따르면, 거짓말을 하더라도 면적과 경제 규모 면에서 좀 떨어지는 도시로 출장 간다고 할 경우 사람들이 믿는다. "몇 개 더 들고 올 게 있어서 혹시 실례가 되지 않는다면⋯⋯"

"도와 드릴까요?"

"아뇨, 괜찮습니다."

그래 놓고 빌리는 생각을 바꾼 듯이 "음⋯⋯"이라고 한다.

그들은 퓨전 앞으로 간다. 빌리는 젠슨 부인에게 싸구려 노트북 세 대를 맡긴다. 상자를 품에 안은 그녀가 피자 배달원처럼 보인다.

"아효, 새걸 떨어뜨리면 안 될 텐데. 거기다 엄청 비쌀 거 아니에요."

다 합쳐서 900달러 정도밖에 안 되지만 빌리는 그녀의 말에 아니라고 하지 않는다. 대신 너무 무겁지 않으냐고 묻는다.

"하. 젖은 빨래 담은 바구니보다 훨씬 가벼워요. 이거 다 설치하실 거예요?"

"네, 전기가 연결되자마자요. 제가 노트북으로 일을 하거든요. 뭐, 일부분은요. 대부분은 외주를 주지만요."

그럴듯하게 들리지만 무슨 뜻인지 알 수 없는 단어가 바로 *외주*다. 그는 TV가 담긴 상자를 든다. 그들은 현관까지 걸어가 열어 놓은 문을 지나 계단을 내려간다.

"좀 정리되면 올라오세요. 제가 커피 물 올려놓을게요. 그리고 도넛도 있어요, 하루 지난 거긴 하지만."

"도넛은 절대 사양할 수 없죠. 고맙습니다, 젠슨 부인."

"베벌리라니까요."

그는 미소를 짓는다.

"맞다, 베벌리. 여행가방 하나만 옮기고 올라갈게요."

버키가 *안전장치*라고 적힌 상자를 보냈다. 돌턴 스미스의 아이폰이 그 안에 들어 있다. 빌리는 퓨전에 싣고 온 짐을 다 옮긴 뒤에 돌턴 스미스의 전화기로 몇 군데 전화를 건다. 그가 2층 젠슨 부부의 집에서 커피를 마시고 도넛을 먹으며, 남편과 직장 상사 간의 트러블에 대해 하소연하는 베벌리의 이야기를 누가 봐도 넋이 나간 표정으로 듣는 동안 그의 새집에 전기가 들어온다.

그의 지하 아지트에 전기가 들어온다.

8

  그는 오후 느지막한 시각까지 658번지에서 싸구려 옷을 정리하고, 싸구려 노트북을 세팅하고, 1.5킬로미터 가면 나오는 브룩셔 슈퍼에서 장을 본다. 달걀과 버터 외의 다른 신선 식품은 철저히 외면한다. 그가 없는 동안 상하지 않을 만한 통조림과 냉동식품 위주로 구입한다. 3시가 되자 그는 리스한 퓨전을 2번 주차장 4층에 대고 보는 사람이 아무도 없는지 확인한 다음 안경과 가발을 벗는다. 가짜 배를 벗자 엄청난 편안함이 밀려든다. 발진을 막으려면 베이비파우더를 좀 발라야겠다.
  그는 도요타를 1번 주차장에 다시 대고 제러드 타워 5층으로 돌아간다. 글을 쓰지도 컴퓨터 게임을 하지도 않는다. 그냥 앉아서 생각한다. 사무실에 소총은 없고 무기라고 할 만한 게 간이 주방 서랍에 들어 있는 과도뿐이지만 상관없다. 몇 주, 심지어 몇 달이 지나야 총이 필요할 것이다. 아예 암살 자체가 무산될 수도 있는데, 그게 그렇게 나쁜 일일까? 금전적인 면에서는 그렇다. 그는 150만 달러를 날리게 될 것이다. 이미 지급된 50만 달러는 닉을 통해 암살을 사주한 사람이 돌려 달라고 할까?

"어디 그래 보시지." 빌리는 웃음을 터뜨린다.

9

빌리는 터벅터벅 다시 주차장으로 걸어가며 중혼에 대해 생각한다.

그는 두 여자와 동시에는커녕 지금까지 한 번도 결혼한 적이 없지만, 이제는 중혼의 느낌을 알 것 같다. 한마디로 피곤, 그 자체다. 그는 두 명이 아니라 세 명의 인생을 살고 있다. 닉과 조지(그리고 그가 질색하는 켄 호프까지)에게는 빌리 서머스라는 청부살인업자다. 제러드 타워의 입주민들에게는 데이비드 로크리지라는 작가 지망생이다. 미드우드의 에버그린 가 주민들에게도 그렇다. 그리고 이제 제러드 타워에서 아홉 블록, 미드우드와는 안전하게 6.5킬로미터의 거리를 두고 있는 피어슨 가에서는 돌턴 스미스라는 과체중의 컴퓨터 덕후다.

생각해 보니 네 번째 인생도 있다. 빌리가 평소에 외면하던 고통스러운 과거를 대면할 수 있을 만큼, 딱 그만큼만 빌리를 닮지 않은 벤지 콤슨.

화면 복제모드가 활성화된 게 분명한(확실했다.) 노트북에 그가 벤지의 이야기를 쓰기 시작한 이유는 도전 과제이자 그 유명한 *마지막 한탕*이기 때문이었지만, 이제는 보다 더 심오하고 진정한 이유가 있었다는 걸 안다. 누군가가 그의 이야기를 읽어 주길 바라는 것이다. 아무라도, 심지어 닉 머제리언과 조르조 피그릴리 같은 라스베이거스의 강성파라도. 이제 그는 작품을 발표하는 작가는 위험을 자초하는 셈이라는 것을 알겠다. 지금까지는 몰랐고 심지어 고민한 적도 없는 부분이었건만, 그것이 글쓰기가 매혹적인 이유 중 하나다. *나를 봐. 내가 어떤 사람인지 보여 주고 있잖아. 옷을 벗었어. 나를 드러내고 있어.*

그가 이런 생각에 깊이 잠긴 채 주차장 입구로 다가가는데 누군가가 어깨를 두드려 그를 화들짝 놀라게 한다. 몸을 돌려 보니 회계사 사무실에서 근무하는 필리스 스탠호프다.

"죄송해요." 그녀는 뒤로 한발 물러서며 말한다. "이렇게 놀라실 줄 몰랐어요."

그 무방비했던 순간에 그녀가 뭔가 본 게 있을까? 그의 실체를 언뜻 목격했을까? 그랬을 수도 있다. 그랬다면 그가 서글서글한 미소와 절대 진리로 그걸 지워 버려야 한다.

"괜찮아요. 딴생각하느라 안드로메다에 가 있었어요."

"쓰고 계신 작품 생각이요?"

중혼 생각이요.

"네."

필리스는 그와 나란히 걷는다. 한쪽 어깨에 핸드백을 메고 있다. 스폰지밥이 그려진 아이용 배낭도 메고 있고 또각또각 구두 대신 흰 양말에 운동화를 신고 있다.

"오늘 점심시간에 못 뵈었는데. 그냥 사무실에서 해결하셨어요?"

"나가서 좀 돌아다녔어요. 아직 적응 단계라. 에이전트하고 길게 대화도 나눴고요."

조르조와 실제로 대화를 나누긴 했지만 길지는 않았다. 닉은 라스베이거스로 돌아갔지만 조르조가 데리고 온 두 명의 새 얼굴—이름이 레지와 데이나다—과 함께 대저택을 지키고 있다. 닉과 조지 피그스가 번갈아 그를 감시하려는 것이라기보다 이것이 그들에게는 아주 엄청난 사업이기에 만전을 기하려는 것이다. 그들이 허술하게 나왔다면 오히려 그가 놀랐을 것이다. 사실 충격을 받았을 것이다. 그들이 실제로 예의 주시하고 있는 인물은 켄 호프일 것이다. 대기 중인 호구.

"게다가 작가는 책상 밖에서도 일을 해요."

그는 관자놀이를 두드린다.

그녀는 미소로 화답한다. 보기 좋은 미소다.

"다들 그렇다고들 하죠."

"사실 나는 살짝 벽에 맞닥뜨린 것 같아요."

"환경이 바뀌어서 그런가 봐요."

"그럴지도요."

사실 벽에 맞닥뜨렸다고 생각하지는 않는다. 그 첫 번째 에피소드 이후로 아무것도 쓰지 못했지만 뒷부분이 다 준비돼

있다. 대기 중이다. 그는 일에 착수하고 싶다. 그 일이 그에게
는 의미가 있다. 이건 일기가 아니다. 여러모로 불행하고 충격
적이었던 삶과 화해하려는 시도가 아니다. 고해와 비슷할지
몰라도 그것도 아니다. 관건은 파워다. 그는 드디어 총이 아닌
다른 데서 파워를 느꼈다. 지층 새집에서 창밖으로 보았던 풍
경처럼 마음에 든다.

"아무튼." 주차장 입구에 다다르자 그는 말한다. "본격적으
로 착수하려고요. 내일부터."

그녀는 눈썹을 추켜세운다.

"어제도 잼을 먹을 수 있었고 내일도 잼을 먹을 수 있지
만……"

그가 끼어들어 둘이서 같이 마무리 짓는다.

"오늘은 절대 안 돼!"

"아무튼 얼른 읽어 보고 싶어요."

그들은 경사로를 올라간다. 햇볕이 작열하던 도로에 있다가
온 뒤라 기분 좋게 시원하다. 그녀는 첫 번째 코너로 가던 중
간에 걸음을 멈춘다.

"이게 제 차예요."

그녀가 스마트키를 누른다. 파란색 프리우스 미등이 반응한
다. 번호판 양옆으로 범퍼 스티커가 한 장씩 붙어 있다. 우리 몸

---

* 『거울 나라의 앨리스』에서 붉은 여왕이 한 말이다.

은 우리의 선택과 여자들을 믿으세요.

"이런 거 붙이고 다녔다가 테러당할 수도 있습니다. 여기는 골수 공화당 지지 주잖아요."

그녀는 자기 앞으로 핸드백을 들고 아까 그를 만났을 때와는 다른 미소를 짓는다. 이번에는 더티 해리의 미소에 가깝다.

"총기 은닉 휴대를 허용하는 주이기도 하니까 누가 제 범퍼 스티커에 흠집을 내려거든 제가 안 볼 때 하는 게 좋을 거예요."

진심이라기보다 허세일까? 깜찍한 회계사 아가씨가 관심 있는 남자 앞에서 센 척하는 걸까? 그럴 수도 있고 아닐 수도 있다. 어느 쪽이든 그는 자기 소신을 당당하게 밝히는 그녀가 존경스럽다. 용감한 그녀가 존경스럽다. 훌륭한 사람들은 이런 식으로 행동한다. 적어도 컨디션이 최상일 때는 그렇다.

"그럼 나중에 봐요. 나는 몇 층 더 올라가야 해요."

"그보다 가까운 데는 자리가 없었어요? 진짜요?"

오늘 늦게 와서 그랬다고 말할 수도 있지만 항상 4층에 주차하니 그랬다가는 나중에 난처해질 수도 있다. 그래서 그는 엄지손가락을 들어 보인다.

"위로 올라가면 뺑소니 사고를 당할 가능성이 적거든요."

"범퍼 스티커 테러를 당할 가능성도 적고요?"

"나는 범퍼 스티커 없어요." 이어서 빌리는 100퍼센트 진실을 덧붙인다. "눈에 띄지 않는 걸 좋아하는 성격이라." 그러고는 하지 않기로 결심했던 말을 충동적으로(충동적인 성격이 전혀 아닌데도 불구하고) 내뱉는다. "나중에 술 한잔 같이해요. 어때요?"

"좋아요." 마치 물어봐 주길 기다리기라도 했던 것처럼 일말의 주저함도 없는 대답이다. "금요일 어때요? 두 블록만 가면 괜찮은 데 있는데. 계산은 더치페이로 하고요. 저는 남자랑 술 마실 때 항상 더치페이해요." 그녀는 말을 하다 말고 잠깐 멈춘다. "최소한 맨 처음 만나는 자리에서는요."

"어쩌면 좋은 방침일지도요. 운전 조심히 해요, 필리스."

"필. 필이라고 불러요."

그는 그녀의 미등을 향해 손을 흔들고 4층까지 마저 올라간다. 엘리베이터가 있지만 좀 걷고 싶다. 방금 도대체 왜 그랬는지 자문하고 싶다. 아이들이 돌아오는 주말에 재대결을 신청하면 그는 응할 수밖에 없다는 걸 알면서도 데릭이랑 섀니스와 모노폴리를 같이 한 이유에 대해서 자문하는 건 어떨까. 친해지되 너무 가까워지지 않는 작전은 어떻게 된 걸까? 전경에 있으면서도 풍경의 일부분이 될 수 있나?

답은 간단하다. '아니요'다.

6장

1

여름이 흘러간다. 햇볕이 작렬하는 뜨겁고 습한 날에 간간이 갑작스럽게 뇌우가 쏟아지는데, 어떨 때는 우박을 가득 머금고 있을 정도로 지독하다. 토네이도도 두어 차례 들이닥치지만 전부 외곽이고 도심이나 미드우드는 해당 사항 없다. 태풍이 불더라도 김을 모락모락 내며 금세 마르는 도로는 비껴간다. 제러드 타워 상층부의 아파트는 빈 곳이 많다. 원래 공실이었거나 살던 사람들이 좀 더 시원한 곳을 찾아 떠났다. 회사들은 대부분 여전히 직원들로 북적거린다. 대개 기반을 다지려고 고군분투하는 신생업체라 그렇다. 빌리와 한 복도를 쓰는 로펌 같은 경우는 2년 전만 해도 존재하지 않았던 스타

트업이다.

빌리와 필리스 스탠호프는 나무 패널로 지어진 쾌적한 술집에서 약속한 그 술을 마신다. 술집 바로 옆 식당은 빌리가 보기에 레드 블러프에서 손꼽히는 곳인 것 같고 스테이크가 전공이다. 필리스는 위스키 소다("아빠가 좋아하는 술이에요."라고 한다.)를 마시고 빌리는 아널드 파머를 주문하며 책을 쓰는 동안에는 맥주도 마시지 않는다고 설명한다.

"내가 알코올 중독자인지 아닌지는 아직도 잘 모르겠어요. 하지만 술 때문에 문제가 생긴 적이 있어서요."

그는 닉과 조르조가 가르쳐 준 시나리오를 풀어 놓는다. 고향인 뉴햄프셔주에서 파티라면 사족을 못 쓰는 친구들과 너무 자주 술을 마시러 다녔다고 말이다.

두 사람은 30분 동안 즐거운 시간을 보내지만 빌리는 그에 대한 그녀의 관심이—그러니까 친구 이상으로서의 관심이—자기가 희망했던 것만큼 강하지는 않다는 것을 감지한다. 아무래도 잔에 담긴 음료 간의 간극 때문인 것 같다. 아이스티와 레모네이드를 섞은 칵테일을 마시는 남자와 함께 위스키를 마시는 것은 혼술이나 다름없고 필리스에게 알코올 문제가 있을 가능성도 있다.(잔을 비우자 뺨이 금세 빨개지는 걸 보면 그럴지도 모른다.) 아니면 몇 년 안으로 알코올 문제가 생길 가능성도 있다. 그는 그녀를 침대로 유혹할 마음도 있었기에 안타까울 따름이지만 친구 사이를 유지하면 일이 복잡해질 가능성이 줄어들기는 한다. 양쪽 모두 서로에게 호감이 있으니 그가 그녀의 의식선상에서 영영 배경에 머물지는 않겠지만, 그녀의 방에서 그의 지문이 발견될 일은 없을 것이다. 그건 다행이다. 두 사람 모두를 위해서. 하지만 이 정도로 가까워져서 인생 요약본을 주고받는 것(그녀는 진짜, 그는 가짜)도 너무 가까워지는 것이다. 그는 그렇다는 걸 안다.

돌턴 스미스는 알코올 문제에 얽힌 사연이 없기에 피어슨가 658번지 뒤 베란다에서 베벌리의 남편과 맥주를 마실 수 있다. 돈 젠슨은 그로잉 컨선이라는 조경업체에서 일한다. 그는 펜실베이니아 1600번지의 훨씬 으리으리한 저택에서 사는 다른 돈*을 엄청 좋아한다. 그로잉 컨선의 직원 대다수가 영어를 할 줄 모르는 불법 이민자인데도("그 인간들이 영어는 몰라도 저소득층 식료품 쿠폰은 알아요.") 그 돈의 이민 정책을 특히 열렬히 지지한다("미국이 갈색으로 도배가 되는 건 싫거든요."). 빌리가 모순을 지적하자 돈 젠슨은 손사래를 친다("영화배우들은 있다가도 없지만 멕시코 놈들은 영원하잖아요."). 그가 빌리에게 다음 행선지를 묻자 빌리는 아이오와시티에서 두어 주 있을 거라고 말한다. 그런 다음 거기서 디모인과 에임즈로 이동할 거라고 한다.

"여기 계시는 기간이 많지 않겠네요." 돈이 말한다. "월세 낭비 같은데요."

---

* 도널드 트럼프 대통령을 말한다. 펜실베이니아 1600번지가 백악관 주소다.

"여름이 항상 제일 바빠요. 그리고 모자 걸어 놓을 데도 필요하잖아요. 가을이 되면 나를 좀 더 자주 볼 수 있을 거예요."

"그랬으면 좋겠네요. 맥주 하나 더 드릴까요?"

"아뇨." 빌리는 일어난다. "해야 할 일이 좀 있어서요."

"역시 덕후셔." 돈은 애정을 담아서 그의 등을 한 대 때린다.

"인정할 수밖에 없네요."

에버그린 가에서는 래글랜드 부부—폴과 드니즈—가 빅 클럭스 바비큐 치킨을 먹자고 초대한다. 드니즈는 자기 집 부엌에서 직접 만든 딸기 쇼트케이크를 디저트로 낸다. 맛있다. 빌리는 두 조각을 먹는다. 파치오 부부—피트와 다이앤—는 금요일에 피자를 먹자고 초대한다. 그들은 지하 오락실에서 대니 파치오와 건너편에 사는 애커먼 남매와 함께 「레이더스」를 보며 피자를 먹는다. 빌리와 케시가 그 옛날 비주 극장에서 세 번째로 개봉한 걸 보러 갔을 때 그랬던 것처럼 그 아이들도 그 영화를 좋아한다. 자말 애커먼과 코린 애커먼은 그를 불러 타코와 초콜릿 실크 파이를 대접한다. 맛있다. 빌리는 두 조각을 먹는다. 그는 살이 2킬로그램 넘게 찐다. 얻어먹기만 하는 사람으로 보이고 싶지는 않기에 데이비드 로크리지의 신용카드로 월마트에서 그릴을 사다가 세 가족과 그 블록 맨 끝에 사는 과부 제인 켈로그까지 초대해 뒷마당에서 햄버거와 핫도그를 대접한다. 뒷마당도 앞마당처럼 그의 관리 아래 근사하게 부활하고 있다.

주말에는 모노폴리 게임이 이어진다. 이제는 에버그린 가뿐 아니라 온 동네 아이들이 챔피언을 무너뜨리려고 도전장을 내민다. 빌리는 그들 모두를 완벽히 제압한다. 어느 토요일에는 자말 애커먼이 게임판 앞에 앉아 레이싱 카를 자기 말로 삼는다.(그는 빌리를 보고 씩 웃으며 말한다. "덤벼라, 백인 미국인아.") 그는 아이들보다 만만찮기는 하지만 많이는 아니다. 70분 뒤에 그는 파산하고 빌리는 흡족해한다. 학기가 다시 시작되기 전 마지막 토요일에 마침내 그를 쓰러뜨린 사람은 코린이다. 빌리가 파산을 선언하자 훈수를 두던 아이들이 일제히 박수를 친다. 빌리도 마찬가지다. 코린은 허리를 숙여 인사하고 게임판 사진을 찍는다. 빌리는 같이 찍히지 않도록 주의하지만 뭐 그리 신경 쓸 일은 아니다. 요즘은 휴대전화 카메라의 시대이고 그는 데릭의 카메라에 분명 찍혔을 것이다. 어쩌면 대니 파치오의 카메라에도 찍혔을 것이다. 애커먼 남매는 박수를 치는 동안 눈을 반짝이며 빌리를 쳐다본다. 이 게임이 데릭과 섀니스에게는 의미 있는 일이 되었던 것이다. 모든 아이에게 그랬지만, 그 둘을 기점으로 토요일 게임이 시작됐으니 특히 두 아이에게는 의미 있는 일이다. 그가 두 아이에게 의미 있는 인물이 되었는데 그 아이들을 실망시키게 되었다. 그가 조엘 앨런을 죽인들 아이들이 상심하지는 않겠지만(그럴 거라고는 생각하고 싶지 않다. 아니, 그렇게 생각하길 거부한다.) 충격과 마음의 동요는 느낄 것이다. 환멸도 느낄 것이다. 배신감도 느낄 것이다.

빌리는 자신이 아니더라도 나중에 다른 사람을 통해 그 애들이 그런 감정을 느낄 거라고 속으로 중얼거릴 수는 있지만(실제로도 그렇게 한다.) 그래도 정당성이 부여되지는 않을 것이다. 훌륭한 사람은 이런 식으로 행동하지 않는다. 하지만 정황상 어쩔 수 없다. 앨런이 이송을 피하거나 구치소에서 죽임을 당하거나 심지어 탈옥해 모든 논의가 다시 시작되길 바라는 마음이 점점 커진다.

주중에는 너무 날이 덥지 않은 한 제러드 타워 앞 광장에서 점심을 먹는다. 현란한 패션 감각을 자랑하는 콜린 화이트와는 작심하고 안면을 튼다. 화이트는 그냥 일반적인 동성애자가 아니라 사실상 캐리커처이자 1980년대 시트콤에서 볼 수 있음직한 재밌는 캐릭터다. 항상 숨소리를 잔뜩 섞어서 말하고 과장된 제스처를 쓰며 오 마이 갓을 외치듯 요란하게 눈을 굴린다. 빌리를 달링 아니면 *허니*라고 부른다. 그것만 극복하면 그가 엄청난 위트의 소유자라는 것, *예리한* 위트의 소유자라는 것을 알 수 있다. 그리고 요란하게 굴릴 때 말고는 눈으로 주변을 예의 주시하고 있다. 나중에 일이 벌어지고 나면 데이비드 로크리지에 대한 증언이 쏟아질 것이다. 필리스 스탠호프를 비롯해 몇 명이 훌륭한 증인으로 활약하겠지만, 빌리가 생각하기에는 이자의 증언이 가장 정확할 것 같다. 그는 콜린 화이트를 이용할 작정이지만 조심해야 한다. 빌리에게 *바보 빌리*가 있다면 콜린 화이트에게는 *실없는 동성애자 콜린*

이 있다. 비슷한 사람들끼리는 서로 알아보는 법이다.

어느 날 정오 무렵, 광장의 귀한 그늘 속 벤치를 차지하고 앉았을 때 빌리는 콜린에게 솔직히 그가 쩨지게 명랑한 건 둘째 치고 상당히 좋은 사람인데 무슨 수로 남을 등쳐 푼돈 받아 내는 일을 하느냐고 묻는다. 콜린은 한 손을 얼굴 옆면에 대고 순진한 아가씨처럼 눈을 동그랗게 뜨고 빌리를 쳐다보며 말한다.

"뭐…… 제가 좀…… *달라져요.*"

손이 내려온다. (살짝 바른 립글로스 덕분에 좀 더 도드라지는) 서글 서글한 미소가 사라진다. 오늘은 금색 낙하산 바지와 하이 칼라 페이즐리 셔츠를 입은 콜린 화이트의 입에서 평소처럼 나긋 나긋한 목소리가 아니라 짜증 난 변호사의 목소리가 나온다.

"아주머니, 지금까지 누굴 잘 구워삶았는지 모르겠지만 나한테는 그런 거 안 통해요. 지금 만기일이 지났거든요? 차 계속 쓰고 싶어요? 내가 아무 소득 없이, 그러니까 *갚겠다*는 약속 말고 *다른 건* 아무것도 없이 전화 끊으면 곧바로 우리가 하청 주는 자동차 회수업체로 전화 돌릴 거거든요. 울고 싶으면 실컷 울어요, 나한테는 그런 것도 안 통하니까." 그는 정말 그런 사람처럼 들린다. "앞으로 10분 안으로 60달러 입금해요. 아무리 못해도 50. 그것도 내가 오늘 아침에 기분 좋게 일어나서 봐주는 건 줄 알아요."

콜린이 말을 멈추고 (아이라이너를 살짝 그려서 좀 더 강조한) 눈을 동그랗게 뜨고 빌리를 쳐다본다.

"이제 이해가 되세요?"

이해가 된다. 다만 콜린 화이트가 좋은 사람인지, 나쁜 사람인지는 잘 모르겠다. 어쩌면 양쪽 모두일 것이다. 항상 느끼지만 이건 심란한 개념이다.

2

그 여름 동안 그의 '에이전트'는 데이비드 로크리지의 휴대전화로 일주일에 한두 번씩 문자를 보낸다.

G러소: 담당 편집자가 자네가 얼마 전에 보낸 원고를 아직 못 읽었다는군.

G러소: 담당 편집자한테 연락했는데 사무실에 없더군.

G러소: 담당 편집자가 아직 캘리포니아에 있대.

이런 식이다. 그가 기다리는 문자는, 캘리포니아 법원에서 앨런의 이송을 허락했을 때 그가 받게 될 문자는 담당 편집자가 책을 출간하고 싶다고 해다. 그는 그 문자를 받으면 마지막 준비에 착수할 것이다.

조르조의 마지막 문자는 수표가 입금될 거야가 될 것이다.

3

닉은 8월 중순에 라스베이거스에서 다시 건너온다. 그는 빌리에게 연락해 해가 떨어진 뒤에 대저택으로 와 달라고 한다. 굳이 말로 할 필요가 없는 지시 사항이다. 그들은 9시 30분에 만나 늦은 저녁 식사를 한다. 이번에는 도우미가 없다. 닉이 빌 파르미지아나*를 직접 만들어서 내놓는데, 그건 그저 그렇지만 피노누아 와인은 훌륭하다. 빌리는 집까지 운전해야 하는 걸 감안해 딱 한 잔만 마신다.

프랭키, 폴리 그리고 새로 온 레지와 데이나도 같이 먹는다. 그들은 요리는 물론 슈퍼에서 산 파운드케이크에 쿨 휩 아니면 드림 휩을 얹은 디저트까지 호들갑스럽게 칭찬한다. 빌리는 그 맛을 안다. 어렸을 때 로빈과 개드와 다른 각양각색의 위탁 가정 동기와 함께 '페인트칠을 하다가 미칠 집'이라고 불렸던 스테프넥의 집에서 금요일 저녁마다 먹을 만큼 먹었다.

그 집이 요즘 들어 자주 떠오른다. 로빈도 마찬가지다. 그는 그녀에게 미쳐 있었다. 조만간 그녀 이야기도 쓸 테지만 이름은 비슷한 것으로 바꿀 것이다. 리키 아니면 로니. 눈이 하나밖에 없었던 아이 빼고는 모두의 이름을 바꿀 것이다.

빌리가 라스베이거스 강성파로 간주하는 닉의 부하들은 대

---

* 송아지 고기 커틀릿에 토마토소스와 모짜렐라 치즈를 얹은 요리.

부분 코폴라나 스코세이지 감독의 영화에 나오는 인물처럼 이름의 철자가 *ie*로 끝난다. 데이나 에디슨만 다르다. 그는 빨간 머리를 뒤통수에 단단하게 틀어 묶어 앞면의 부족한 부분을 보완한다. 즉, 활주로에 가까운 이마를 보완한다. 프랭키 엘비스, 폴리 그리고 레지는 근육질이다. 데이나는 호리호리하고, 테 없는 안경 너머로 세상을 내다본다. 언뜻 보면 변변치 못하고 속없는 사람 같지만 안경 너머로 보이는 파란 눈이 냉랭하다. 저격수의 눈이다.

저녁 식사가 끝나자 빌리가 묻는다.

"앨런 소식은 아직인가요?"

"사실 새로운 소식이 있어." 대답한 닉이 이번에는 폴리에게 말한다. "이 안에서는 그 구리구리탄 피우지 마. 임대 계약서에 금연 조항이 있다고. 어기면 당장 계약 종료에 벌금 1000달러야."

폴리 로건은 분홍색 폴 스튜어트 셔츠 주머니에서 꺼낸 퀄런을 어디서 난 건지 모르겠다는 듯이 쳐다보다가 중얼중얼 사과하며 다시 집어넣는다. 닉은 빌리를 돌아본다.

"앨런은 근로자의 날 다음 화요일에 법정에 설 거야. 변호사가 또 재판을 연기하려고 하겠지. 과연 성공할 수 있을까?" 닉이 손바닥을 위로 하고 양손을 들어 보인다. "그럴지도. 하지만 LA에 있는 내 친구들 말로는 담당 판사가 성격 더러운 할망구라고 하거든."

프랭크 매킨토시가 웃음을 터뜨렸다가 닉이 인상을 쓰고 쳐다보자 멈추고 가슴 위로 팔짱을 낀다. 닉은 저녁을 먹는 거의 내내 분위기가 싸했다. 빌리는 다시 라스베이거스로 돌아가서 한 시대를 풍미했던 가수—프랭키 아발론 아니면 바비 라이델—가 부르는 「볼라레」를 듣고 싶어서 그런가 보다고 생각한다.

　"듣자 하니 여름 내내 비가 많이 왔다던데, 빌리. 그런가?"

　"수시로 내렸다 그쳤다 해요."

　빌리는 새로 산 당구 테이블처럼 파란 미드우드 집의 잔디밭을 떠올린다. 심지어 피어슨 658번지의 집 앞 풀밭도 상태가 나아졌고, 길 건너편의 삐죽삐죽한 벽돌 역사는 쑥쑥 자란 잡초로 덮였다.

　"오면 세게 오더라고요." 레지가 말한다. "라스베이거스하고는 달라요."

　"비가 와도 총을 쏠 수 있나?" 닉이 묻는다. "내가 궁금한 건 그거야. 그리고 솔직하게 말해, 희망적인 헛소리 늘어놓을 생각 말고."

　"미친 듯이 퍼붓지 않는 이상 당연하죠."

　"좋아. 좋아. 미친 듯이 퍼붓지 않길 바라자고. 나랑 같이 서재로 자리를 옮기세, 빌리. 자네하고 잠깐 더 할 얘기가 있어. 그런 다음 편히 쉴 수 있게 집으로 보내 주겠네. 너희들은 다른 할 일 찾아봐. 폴리, 그거 집 밖에서 피우더라도 내일 잔디밭에서 꽁초가 발견되는 일은 없도록 해.”

“알겠습니다.”

“내가 찾아볼 거야.”

폴리 로건과 세 라스베이거스 용병은 우르르 나간다. 닉은 빌리를 데리고 바닥에서부터 천장까지 책으로 도배된 방으로 들어간다. 깜찍한 스포트라이트가 가죽 장정본 세트를 반짝반짝 비춘다. 빌리는 키플링과 디킨스 전집이 있을 거라고 장담할 수 있는 책꽂이를 훑어보고 싶지만 그건 닉이 아는 빌리가 하지 않을 만한 일이다. 닉이 아는 빌리는 윙백 의자에 앉아 최대한 고분고분하게 눈을 동그랗게 뜨고 닉을 쳐다본다.

“주변에서 레지하고 데이나 본 적 있나?”

“네. 가끔요.”

그들은 공공사업부의 소형 밴을 타고 다닌다. 한번은 점심 때면 푸드 트럭들이 진을 치는 제러드 타워 앞 길가에 주차한 적도 있다. 거기서 맨홀 뚜껑을 만지작거리고 있었다. 또 다른 때는 홀랜드 가에서 무릎을 꿇고 앉아 손전등으로 하수구를 비춰 보고 있었다. 회색 작업복을 입고 이 도시 이름이 적힌 모자를 쓰고 워커를 신었다.

“앞으로 더 자주 보게 될 거야. 괜찮아 보이던가?”

그러자 빌리는 어깨를 으쓱한다.

닉이 짜증 섞인 눈빛으로 받아친다.

“그게 무슨 뜻이야?”

"괜찮아 보였다고요."

"딱히 시선 끄는 부분 없이?"

"제가 보기에는요."

"좋아. 좋아. 그 트럭은 이 집 차고에 세워 놓고 있어. 그 친구들이 아직은 매일 몰고 나가지 않지만 그 트럭이 돌아다니는 광경에 사람들이 익숙해지길 바라지."

"풍경 속으로 녹아드는 거 말이죠."

빌리는 가장 *바보 빌리*다운 미소를 짓는다.

닉이 그에게 손가락 총을 겨눈다. 빌리는 그것이 라스베이거스의 어느 라운지 밴드 공연에서 배웠을지 모를 그의 트레이드마크라는 걸 알지만 심지어 가짜 총이라도 자기에게 겨누어지는 건 싫다.

"바로 그거야. 호프가 무기 조달해 줬나?"

"아뇨."

"그 친구를 만난 적은 있고?"

"아뇨. 그리고 별로 만나고 싶지 않습니다."

"그래." 닉은 한숨을 쉬고 손으로 머리칼을 쓸어넘긴다. "그 총을 세팅하고 싶겠지? 시골에 가서 몇 발 쏴 보기도 하고."

"그러게요."

그러나 아무리 정지 신호판마다 총알구멍이 숭숭 뚫린 시골이라도 빌리가 위험하게 사격 연습을 하는 일은 없을 것이다. 소총 영점은 아이폰 앱과 아마존에서 파는 레이저 장비로 얼마든지 맞출 수 있다.

닉은 바구니처럼 불룩한 배 앞으로 손깍지를 끼며 몸을 숙인다. 친구처럼 걱정하는 표정을 짓고 있다. 그래서 빌리 눈에는 사기꾼처럼 보인다.

"거기서는 어떻게 지내고 있나? 이름이…… 미드우드였던가?"

"네, 맞아요. 아주 잘 지내고 있습니다."

"거지 소굴이라는 건 알지만 생각하면 받을 돈을 생각하면 견딜 수 있겠지."

"네."

사실은 제법 괜찮은 동네다.

"눈에 띄지 않게 행동하면서?"

빌리는 고개를 끄덕인다. 닉에게 모노폴리 게임이나 그의 뒷마당에서 벌이는 파티나 필리스 스탠호프와 마신 술에 대해 알릴 필요는 없다. 지금은 물론이고 앞으로도.

"내가 전에 얘기했던 탈출 계획에 대해 좀 생각해 봤나? 왜냐하면 보다시피 부하 녀석들이 때가 되면 출동할 준비가 완료됐거든. 레지는 머리를 쓸 줄 모르지만 데이나가 요물이야. 그리고 둘 다 운전을 잘하고."

"저는 그냥 모퉁이를 돌아서 밴 뒷자리에 올라타기만 하면 되는 거죠?"

"맞아, 그리고 시청 소속 인부들이 입는 작업복으로 갈아입으면 돼. 경찰한테 인파 통제나 뭐 그런 거 돕느냐고 묻고." 누가 들으면 빌리가 잊어버리기라도 한 줄 알겠다. "경찰이 그러라고 하면, 안 그러겠지만 만에 하나 그러면 바로 협조 모드로 들어가고. 어느 쪽이 됐건 자네는 해 질 무렵이면 여기서 빠져나가 위스콘신으로 가고 있을 거야. 어쩌면 그보다 더 일찍이 될 수도 있고. 어떻게 생각하나?"

빌리는 위스콘신으로 가는 게 아니라 맥주 캔과 버려진 빅맥 상자와 함께 국도변 도랑에 시체로 누워 있는 자신의 모습을 그려 본다. 그림이 아주 선명하다.

그는 미소를, 그것도 함박 웃음을 짓는다.

"좋은데요? 저는 그렇게 훌륭한 계획은 생각해 내지 못했을 거예요."

이 말은 뻥이다. 그가 생각한 계획이 아무리 이리저리 돌려 봐도 더 견고하게 느껴진다. 위험 요소들이 있긴 하지만 미미하다. 닉은 그가 세운 실질적인 탈출 계획을 몰라도 된다. 나중에 닉이 분개할 수도 있겠지만 임무가 완수됐는데 얼마나 분개할 수 있겠는가.

닉은 자리에서 일어난다.

"좋아. 자네를 도울 수 있게 돼서 영광일세, 빌리. 자네는 좋은 친구잖아."

아니, 그렇지 않아. 당신도 마찬가지고.

"고맙습니다."

"이게 마지막 일이 될 거라고? 진심인가?"

"네."

"자, 그럼 이리 와, *밤비노*(애야). 한번 안아 보게."

빌리는 그가 시키는 대로 한다.

닉을 믿지 못하는 건 아니라고, 그는 노란 집으로 돌아가는 동안 생각한다. 그는 자기 자신을 좀 더 믿을 따름이다. 과거에도 그랬고 앞으로도 그럴 것이다.

4

며칠 뒤에 누군가가 사무실 문을 두드린다. 빌리는 일부는 벤지 콤슨의 것이지만 대부분은 그의 것인 과거의 기억 속에 잠겨 글을 쓰고 있었다. 글을 저장하고 노트북을 덮고 문을 연다. 켄 호프다. 6월에 마지막으로 만난 이래 살이 5킬로그램은 빠진 것 같다. 수염이 전보다 더 꾀죄죄하다. 아직도 수염을 그렇게 기르면 액션 영화의 주인공처럼 보인다고 생각할지 모르지만 빌리가 보기에는 5일 술을 마시고 하루 쉬는 사람 같다. 입 냄새도 한몫 거든다. 박하사탕을 씹어 먹고 있지만 오전 10시 30분에 여기까지 오는 동안 마신 술 냄새를 가리지는 못한다. 넥타이는 말쑥하지만 셔츠는 쭈글쭈글하고 한쪽 옷자락이 허리춤에서 살짝 삐져나왔다. *이야말로 문제가*

생겼다고 광고하고 다니는 꼴이로군. 빌리는 생각한다.

"안녕하세요, 빌리."

"데이브요. 기억 안 나요?"

"맞다, 데이브, 그렇죠." 호프는 복도를 지나가다가 자기가 저지른 실수를 들은 사람이 있는지 어깨 너머로 흘끗 확인한다. "들어가도 될까요?"

"그럼요, 호프 씨."

빌리는 건물주를 켄이라고 부를 생각은 없다. 그는 옆으로 비켜선다.

호프는 어깨 너머를 다시 한번 확인하고 들어온다. 그들은 여기가 회사 사무실이었으면 안내 데스크가 있었을 공간에서 있다. 빌리가 문을 닫는다.

"어쩐 일이에요?"

"별일이 있어서 온 건 아니에요." 호프는 입술에 침을 바른다. 빌리는 이 남자가 자신을 무서워한다는 것을 알아차린다. "그냥 지나가다 들렀어요. 그 뭣이냐, 별문제 없는지, 필요한 건 없는지 궁금해서요."

닉이 보내서 왔구먼. 거기 담긴 메시지는? 네가 빌리하고 첫 단추를 잘못 꿰었는데, 그 친구는 우리 특파원이야. 그러니까 바로 잡도록 해.

"딱 하나 있어요. 그 물건이 제때 배달되는 거 맞죠?"

호프가 레밍턴 700이라고 지칭했던 M24를 두고 하는 말이다.

"전부 준비해 놨어요. 전부. 지금 필요해요? 아니면······"

"아뇨. 때가 되면 내 친구가 알려 줄 거예요. 그때까지는 안전한 곳에 보관해 둬요."

"걱정 말아요. 지금······"

"알고 싶지 않아요. 아직은."

한 날의 괴로움은 그날로 족하니라. 그는 생각한다. 마태복음의 한 구절이다. 오늘 그가 하고 싶은 일은 하던 작업을 계속하는 것이다. 글을 쓰면 이렇게 속이 후련할 줄 미처 몰랐다.

"오케이, 알겠어요. 저기, 나중에 같이 술 한잔할래요?"

"그건 별로 좋은 생각이 아닐 텐데요."

호프는 미소를 짓는다. 분위기가 좋을 때는 매력적으로 보일 수도 있겠지만 지금은 그렇지가 않다. 그는 청부살인업자와 같이 있다. 그게 전부도 아니다. 이 남자는 벽이 점점 조여 오는 기분을 느끼고 있는데, 빌리가 보기에는 자기가 호구 잡혔을지 모른다고 의심해서가 아니다. 알아차려야 하는데 그러지 못하고 있다. 어쩌면 빌리가 머나먼 우주 속의 블랙홀을 상상하지 못하듯 그는 그럴 가능성을 상상하지 못하는 것일지 모른다.

"괜찮을 거예요. 당신은 *작가*잖아요. 사회적으로 보았을 때 내 바운더리 안에 있어요."

그게 당최 무슨 소린지 모르겠네.

"나중을 생각했을 때 좋지 않다는 거예요. 당신 입장에서는. 누가 뭐라고 묻든 내가 여기서 뭘 하는지 몰랐다고 대답하면 그만이겠지만, 그런 질문 자체를 받지 않는 게 낫지 않겠어요?"

"하지만 *우리 사이*에 아무 문제 없는 건 맞죠? 그렇죠, 빌리?"

"데이브라니까요. 실수하지 않게 연습해요. 그리고 그럼요, 별문제 없죠. 무슨 문제가 있겠어요?"

빌리는 눈을 휘둥그레 뜨고 *바보 빌리* 표정을 지어 보인다.

효과가 있다. 이번에는 호프의 미소가 아까보다 눈곱만큼 매력적으로 보인다. 중간에 혀를 내밀고 입술을 핥지 않기 때문이다.

"데이브, 그렇죠. 앞으로 절대 잊어버리지 않을게요. 필요한 거 없는 거 맞아요? 왜냐하면 사우스게이트 몰에 있는 카마이크 극장이 내 건데 상영관이 아홉 개고 내년에 아이맥스도 생기거든요. 혹시 필요하면 자유 관람권을……"

"그거 좋겠네요."

"훌륭해요. 내가 이따 오후에……"

"우편으로 보내 주세요. 여기 아니면 에버그린 가 집으로. 주소 알죠?"

"네, 그럼요. 에이전트한테 받았어요. 대작은 전부 여름에 상영되거든요."

빌리는 슈퍼 슈트를 입은 배우들을 얼른 보고 싶어 안달이 난 사람처럼 고개를 끄덕인다.

"그리고 저기, 데이브, 내가 에스코트 서비스 사업도 시작했 거든요. 아주 괜찮고 아주 입이 무거운 아가씨들이 대기 중이 에요. 생각이 있으면 내가……"

"아뇨. 납작 엎드리고 있어라, 기억 안 나요?"

빌리가 문을 연다. 이제 보니 호프는 단순한 골칫거리가 아 니라 걸어 다니는 사고뭉치다.

"어브 딘은 잘해 주고 있고요?"

로비를 지키는 경비를 말하는 거다.

"네. 둘이서 가끔 즉석복권 같이 맞춰 봐요."

호프는 요란하게 폭소를 터뜨리더니 지나가며 듣는 사람이 없는지 다시 어깨 너머를 확인한다. 빌리는 콜린 화이트와 다 른 비즈니스 솔루션스 직원들의 통화 명단에 켄 호프가 있을 지 궁금해진다. 아마 없을 것이다. 켄의 채권자는—빚을 지고 있는 게 분명하다고 빌리는 장담할 수 있다—전화하고 찾아 오는 그런 사람들이 아니다. 어느 시점이 되면 그냥 집으로 쳐 들어와서 수영장에 개를 빠뜨려 죽이고 수표를 쓰지 않겠다 고 하면 손가락을 부러뜨릴 사람들이다.

"그래요, 다행이네요. 그리고 스티브 브로더는요?" 빌리가 멍한 표정을 짓자 그는 부연한다. "건물 관리인이요."

"한 번도 본 적 없어요. 저기, 켄, 들러 줘서 고마워요."

빌리는 남자의 쭈글쭈글한 셔츠 어깨에 팔을 두르고 복도로 데리고 나가 엘리베이터 쪽으로 돌려세운다.

"별말씀을. 그 물건은 때가 되면 즉각 대령할게요."

"믿고 있을게요."

호프는 복도를 걸어가기 시작하지만 빌리가 그를 해치웠다고 생각한 순간 다시 돌아온다. 이제는 절박한 눈빛을 숨기지도 않고 낮은 목소리로 말한다.

"우리 사이에 아무 문제 없는 거 맞죠? 만약 나 때문에 기분 나빴거나 화난 일이 있었다면 사과할게요."

"정말 아무 문제 없어요".

이 인간이 정말 일을 망칠 수도 있겠네. 만약 그런 사태가 벌어진다면 핵폭탄을 뒤집어쓰는 사람은 닉 머제리언이 아니라 내가 될 거야.

"왜냐하면 나는 이 일이 필요하거든요." 호프는 계속 언성을 낮추고 있다. 서츠 박하사탕과 술과 크리드 향수 냄새를 풍긴다. "지금이 어떤 상황인가 하면 내가 쿼터백이고 리시버들이 커버를 당했는데 구멍 하나가 요술처럼 생긴 거나 다름없어요. 그래서 내가…… 내가……"

그의 비유가 중간에 끊겼을 때 변호사 사무실 문이 열린다. 짐 올브라이트가 나와서 화장실을 향해 간다. 그는 빌리를 보고 한 손을 든다. 빌리도 손을 들어 보인다.

"알겠어요. 전부 잘될 거예요." 그리고 달리 할 말이 생각나지 않기에 덧붙인다. "터치다운이 얼마 남지 않았어요."

호프의 얼굴이 환해진다.

"세 번째 다운에 골!"

그는 빌리의 손을 잡고 힘차게 악수하고는 의기양양해 보이려고 애를 쓰며 복도를 걸어간다.

빌리는 그가 엘리베이터 안으로 들어가 시야에서 사라질 때까지 지켜본다. *어쩌면 나는 그냥 도망쳐야 할지 몰라. 돌턴 스미스한테 맞는 러닝셔츠를 사서 도망쳐야 할지 몰라.*

하지만 그는 그러지 않을 것이다. 남아 있는 150만 달러 때문만은 아니다. 사무실 겸 회의실에서 그를 기다리는 일 때문이기도 하다. 어쩌면 두 번째 이유가 더 클 수도 있다. 빌리가 가장 하고 싶은 일은 모노폴리를 하거나 돈 젠슨과 맥주를 마시거나 필리스 스탠호프와 같이 자거나 조엘 앨런을 저격하는 것이 아니다. 그가 가장 하고 싶은 일은 글을 쓰는 것이다. 그는 앉아서 노트북을 켠다. 작업 중이던 문서를 열고 과거 속으로 뛰어든다.

7장

1

　나는 남자에게로 다가가며 어쩌면 한 번 더 쏴야 할지 모른다고 속으로 중얼거렸다. 만약 그래야 했다면 나는 그랬을 것이다. 그 남자는 우리 어머니의 남자친구였지만 잘못을 저질렀다. 죽은 것 같아 보였지만 확실하게 확인을 해야 했기에 나는 손에 침을 충분히 발라서 적신 다음 그 옆에 무릎을 꿇고 앉았다. 젖은 손을 입과 코 앞에 대고 숨을 쉬는 게 느껴지는지 알아보았다. 느껴지지 않았기에 죽었다고 확실하게 결론을 내릴 수 있었다.

　나는 이제 어떻게 해야 하는지 알았지만 먼저 케시에게 갔다. 희망의 끈을 놓지는 않았지만 그 애도 죽었다는 걸 이미 알고 있었다. 가슴이 그런 식으로 으스러졌으니 그럴 수밖에 없었다. 그래도 다시 손에 침을 충분히 발라서 적신 다음 그 애 입 앞에 갖다 댔지만 역시 숨을 쉬지 않았다. 나는 그 애를 품에 안고, 엄마가 세탁소로 출근할 때마다 동생 잘 챙기라고 했던 걸 떠올리며 울었다. 내가 동생을 챙기지 못했다. 그 개새끼를 미리 쐈어야 했는데, 그랬더라면 동생을 챙길 수 있었을 텐데. 그러면 엄마도 챙길 수 있었을 텐데. 나는 그가 가끔 엄마를 때린다는 걸 알았다. 엄마는 멍이 든 자기 눈이나 찢어진 입술을 보고 웃으며 둘이서 레슬링을 하다가 내가 내 얼굴을 쳤어 벤지라고 했지만 내가 바본 줄 아나. 아홉 살밖에 안 된 케시도 그 말을 믿지 않았다.

나는 울음을 그치고 전화기 앞으로 갔다. 신호가 갔다. 늘 그런 건 아니었는데 요금을 냈기 때문에 그날은 신호가 갔다. 내가 911로 전화하자 어떤 여자가 받았다.

나는, 안녕하세요 제 이름은 벤지 콤슨인데 어머니의 남자친구를 죽였어요 그 사람이 제 여동생을 죽여서요라고 했다. 여자는 남자가 죽은 게 확실하냐고 물었다. 나는 확실하다고 했다. 여자는 주소가 어떻게 되느냐고 물었다. 나는 힐뷰 트레일러 파크, 스카이라인 드라이브 19번지라고 말했다. 여자는 어머니도 옆에 계시냐고 물었다. 나는 아니라고, 이든데일에 있는 24시간 세탁소로 출근했다고 말했다. 여자는 내 동생도 죽은 게 확실하냐고 물었다. 나는 그렇다고, 남자가 그 애를 발로 밟아서 가슴을 으스러뜨렸다고 말했다. 손에 침을 발라서 입 앞에 대 봤지만 숨을 쉬는 게 느껴지지 않았다고 말했다. 여자는, 그래 알았다 거기 가만히 있어 경찰관 아저씨들이 금방 갈 거야라고 했다. 나는 고맙습니다라고 했다.

　총성이 울렸으니 경찰이 이미 출동하지 않았을까 싶겠지만 트레일러하우스 주차장은 그 도시의 끝에 있었고 사람들이 계속 자기 집 마당에서 사슴, 라쿤, 마멋을 쏘아 댔다. 게다가 거긴 테네시주였다. 사람들이 줄기차게 총을 쏘고 다녔다. 테네시에서는 그게 취미생활이나 다름없다.

　죽은 엄마의 남자친구가 일어나 나를 향해 달려들기라도 할 듯이 무슨 소리가 들린 것 같았다. 그럴 리 없다는 걸 알았지만 영화관으로 몰래 들어가서 본 영화가 생각났다. 나는 케시도 몰래 데리고 들어갔고 그 애는 끔찍한 부분이 나올 때마다 눈을 가렸지만 나중에 악몽을 꿨다. 그 애를 데리고 들어가는 게 못된 짓이라는 걸 알았으면서 왜 데려갔는지 모르겠다. 사람들 안에는 못된 마음이 있고 그게 가끔 피나 고름처럼 터져 나오는 게 아닐까 싶다. 나는 그럴 수만 있다면 그 영화는 되돌리고 싶지만 남자친구를 쏜 건 그러고 싶지 않다. 그 인간은 나쁜 놈이었다. 아무 힘 없는 꼬맹이를 죽인 나쁜 놈이었다. 나는 소년원에 가게 된대도 그를 죽였을 것이다.

　아무튼 공포 영화에 나오는 건 좀비뿐이다. 그 인간은 개죽음을 당했다. 나는 케시를 담요나 뭐 그런 걸로 덮어 줄까 했다가 그러면 슬프고 끔찍할 거라는 생각이 들어서 전화기 앞쪽 벽에 붙어 있는 쪽지를 보고 24시간 세탁소로 전화했다. 어떤 여자가 24시간 세탁소입니다 하고 전화를 받길래, 나는 내 이름은 벤지 콤슨이고 탈수기 담당인 엄마 알린 콤슨이랑 통화하고 싶다고 말했다. 여자는 급한 일이냐고 물었다. 나는 그렇다고 말했다. 여자가 오늘 아침에 엄청나게 바쁘다며 무슨 급한 일이냐고 물었다. 나는 그 말을 듣고 별걸 다 묻네 싸가지가 없네 생각을 했다. 내가 너무 흥분해서 그렇게 느껴졌을 수도 있지만 아니라고 본다. 나는 여동생이 죽었다고 말했다. 그게 급한 일이라고. 여자는 오 마이 갓 확실하니라고 했고 나는 제발 엄마를 바꿔 달라고 했다. 그 싸가지 없는 여자와 더는 말을 섞고 싶지 않았다.

기다렸더니 엄마가 숨을 헐떡이며 전화를 받아서 벤지 무슨 일이니 했다. 장난치는 건 아니지? 나는 그 말을 듣고 장난이면 모두를 위해 좋겠지만 장난이 아니라는 생각을 했다. 나는 술이 떡이 된 엄마의 남자친구가 팔에 깁스를 하고 들어와서 케시를 죽이고 나도 죽이려고 하길래 내가 그를 총으로 쏴서 죽였다고 말했다. 경찰이 오는 중이라고, 사이렌 소리가 들린다고, 집으로 와서 경찰이 나를 데려가지 못하게 막아 달라고, 그 인간이 아니면 내가 죽었을 거라고 했다.

나는 트레일러하우스 계단 꼭대기로 나와서 앉았다. 사실 계단이라기보다 엄마의 마지막 남자친구, 그러니까 나쁜 놈 이전의 남자친구가 시멘트 블록을 계단처럼 쌓은 것이었다. 이름은 밀턴이었고 괜찮은 사람이었다. 나는 그 사람이 계속 있어 주길 바랐는데 떠나 버렸다. 엄마 말로는 아이 둘을 떠맡기 싫어서였다고 했다. 그게 우리 잘못이라도 되는 듯이. 우리가 낳아 달라고 부탁이라도 했던 듯이. 아무튼 나는 시체와 트레일러 안에 같이 있고 싶지 않았기 때문에 계단으로 나와서 앉았다. 나는 케시가 정말 죽었을지 계속 나한테 묻고 계속 맞는다고, 죽었다고 속으로 대답했다.

경찰들이 1차로 도착해서 내가 어떻게 된 일인지 설명하고 있었을 때 엄마가 도착했다. 경찰들이 말렸지만 엄마는 안으로 들어갔고 케시를 보더니 비명을 지르고 끙끙대고 구시렁거렸다. 너무 시끄러워서 나는 손으로 귀를 막았다. 그리고 엄마에게 화가 났다. 그럼 어떻게 될 줄 알았느냐는 생각이 들었다. 그 남자는 전에도 엄마를 때렸던 것처럼 우리를 때린 적이 있는데 그럼 어떻게 될 줄 알았느냐고. 나쁜 인간들은 조만간 나쁜 짓을 저지르게 되어 있었다. 애라도 그건 안다.

이쯤 되자 온 동네 사람들이 나와서 구경하기 시작했다. 경찰 중에 착한 경찰이 있었다. 그 사람은 동네 주민들이 쉽게 들여다보지 못하는 경찰차로 나를 데려가 앉히고 안아 주었다. 글러브 박스에 사탕 있는데 먹겠느냐고 하길래 나는 괜찮다고 했다. 그 남자가 그래 벤지 어떻게 된 일인지 들어 보자 했다. 그래서 나는 얘기했다. 내가 똑같은 얘기를 몇 번 했는지 모르겠지만 제법 많았다. 아무튼 내가 울음을 터뜨리자 경찰은 나를 다시 한번 안아 주며 용감한 아이라고 했고, 나는 엄마가 그런 남자친구를 사귀었으면 좋겠다는 생각을 했다.

내가 경찰차에 앉아서 어떻게 된 일인지 설명하는 동안 경찰이 몇 명 더 왔고 **메이빌 경찰 감식반**이라고 적힌 밴도 출동했다. 밴에서 내린 경찰이 사진을 찍었고 나는 심리 때 그 사진을 몇 장 보았지만 시신 사진은 보지 못했다. 두 눈으로 직접 시신을 본 나에게 사진을 보여 주지 않은 이유를 모르겠다. 하지만 내가 하고 싶은 말은 뭔가 하면 그가 찍은 사진 중 한 장이 신문에 실렸다는 것이다. 동생이 만든 쿠키가 온 바닥에 쏟아진 사진이었다. 그 아래에 **쿠키 때문에 죽임을 당한 아이**라고 적혀 있었다. 나는 그 사진을 절대 잊지 못했다. 얼마나 비열한 동시에 진실이었는지를.

나는 심리에 참석해야 했다. 판사가 아니라 다른 세 사람이 있었다. 선생님처럼 생겼고 선생님처럼 말하는 남자 두 명과 여자 한 명이었다. 그 방 안에는 그 사람들과 나와 우리 어머니와 맨 처음 트레일러하우스에 도착한 경찰들뿐이었다. 경찰들은 그곳을 '현장'이라고 불렀다. TV 프로그램 「로앤오더」와 달리 우리에겐 변호사가 없었고 있을 필요도 없었다. 여자가 나더러 용감한 아이라고 하고, 어머니에게는 내가 상담을 받아야 된다고 했다. 어머니는 좋은 생각이라고 해 놓고 나중에 나더러는 땅을 파면 돈이 나오는 줄 아는 사람이 있다고 했다.

우리는 나오려고 했고 나는 이제 끝난 줄 알았는데 세 남자 중에서 한 남자가 말했다. 잠깐만요, 콤슨 부인. 제가 드릴 말씀이 있습니다. 부인도 이번 비극에 일말의 책임을 져야 한다는 겁니다. 그러고 나서 그 남자는 전갈이 마음씨 착한 개구리에게 자기를 등에 업고 물살이 거센 강을 건너 달라고 애원해 놓고 중간쯤 갔을 때 개구리를 침으로 쏜 이야기를 들려주었다. 개구리가 왜 그랬느냐고 이제 우리 둘 다 물에 빠져 죽게 되지 않았느냐고 묻자 전갈은 침으로 쏘는 게 내 본능이라고, 나를 등에 업었을 때 너도 내가 전갈인 걸 알지 않았느냐고 했다.

그러고 나서 남자는 콤슨 부인이 전갈을 선택했고 그자가 어린 따님을 쏘아서 죽인 겁니다 했다. 아드님까지 잃었을 수도 있어요. 아드님은 목숨을 부지했지만 이 충격과 상처가 평생 갈 거예요. 다음번에는 전갈을 만나거든 등에 태우지 말고 밟아 버리시길 바랍니다.

엄마는 얼굴이 시뻘게져서 얻다 대고 그런 말을 하느냐고 했다. 나는 이런 일이 벌어질 줄 알았다면 우리 애들을 위험하게 만들 일을 저지르지 않았을 거예요. 남자가 말했다. 부인이 벤저민의 양육권을 빼앗기지 않은 건 우리가 부적격 사실을 입증하지 못했기 때문입니다. 하지만 러셀 씨의 폭력적인 성향을 단 몇 번이라도, 어쩌면 여러 번 접하셨을 텐데요.

우리 어머니는 눈물을 흘렸고 그걸 보고 나도 울고 싶어졌다. 어머니는 거기 그렇게 잘난 척 앉아서 너무하시는군요라고 했다. 굶어 죽지 않으려고 40시간 동안 막노동을 해 본 적 있어요? 남자는 지금 제 얘기를 할 때가 아니잖습니까 콤슨 부인이라고 했다. 안타까운 선택으로 인해 아이 하나를 잃으셨네요. 남은 아이는 잘 지키시기 바랍니다. 오늘 심리는 마치겠습니다.

2

여러 인물로 지냈던 그해 여름 중간에 빌리는 밥 레인스의 죽음과 그 후 있었던 심리 이야기를 다시 읽어 본다. 그런 다음 창문 앞으로 가서 법원을 내다본다. 보안관 차량이 길가에 세워져 있다. 갈색 유니폼을 입은 경찰 두 명이 앞자리에서 내린다. 한 명이 뒷문을 열고 둘이서 거기 타고 있던 사람이 내리길 기다린다. 재소자는 팔다리가 길고 호리호리하며 엉덩이가 나온 카펜터 청바지와 아칸소 레이저백이라고 적힌 밝은 자주색 맨투맨을 입고 있다. 이런 날씨에 맨투맨이라니 쪄죽겠다. 450미터 거리에서 보아도 인생 조진 머저리라는 걸 알 수 있겠다. 두 경찰이 재소자의 팔을 한쪽씩 잡고 그를 기다리는 판결을 향해 넓은 계단을 올라간다. 때가 되면(때가 올지 모르겠지만) 바로 지금 방아쇠를 당겨야겠지만 빌리는 딴생각을 하고 있다. 자신의 이야기에 대해 생각하고 있다.

그는 *바보 빌리*의 관점에서 이야기를 쓰기 시작했는데 의도와 다른 글이 되었고, 어느 정도 시간을 두고 읽어 본 다음에야 그 사실을 알아차렸다. *바보 빌리*가 그 안에 있기는 하고 누구든, 예를 들어 닉과 조르조라도 이 글을 읽으면《스타 매거진》이나《인사이드 뷰》,「아치」만화책 시리즈가 어울리는 인간이 썼다고 생각하겠지만 그게 다가 아니다. 문제는 *어린 빌리*의 음성이다. 빌리는 그 음성으로—적어도 의식적인 선상에서는—글을 쓸 생각이 없었는데 결국 쓰고 말았다. 마치 최면에 걸려서 그 시절로 퇴행하기라도 한 것처럼. 어쩌면 글이라는 게, 정말 의미 있는 글인 경우에는 그런 것일지 모른다.

이게 의미 있는 글일까? 읽을 사람이 그와, 어쩌면 이미 흥미를 잃었을지 모르는 라스베이거스의 강성파 두어 명뿐인데?

"의미 있어." 빌리는 창문에 대고 말한다. "내 이야기니까."

맞다. 그리고 실화이기에 의미가 있다. 이름을 살짝 바꾸기는 했다. 캐시를 케시로 바꿨고 어머니 이름은 알린이 아니라 달린이었다. 하지만 그것 빼고는 실화다. 어린 빌리의 목소리도 진짜다. 그 아이는 심지어 심리 법정에서도 자기 목소리를 낸 적이 없었다. 묻는 말에 대답은 했지만 가슴이 으스러진 캐시를 안고 있었을 때 기분이 어땠느냐고 물은 사람은 없었다. 엄마가 동생 잘 챙기라고 했는데 온 세상에서 가장 중요한 그 일에 실패했을 때 기분이 어땠느냐고 물은 사람은 없었다. 가망이 없다는 걸 알면서도 침 묻힌 손을 동생의 입과 코 앞에 갖다 댔을 때 기분이 어땠느냐고 물은 사람은 없었다. 심지어 그를 안아 준 경찰도 묻지 않았으니 그 아이에게 발언 기회를 주고 얼마나 속이 후련했는지 모른다.

그는 돌아가 맥북을 열고 자리에 앉는다. 화면을 본다. 무대가 스테프넥 하우스로 바뀌면—여기서는 스펙 하우스라고 해야지—좀 더 나이를 먹은 아이의 목소리로 바꿔야지. 내가 좀 더 나이를 먹은 때였으니까.

빌리는 자판을 두드리기 시작한다. 처음에는 느리지만 점점 속도가 빨라진다. 그를 두고 온 사방에서 여름이 흘러간다.

3

심리가 끝나자 엄미와 나는 집으로 돌아갔다. 케시를 땅에 묻었다. 그 남자친구는 누가 묻어 주었는지 모르겠고 관심도 없다. 가을이 되자 다시 학교에 다니기 시작했지만 몇몇 친구가 나를 총잡이 벤지라고 불렀고 나는 그해에 유급을 당했다. 싸움을 벌이고 다니지는 않았지만 학교를 워낙 많이 빼먹었기 때문인데, 엄마는 끌려가서 위탁 가정에 맡겨지고 싶지 않으면 정신 차리라고 했다. 그러고 싶지 않았기 때문에 다음 해에는 좀 더 열심히 노력해서 유급을 피했다. 내가 스펙 하우스에 맡겨진 건 내가 아니라 엄마 때문이었다.

케시가 죽은 뒤로 엄마는 술을 많이 마시기 시작했다. 대개 집에서 마셨지만 가끔 술집에서 마실 때도 있었고 남자를 집으로 데려올 때도 있었다. 내가 보기에는 하나같이 나쁜 남자친구였다. 그러니까 쓰레기였다. 그런 일이 벌어진 뒤에도 엄마가 왜 다시 똑같은 남자들을 만났는지 모르겠지만 엄마는 아무튼 그랬다. 꼭 토해 놓고 그걸 다시 먹는 개 같았다. 이 말이 어떻게 들릴지 나도 알지만 취소하지 않겠다.

엄마와 그 남자들은, 못해도 세 명 어쩌면 다섯 명은 되었는데, 방으로 들어갔고, 엄마는 그냥 장난을 치는 거라고 했지만 나는 당연히 그들이 떡을 치고 있다는 걸 알 만한 나이였다. 그러던 어느 날 밤에 엄마는 집에서 술을 마시다 말고 치지츠 과자를 사러 편의점에 갔다가 돌아오던 길에 음주 단속에 걸렸다. 엄마는 음주 운전으로 끌려가

24시간 동안 철창 신세를 졌다. 그러고도 나를 빼앗기지 않았지만 6개월 동안 면허가 정지돼서 세탁소까지 버스를 타고 다녀야 했다.

엄마는 면허 정지가 풀리고 일주일이 지났을 때 다시 음주 단속에 걸렸다. 다시 심리가 열렸고 이번에는 오로지 나를 위한 심리였는데 맙소사, 전갈과 개구리 이야기를 들려주었던 그 남자가 처음 보는 두 명과 함께 앉아 있지 뭔가! 그가 다시 뵙는군요 했다. 엄마는 네 다시 뵙네요 제가 딸아이를 잃은 건 아시죠 했다. 제가 어떤 고통을 겪었는지 아시죠. 남자는 알죠, 그런데 그 일을 통해 배우신 게 없나 보네요, 콤슨 부인 했다. 엄마는 제 입장이 되어 보신 적 없잖아요 했다. 이번에는 엄마 옆에 변호사가 있었지만 말을 별로 하지 않았다. 이후에 엄마는 변호사에게 지랄을 떨며 뭐에 쓰는 인간이냐고 했다. 그 남자는 제가 할 일이 별로 없던데요, 콤슨 부인 했다. 엄마는 당신 해고야 했다. 변호사는 제가 먼저 그만뒀으니 해고가 아닙니다 했다.

다음 날 다시 법원으로 찾아갔더니 어머니더러 부적격자라며 나를 스펙 하우스라는 위탁 가정으로 보내겠다고 했다. 어머니는 헛소리도 풍년이라며 대법원에 갈 때까지 싸우겠다고 했다. 개구리와 전갈 이야기를 들려주었던 남자는 술을 마시고 왔느냐고 했다. 엄마는 엿이나 먹어라 이 돼지 새끼야라고 했다. 남자는 응수하지 않고 24시간을 줄 테니 벤지의 짐을 챙기고 작별 인사를 하세요, 콤슨 부인이라고 했다. 멀쩡한 정신으로 그러면 아이에게도 더 의미가 있을 겁니다. 그러고는 다른 두 명과 함께 밖으로 나갔다.

우리는 집까지 버스를 타고 갔다. 어머니는 우리 도망치자, 벤지라고 했다. 다른 도시로 가서 이름을 바꾸자. 다시 시작하자. 하지만 우리는 다음 날에도 거기 있었고 그날이 내가 힐뷰 트레일러 파크에서 보낸 마지막 날, 어머니와 함께 지낸 마지막 날이었다. 경찰이 와서 나를 스펙 하우스로 데려갔다. 나는 나를 안아 주었던 경찰이 와 주길 바랐지만 다른 경찰이었다. 하지만 멀킨 보안관보도 나쁘지는 않았다.

아무튼 엄마는 정신이 멀쩡했기 때문에 난리를 부리지 않았다. 엄마는 경찰에게 정말로 이럴 줄은 몰라서 여태 아이 짐을 안 챙기고 미적거리고 있었어요라고 했다. 15분만 주세요. 경찰은 알았다고 했고 엄마가 더플백 가득 내 옷을 넣는 동안 밖에서 기다렸다. 엄마는 땅콩버터와 잼을 바른 샌드위치 두 개를 만들어 도시락 가방에 넣어 주며 말썽 피우지 말고 잘 지내라고 했다. 그러고는 울음을 터뜨렸다. 나도 울었다. 내가 떠나야 하는 건 엄마 때문이었고, 모든 게 엄마 때문이었고, 전갈을 등에 태운 사람도, 계속 술을 마시면서 케시 핑계를 댄 사람도 엄마였지만, 나는 엄마를 사랑했기 때문에 울었다.

밖으로 나가자 경찰은 에번스빌에 있는 스펙 하우스에 도착하면 내가 연락을 할 수 있을 거라고 했다. 엄마는 나더러 옆집에 사는 틸릿슨 부인에게 연락하라고 하고는 경찰에게 전화가 고장 나서 그렇다고 했다. 또다시 전화요금을 내지 않은 것이었다. 멀킨 보안관보는 그러면 되겠다며 나더러 엄마를 안아 드리라고 했다. 나는 그가 시킨 대로 했다. 항상 향긋했던 엄마의 머리 냄새를 맡았다. 에번스빌까지는 두 시간쯤 걸렸다. 나는 앞자리에 앉았다. 뒷자리는 앞자리와의 사이에 철창이 있어서 우리 같아 보였다. 경찰은 나더러 문제를 일으키지 않으면 뒷자리에는 탈 일이 없을 거라고 했다. 그러면서 문제를 일으키지 않을 거냐고 물었고 나는 그럴 거라고 대답했지만 경찰차를 타고 위탁 가정으로 갈 정도면 이미 문제가 생긴 거 아니냐는 생각을 했다.

나는 샌드위치를 한 개 먹다가 도시락 가방 안에 데빌 에그*도 있는 걸 보고 그걸 만들었을 엄마가 생각나서 다시 울었다. 경찰은 내 어깨를 토닥이며 차츰 괜찮아질 거라고 했다. 조그만 이름표에는 F.W.S. 멀킨이라고 적혀 있었다. 나는 F.W.S.가 무슨 특별한 역할인 줄 알고 그게 무슨 뜻이냐고 물었다. 그 사람은 자기 이름 프랭클린 윈필드 스코트 멀킨의 줄임말이라며 나더러 그냥 프랭크라고 부르면 돼, 벤지라고 했다.

나는 그때 울음을 그쳤지만 슬프고 겁이 난 티가 났는지 그 사람이 내 어깨를 토닥이며 괜찮을 거야, 벤지라고 했다. 거기 가면 다른 애들도 많고 다들 잘 지내고 있어. 너도 행동거지 조심하면 잘 지낼 수 있을 거야. 나는 이 일대의 위탁 양육이 어떤 환경인지 아는데 스펙 부부가 아주 저질은 아니야. 아주 훌륭하지도 않지만 지금까지 우리하고 아무 충돌이 없었거든. 내가 어떤 경우도 본 적 있는지 듣고 싶지 않을걸? 가서 행동거지를 조심하고 가끔 참아 가며 사이좋게 지내면 아무 문제 없을 거다.

---

* 달걀을 삶아서 반으로 갈라 노른자를 꺼내고 여러 가지 재료와 함께 버무려 다시 채워 넣은 음식.

나는 엄마가 보고 싶다고 말했다. 남자는 당연하다고, 어머니가 정신을 추스르면 다시 심리가 열릴 테고, 그러면 나는 집으로 돌아갈 수 있다고 했다. 그 전에는 너희 어머니가 매주 수요일 저녁과 토요일이나 일요일 7시 이전에 와서 너를 만날 수 있어. 어머니한테 연락 드릴 때 그거 꼭 말씀드려라.

우리 엄마는 다시 정신을 추스르지 못했다. 계속 술을 마셨고 남자친구를 통해 필로폰을 알게 됐다. 필로폰을 하면 계속 몽롱하기 때문에 정신을 추스를 수가 없다. 처음에 엄마는 나를 만나러 자주 왔지만 어쩌다 한 번씩을 거쳐 가뭄에 콩 나듯이로 줄었다가 아예 발길을 끊었다. 마지막으로 왔을 때는 이가 몇 개 없었고 머리가 떡졌다. 엄마는 너한테 이런 모습 보이기 싫구나 벤지라고 했고, 나는 저도 싫어요라고 했다. 엄마 엉망진창이네요라고 했다. 그 무렵 나는 사춘기였고 마음의 상처가 있는 사춘기 아이들은 남에게 상처가 되는 말을 마구 퍼붓기 마련이다.

스펙 하우스는 시골에 있었다. 다 쓰러져 가긴 해도 방이 엄청 많은 3층짜리 대저택이었다. 어쩌면 4층이었을 수도 있다. 겉보기에는 근사했지만 안은 낡았고 외풍이 심하고 비가 새고 겨울에 추웠다. 로니의 표현을 빌자면 냉장고에 넣어 둔 갈보 보지만큼 추웠다. 하지만 나는 거기 도착했을 때 새집인 줄 알았다. 다 쓰러져 가거나 말거나 가장자리를 파랗게 칠한 새빨간 외벽 때문이었다. 나도 금세 알게 된 사실이지만 그 집에 맡겨진 아이들이 시급 2달러를 받아 가며 해마다 칠한 외벽이었다. 어느 해는 초록색 바탕에 가장자리는 흰색이었다가 다음 해는 노란색 바탕에 가장자리는 초록색, 이런 식이었다. 나와 로니가 거길 '페인트칠을 하다가 미칠 집'이라고 부른 데에도 다 이유가 있었다! 내가 해병대에 입대하던 해에는 다시 빨간색과 파란색으로 돌아갔다. 로니는 그나마 페인트칠을 하니까 이 넓은 폐가가 무너지지 않고 버티는 거야, 벤지라고 했다. 우스갯소리였고 그 애는 항상 그런 식으로 우스갯소리를 늘어놓았지만 맞는 말이기는 했다. 내가 보기에는 대부분의 우스갯소리마다 진실이 조금씩 섞여 있고 그래서 그게 재미있는 거다.

F.W.S. 멀킨 보안관보는 스펙 부부가 아주 나쁘지도 않고 아주 훌륭하지도 않다고 했는데 과연 그랬다. 내가 해병대에 자원 입대할 수 있는 나이가 될 때까지 5년을 거기서 지내는 동안 스펙 부인이 수건이나 행주로 내 옆통수를 친 적은 있어도 손으로 때린 적은 없었고, 담뱃불에 눈을 한쪽 잃은 여섯 살짜리 폐기 파이처럼 어린 아이들은 절대 건드리지 않았다. 부인이 내 옆통수를 때렸을 때도 그럴 만한 이유가 있었다. 스펙 씨가 아이들을 때리는 건 두어 번밖에 본 적 없었다. 그중 한 번은 지미 다이크먼이 돌을 던져 덧창을 깼을 때였고 또 한 번은 새러 피바디가 폐기를 가운데 두고 춤추고 돌며 폐기 파이, 폐기 파이, 가슴에 십자가를 긋고 죽길 바라, 애꾸눈 폐기 파이, 하고 노래를 불렀을 때였다. 스펙 씨는 그 노래를 듣고 새러의 얼굴을 때렸다. 새러는 못된 아이였다. 한번은 내가 그 애한테 나중에 뭐가 되고 싶으냐고 물은 적이 있었는데, 콜걸이 돼서 유명한 남자들과 떡을 쳐서 돈을 벌겠다고 했다. 그러고는 농담이라는 듯 깔깔대고 웃

었으니 농담이었을 수도 있다.

스펙 부부는 좋은 사람도 나쁜 사람도 아니었다. 테네시주 정부에서 받는 돈으로 살아가는 사람들이었을 뿐이다. 그들은 모든 심사를 통과했다. 우리는 버스를 타고 학교에 다녔고 항상 깨끗한 옷을 입었고, 내가 해병대에 입대하기로 결심했을 때는 스펙 씨가 나와 함께 심리에 두 번 참석해 어머니에게서 나를 분리하고 내 법정 후견인이 되어 주었다. 그래야 스펙 씨가 서명한 서류로 내가 18세까지 기다리지 않고 17세 6개월 때 입대할 수 있었기 때문이었다. 나는 어머니가 분리 심리에 참석하지 않을까 생각했었지만 아니었다. 그런 심리가 열리는 줄도 몰랐을 테니 어머니가 무슨 수로 참석할 수 있었을까? 내가 알리고 싶었어도 어머니는 그 트레일러 파크에서 나왔고 어머니를 필로폰 중독자로 만든 남자친구와 잠깐 동안 함께 살았던 아파트에서도 마찬가지였다. 이 두 번의 심리 뒤에 스펙 씨는 내게 이제 네 마음대로 살 수 있게 됐으니 하느님의 가호가 있길 바란다, 벤지라고 했다. 내가 하느님을 믿지 않는다고 하자, 스펙 씨는 믿게 될 거고 두고 보면 안다고 했다.

내가 페인트칠을 하다가 미칠 집에서 배운 게 있다면 이 세상은 좋은 사람과 나쁜 사람, 이렇게 둘로 나뉘지 않는다는 것이었다. 내가 어렸을 때 TV를 보며 생각했던 것과 다르게 이 세상은 셋으로 나뉘었다. F.W.S. 멀킨 보안관보가 내게 가르쳤던 것처럼 가끔 참아 가며 사이좋게 지내는 사람들이 세 번째 부류다. 이 세상 사람 대부분이 여기에 해당하는 회색 인간들이다. 그들은 (최소한 일부러는) 나를 해치지 않지만 나를 돕지도 않는다. 네 마음대로 살되 하나님의 가호가 있길 바란다고 한다.

내가 생각하기에 이 세상은 각자 알아서 살아가야 하는 곳이다.

내가 페인트칠을 하다가 미칠 집에 들어갔을 때 거기에는 나를 포함해 열네 명의 아이들이 살고 있었다. 로니는 13이 불길한 숫자니 잘됐다고 했다. 가장 어린 아이는 페기 파이였고 가끔 옷에다 오줌을 쌌다. 쌍둥이인 티미와 토미는 여섯 살 아니면 일곱 살이었다. 가장 나이가 많았던 글렌 더튼은 열일곱 살이었고 내가 들어가고 얼마 안 있어 군에 입대했다. 하지만 그는 스펙 씨를 법정 후견인 삼아 서류에 서명을 받을 필요가 없었다. 월급을 보내 주겠다는 말을 듣고 글렌의 어머니가 직접 서명을 해 주었기 때문이었다. 글렌이 나와 로니에게 말하길 자기 엄마는 돈이 된다고 하면 자기를 이슬람 족속에게 노예로 팔아먹고도 남을 년이라고 했다. 글렌은 덩치가 컸고 욕을 입에 달고 다니는 게 꼭 뱃사람처럼 욕을 하는 로니보다 더 심했지만 덩치가 작은 아이들을 절대 괴롭히지 않았다. 그런가 하면 페인트칠의 귀재라 항상 제일 높은 비계에서 작업했다.

멀킨 보안관보가 진입로에 경찰차를 댔을 때 나는 눈을 거의 뜰 수가 없었다. 집 옆으로 시야가 닿는 저 끝까지, 몇 미터가 아니라 몇백 미터가 폐차 천지였다. 알고 보니 언덕 이쪽을 넘어 저쪽까지 계속 이어졌고, 가면 갈수록 더 낡고 녹이 심해졌다. 아직 앞 유리창이 남아 있는 모든 차의 앞 유리창이 햇빛을 반사했다. 스펙 하우스에서 500미터쯤 가면 골함석으로 만들어진 초록색 자동차 정비소가 있었다. 그 안에서 사람들이 공압 드릴과 랜치를 돌리는 소리가 들렸다. 앞에 스펙스 자동차 부품, 소규모 정비, 최고의 제품을 최저가로라고 적힌 간판이 달려 있었다.

멀킨 보안관보는 스펙의 남동생이 하는 곳이야, 정말 흉측하지 않니라고 했다. 주택지구 밖이라 저래도 처벌을 받지 않아. 네 위탁 부모가 될 스펙의 집은 주택지구 바로 안쪽이라 양옆과 뒷면에 철조망을 쳐야 했고. 네가 철조망을 보고 감옥으로 착각할까 봐 알려 주는 거야. 저 자동차 무덤은 위험한 곳이다 벤지. 출입 금지인 이유가 있어. 저기 발을 들여놓을 생각 자체를 하지 마라, 알았지? 나는 알았다고 대답했지만 당연히 들락거렸다. 나와 글렌과 로니와 도니. 아니면 나와 로니 단둘이, 그리고 글렌이 입대한 뒤에는 가끔 도니까지, 로니가 도망친 뒤에는 대개 나 혼자. 가끔 로니가 어디로 도망쳤을지 궁금해진다. 잘 지내고 있으면 좋겠다. 로니가 없어지자 슬펐다. 어쩌면 그 때문에 내가 해병대에 입대했을 수도 있지만 솔직히 얘기하자면 어찌됐건 입대했을 것이다.

내가 스펙네 집 아이로 지낸 5년은 페인트칠을 하다가 미칠 집의 색깔이 세 번 바뀔 만큼 긴 시간이었다. 그 기간 동안 기억에 남을 만한 사건이 벌어진 적 있다면 나를 총잡이 벤지라고 부르던 남자아이 두 명과 싸우다가 학교에서 정학을 당한 거였다. 숱하게 받은 놀림이었지만 그날은 신물이 났다. 두 아이가 나보다 덩치가 컸지만 나는 둘 중 한 명에게 눈에 멍이 들고 다른 한 명에게 코가 거의 부러질 정도로 맞았는데도 싸움을 멈추지 않았다. 내 코를 부러뜨릴 뻔했던 아이는 이름이 재러드 클라인이었는데, 내가 그 아이 바지를 잡고 확 내려서 오줌 자국이 남은 팬티를 온 사방에 공개했다. 그 아이는 그걸로 충분히 놀림을 당했으니 죗값을 치렀다.

또 한 가지 기억에 남을 만한 사건이 있다면 페기 파이가 폐렴에 걸려서 입원한 거였다. 그로부터 일주일인가 10일 뒤에 스펙 부인이 우리 모두를 거실로 불러 모으고는 페기가 죽어서 예수님이 계신 하늘나라로 올라가 이제 양쪽 눈으로 볼 수 있게 됐다며 기도를 하자고 했다. 도니 위그모어가 거기서는 좀 더 맛있는 음식을 먹을 수 있기 바란다고 하자 스펙 부인은 한 대 맞고 싶지 않으면 그 잘난 입 다물고 있으라고 했다. 어찌됐건 우리는 페기의 영혼을 위해 기도했다. 로니는 도니가 한 말을 듣고 웃음이 터지지 않게 입을 막았지만 울고 있었다. 다른 아이들도 마찬가지였다. 페기는 모두의 '귀염둥이'였다. 나는 울지는 않았지만 마음이 안 좋았다. 나중에 나와 로니와 글렌과 도니가 데모 더비에 갔을 때 로니는 또다시 눈물을 흘렸다. 글렌이 그 애를 안아 주자 로니는 페그 참 귀엽지 않았느냐고 했고, 글렌은 맞다고, 귀여웠다고 했다.

잠시 후에 로니가 나를 끌어안길래 나도 그 애를 끌어안았다. 나는 로니 기븐스를 사랑하고 있었으니 페기의 죽음으로 누린 행복한 순간이었다. 로니는 나보다 두 살 많았고 글렌에게 뿅간 상태였으니 그래 봐야 소용없다는 걸 알았지만 감정은 어쩔 수 없는 거다. 감정은 숨을 쉬는 것과 같아서 제멋대로 왔다가 간다.

우리는 페인트칠을 하다가 미칠 집 뒤편, 스펙스 자동차 부품 가게 옆에 있는 폐차장을 데모 더비라고 불렀다. 거긴 우리만의 특별한 공간이었다. 근처에 얼씬도 하지 말라는 소리를 들으니 더 가고 싶어졌다. 로니는 에덴동산에서 이브가 먹지 말아야 하는데 먹었던 금단의 열매 비슷하다고 했다. 그러자 글렌은 앞 유리창으로 햇빛을 반사시켜 한 개의 태양을 수백 개로 만들어 놓는 줄줄이 이어지는 폐차를 향해 손을 저으며 그렇다면 여기는 빌어먹을 과수원이라고 했다. 그 말을 듣고 나와 로니는 웃음을 터뜨렸다.

우리는 거기 들어가면 캐딜락이나 링컨이나 BMW처럼 최고로 좋은 차를 찾았다. 한번은 뒷부분이 통째로 날아간 메르세데스 리무진을 발견한 적도 있었다. 글렌은 항상 빗자루를 들고 다니면서 들어가서 앉기 전에 자동차 시트를 내리쳤다. 쥐가 있으면 내쫓기 위해서였다. 한번은 엄청 큰 쥐가 튀어나온 적도 있었다. 그때는 도니가 같이 있었는데 그가 그걸 보고 저기 스펙 씨가 간다고 해서 우리 모두 배꼽을 잡고 웃었다. 아무튼 우리는 그런 차에 앉아서 멀쩡한 차를 타고 어디론가 달리는 척했다.

우리가 데모 더비를 아무렇지 않게 드나들 수 있었던 이유는 마당 뒤쪽 구석의 철조망에 구멍이 뚫려 있었기 때문이었다. 한번은 글렌이 정신줄을 놓은 아이들이 이 구멍으로 얼마나 많이 도망을 쳤을지, 그 아이들이 지금 어디 있을지 누가 알겠느냐고 한 적이 있었다. 그 말을 듣고 우리 모두 웃음을 터뜨렸지만 잠시 후에 로니가 좋은 데는 못 갔겠지라고 했다. 도니는 그 말을 듣고 또 웃었지만 글렌과 나는 그렇지 않았다. 나는 글렌을 쳐다보았고 글렌은 나를 쳐다보았고 우리 둘 다 '좋은 데는 못 갔겠지'라는 말에 대해 생각하고 있었다!

어떨 때는 글렌이 운전석에 앉아서 운전을 하는 척하고 로니가 조수석에 앉았다. 또 어떨 때는 반대였다. 글렌은 조수석에 앉으면 **으악 로니 씨발 저 개 치겠어** 이런 식으로 외쳤고 그러면 로니는 핸들을 잡고 돌려서 피하는 척했다. 그러면 글렌은 그 애 무릎에 머리를 떨구며 쓰러졌고 로니는 글렌을 밀치며 바보야 안전벨트 매라고 했다.

나는 항상 뒤에 앉았다. 도니도 따라오면 같이 앉았지만 대개는 나 혼자였다. 나는 뒷자리가 좋았다. 두어 번 글렌이 맥주를 한 캔 들고 와 셋이서 마지막 한 방울까지 나눠 마신 적도 있었다. 그러고 나면 로니가 술 냄새 풍기지 않게 서츠 박하사탕을 주었다. 한번은 글렌이 맥주를 세 캔 들고 오는 바람에 다 같이 취했고 로니가 핸들을 휙휙 돌리자 글렌이 경찰한테 잡히지만 말라고 한 적도 있었다. 다른 아이들은 깔깔대고 웃었지만 나는 웃지 않았다. 우리 어머니가 정말로 경찰에 잡혔기 때문에 장난처럼 받아들일 수 있는 일이 아니었다.

도니는 담배를 피웠다. 글렌에게 맥주를 파는 사람이 도니에게 담배도 팔았는지 그건 잘 모르겠지만 그 녀석은 말보로를 한 갑씩 자기 침대 아래 마루 아래에 숨겨 놓았다. 그 녀석이 담배를 피우는 곳은 주로 부엌 옆 뒷마당이었는데, 하루는 우리가 큼지막한 뷰익 에스테이트 왜건을 타고 라스베이거스에 가서 룰렛을 돌리고 주사위를 던지려는 흉내를 내고 있었을 때 그 녀석이 담배를 꺼낸 적이 있었다. 그걸 보고 로니가 마른 풀과 쏟아진 오일 천지인 여기서는 담배 피울 생각을 하지 말라고 했다. 도니는 너 생리 중이야 뭐야라고 했다. 그 말을 듣고 글렌이 고개를 돌려서 주먹을 들어 보이며 앞니 부러지고 싶지 않으면 당장 그 말 취소하라고 했다. 나중에 내가 팔루자로 파병됐을 때 웨스트 병장이 우리가 조각 피자라고 부른 지역의 반군 안전 가옥에 대고 RPG를 쏜 적이 있었는데 안에 보관된 탄약 때문에 파편이 하늘로 솟구쳤다. 예상하지 못했던 일이었기 때문에 우리 모두 목숨을 잃지 않은 것이 천만다행이었다. 그때 도니가 페인트를 보관하던 창고에서도 가끔 담배를 피웠던 게 생각났다. 그 안이 데모더비보다 훨씬 위험했을 수도 있었다.

도니는 그 말을 취소했지만 로니는 글렌의 어깨를 세게 때렸다. 내가 할 말을 네가 대신할 필요 없어 더튼이라고 했다.

로니는 화가 나면 상대방의 성을 불렀다. 그 애는 뒷자리로 고개를 돌려서 말했다. 내가 생리 중이라 불이 날까 봐 걱정하는 게 아니야, 위그모어. 나한테는 이게 있거든. 그 애는 팔을 내밀어 번들번들한 화상 흉터를 보여 주었다. 우리 모두 전에도 본 적 있는 흉터였고 팔뚝 중간에서부터 어깨까지 이어졌다. 로니의 부모님은 집에서 불타 죽었다. 로니는 늦지 않게 2층에서 뛰어내려 팔과 그쪽 다리 일부와 머리칼이 불타는 데 그쳤다. 그 애가 페인트칠을 하다가 미칠 집으로 오게 된 사연이 그거였다. 친척이라고는 이모 하나뿐이었는데 로니를 맡지 않겠다고 했다. 이모는 딱 한 번 병문안을 와서 로니에게 지독하게 말을 안 듣는 자기 아이 둘을 키우는 것만으로도 힘들다고 했다. 로니는 이모를 뭐라 할 수는 없다고 했다.

로니가 말했다. 나는 불이 얼마나 무서운지 알아. 잊어버리더라도 이 팔을 보면 퍼뜩 생각이 나. 도니는 미안하다고 말했고 나도 그랬다. 나는 사과할 이유가 없었지만 로니가 화상을 입었다는 데 가슴이 아팠다. 하지만 또 한편으로는 예쁜 얼굴은 멀쩡해서 다행이라고 생각했다. 아무튼 우리는 그 뒤로 다시 친구처럼 지냈지만 도니 위그모어는 로니나 글렌과 달리 진정한 친구는 아니었다.

4

"우리는 데모 더비에서 재밌는 시간을 보냈지."

빌리는 다시 창밖으로 법원을 내다보고 있다. 8월이 지나고 9월로 접어 들었지만 여전히 뜨거운 공기가 어른거린다. 도로에서 파도치는 열기가 눈에 보인다. 페인트칠을 하다가 미칠 집의 부엌 뒤편에 달린 거대한 소각로 위에서 공기가 그런 식으로 어른거리곤 했던 게 생각난다.

스펙 부부는 스테프넥 부부였고, 로니 기븐스는 로빈 매과이어였고, 글렌 더튼은 개즈던 드레이크였다. 빌리가 짐작하기로는 개즈던 매입지*에서 따온 이름이다. 그는 해병대 복무 시절에 멕시코로부터 매입한 그 척박한 땅덩이를 다룬 『노예 제도, 추문 그리고 강철 레일』을 읽은 적이 있었다. 2004년

---

* 1853년에 미국이 멕시코로부터 사들인 영토.

에 팔루자에서 4월에 단호한 결의 작전을, 11월에 유령의 분노 작전을 수행하던 중간에 읽었다. 개즈던이 말하길 폐암으로 죽음을 앞둔 엄마에게 오래전에 떠난 아버지가 역사 선생님이었다는 얘기를 들었다고 했으니 어느 정도 앞뒤가 맞았다. *나 말고도 개즈던이 또 있겠지.* 어느 날 데모 더비에서 어디론가 떠나는 흉내를 내던 도중에 그가 말했다. *하지만 열 명은 넘지 않을 거야. 개즈던을 이름으로 쓰는 사람은.*

빌리는 친구들 이름을 바꿨지만 데모 더비는 언제까지나 데모 더비였고 그들은 정말 그곳에서 재밌는 시간을 보냈다. 개즈던이 입대하고 로빈은 도망치기 전까지.

로빈은 어디로 가겠다고 했더라? "마법의 부츠를 신고 행운을 찾아 나서겠다"고 했다. 그뿐이었다. 다만 그녀가 신고 나선 것은 한 걸음에 7리를 간다는 마법의 부츠가 아니라 양옆 고무줄이 다 늘어지고 여기저기 쓸린 스웨이드 부츠였다.

나는 그 난장판의 와중에 그녀를 사랑했지. 빌리는 생각하며 다시 한두 단락만 더 쓰고 오늘 하루를 마무리 지으려고 한다.

8장

1

근로자의 날이 있는 주간에 두 가지 안 좋은 일이 벌어진다. 하나는 경종을 울리는 바보 같은 사건이고 또 하나는 빌리 내면의 다소 불쾌한 면모가 드러난 사건이다. 이 둘이 합쳐지면서 레드 블러프에서 한시라도 빨리 탈출하는 것이 상책이겠다는 깨달음이 찾아온다. 이렇게 대기 시간이 긴 일은 맡는 게 아닌데. 그는 주말을 마감하며 생각하지만 알 도리가 없었다.

무엇을 알 도리가 없었을까? 첫째는 애커먼 가족과 에버그린 가의 다른 주민들이 그를 그 정도로 좋아하게 되리라는 것. 둘째는 그도 그들을 좋아하게 되리라는 것.

휴일이 낀 그 주 토요일에 시내에서 퍼레이드가 펼쳐진다.

빌리와 애커먼 가족은 자말이 엑설런트 타이어에서 빌린 밴을 타고 구경하러 간다. 섀니스가 어머니와 빌리의 손을 한쪽씩 잡은 가운데, 그들은 인파를 헤치고 홀랜드 가와 메인 가가 만나는 네거리에 자리를 잡는다. 퍼레이드 행렬이 도착하자 자말이 자기 딸을, 빌리가 데릭을 어깨에 태운다. 아이들은 위에서 신나한다.

퍼레이드까지는 괜찮았고 아이가 나중에 암살범의 목말을 탔다는 사실을 알게 되는 것도…… 괜찮다고 볼 수 있다. 그가 경종을 울리는 바보 같은 *실수*를 저지른 건 일요일이다. 레드 블러프의 근교인 미드우드 옆에는 코디라는 시골풍 마을이 있는데, 학기가 다시 시작되기 전에 아이들의 주머니를 노리고 여름의 마지막 2주 동안 조잡한 소규모 축제가 열렸다.

밴은 아직 반납 전이고 일요일에 날씨까지 좋으니 아이들과 축제에 가지 않을 도리가 없다. 한동네에 사는 폴 래글랜드와 드니스 래글랜드까지 따라나선다. 그들 일곱 명은 한가롭게 거닐며 소시지를 먹고 탄산음료를 마신다. 데릭과 섀니스는 회전목마, 투터빌 전차, 회전 컵을 탄다. 래글랜드 부부는 빙고를 하러 간다. 코리 애커먼은 물풍선에 대고 다트를 던져 이 세상 최고 엄마라고 적힌 반짝이 머리띠를 받는다. 섀니스는 자기 엄마를 보고 공주처럼 예쁘다고 한다.

자말은 나무로 된 우유병 쓰러뜨리기에서는 아무것도 받지 못하지만 펀치왕에서는 추를 꼭대기까지 올려 벨을 울린다.

코리는 박수를 치며 "나의 영웅"이라고 한다. 그는 이렇게 힘을 과시하고 밴드에 종이꽃이 꽂힌 종이 실크해트를 받는다. 그가 그 모자를 쓰자 데릭은 배꼽을 잡고 웃다가 다리를 꼬며 바지에 실례하기 전에 화장실로 달려간다.

아이들은 놀이기구를 몇 개 타지만 데릭은 '흔들흔들 애벌레'는 어린아이용이라며 거부한다. 그래서 빌리가 섀니스와 같이 타는데, 하도 꼭 끼어서 기구에서 내려야 하는 때가 되자 자말이 그를 코르크 마개 따듯 잡아당겨야 한다. 이걸 보고 다들 웃는다.

그들은 래글랜드 부부를 찾아다니다 명사수의 사격 연습장을 맞닥뜨린다. 대여섯 명의 남자들이 비비총을 들고 서로 반대 방향으로 움직이는 다섯 줄의 표적과 위아래로 깡충거리는 깡통 토끼를 쏘고 있다. 섀니스가 상품 맨 윗줄에 놓인 분홍색 플라밍고를 가리킨다.

"저거 내 방에 놓으면 예쁘겠다. 제 용돈으로 사도 돼요?"

아이의 아버지가 파는 물건이 아니라 상품이라고 설명한다.

"그럼 저거 받아 주세요, 아빠!"

사격장 주인은 줄무늬 셔츠를 입고 밀짚모자를 삐딱하게 기울여 쓰고 끝이 말린 가짜 콧수염을 달고 있다. 남성 4중창단에 더 어울리는 차림새다. 그는 섀니스가 한 말을 듣더니 자말을 손짓으로 부른다.

"딸의 소원을 들어주세요, 아버님. 토끼 세 마리나 맨 윗줄의 새 네 마리를 맞히면 플라밍고 프레디를 받으실 수 있어요."

자말은 웃으며 5달러를 건네고 총알 스무 발을 받는다.

"딸, 실망할 게 분명하니까 마음의 준비를 해. 하지만 좀 더 작은 상은 받을 수 있을지 몰라."

"할 수 있어요, 아빠." 데릭이 힘차게 외친다.

빌리는 자말이 어깨에 총을 얹는 것을 보고 두 발 맞힌 사람에게 위로 차원에서 주는 거북이 인형이라도 받으면 다행이겠다는 것을 알아차린다.

"새를 노려요." 빌리는 말한다. "토끼가 크긴 하지만 위로 튀어 오를 때 잠깐 말고는 기회가 없어요."

"분부대로 하겠나이다."

자말은 맨 윗줄의 새를 향해 열 발을 쏘지만 한 방도 맞히지 못한다. 그는 조준기를 낮추고 맨 아랫줄에서 느릿느릿 움직이는 깡통 무스를 두 마리 맞혀 거북이 인형을 받는다. 섀니스는 심드렁하게 인형을 쳐다보지만 그래도 고맙다고 인사한다.

"손님은요?" 남성 4중창단이 빌리에게 묻는다. 다른 손님들은 대부분 가고 없다. "한번 해보시겠어요? 5달러에 스무 발이고 새를 네 마리만 맞히면 깜찍한 꼬마 친구에게 플라밍고 프랭키를 선물할 수 있는데."

"아까는 프레디라고 하지 않았나요?"

주인은 웃으며 밀짚모자를 다른 쪽으로 기울인다.

"프랭키가 됐건 프레디가 됐건 펠리셔가 됐건 꼬마 숙녀를 기쁘게 해 주세요."

샤니스는 희망찬 눈빛으로 빌리를 바라보지만 아무 말도 하지는 않는다. 그에게 바보 같은 짓을 종용한 사람은 데릭이다.

"래글랜드 아저씨가 그러는데 이런 게임은 전부 사기고 큰 상품은 아무도 받아 가지 못한댔어요."

"그래? 그 말이 맞는지 어디 시험해 보자."

빌리는 5달러를 내놓는다. 남성 4중창단은 비비탄을 채우고 빌리에게 총을 건넨다. 남자 몇 명과 여자 둘이 사격장 카운터 앞에 있다. 빌리는 옆으로 살짝 움직인다. 그들에게 자리를 내어주기 위해서이기도 하지만 깡통 새와 다른 네 개 층에 있는 표적들이 시야에서 사라지기 직전에 움직이는 속도가 살짝 느려지는 걸 보았기 때문이기도 하다. 체인에 기름칠을 하지 않은 모양이다. 사격장 주인은 게으름을 부린 대가를 치러야 한다.

"새를 노릴 거예요, 데이브 아저씨?" 데릭이 묻는다. 아이들이 그를 로크리지 씨라고 부르지 않은 지도 제법 됐다. "아빠한테 조언하셨던 것처럼?"

"당연하지."

빌리는 숨을 마시고 내뱉고 다시 마시고 내뱉은 다음 세 번째 숨을 마시고 참는다. 전혀 맞지도 않을 조준기는 쓰려고도 하지 않는다. 머리를 개머리판에 단단히 고정하고 빠르게 쏜다. *팍-팍-팍-팍-팍.* 첫 발은 빗나간다. 나머지 네 발은 깡통 새 네 마리를 쓰러뜨린다. 그는 자신이 바보 같은 짓을 하고 있다는 것을, 이제 멈추어야 한다는 것을 알지만 토끼가 구멍에서 튀어오르자 쓰러뜨리지 않고는 못 배긴다.

애커먼 부부가 박수를 친다. 다른 손님들도 마찬가지다. 기특하게 남성 4중창단도 박수를 치고 분홍색 플라밍고를 집어서 섀니스에게 건넨다. 아이는 인형을 끌어안으며 웃음을 터뜨린다.

"우와, 데이브 아저씨!" 데릭이 눈을 반짝인다. "짱이에요!"

이제 자말이 나더러 어디서 사격을 배웠느냐고 묻겠군. 그런 다음 빌리는 또 생각한다. *내가 바보라는 걸 어떻게 알 수 있게? 지금처럼 모든 사람이 나를 쳐다보고 있으면 내가 바보라는 뜻이지.*

다시 빙고 텐트를 향해 걸어가는 동안 코리가 그걸 묻는다. 빌리는 ROTC에서 배웠다고 말한다. 원래 잘했다고. 팔루자에서 유령의 분노 작전을 펼치던 9일 동안 옥상에서 지하드 게릴라를 최소 25명 사살했다고 얘기하는 건 좋은 생각이 못 된다.

아, 그래? 그는 비꼬듯 자문하는데, 생각으로 하든 입 밖으로 말하든 평소에 거의 없던 일이다.

성격이 드러난 또 다른 사건이 벌어진 날은 실제 휴일인 월요일이다. 그는 프리랜서 작가이기 때문에 쉬고 싶을 때 쉬고, 남들은 법정 공휴일을 만끽하는 동안 일을 할 수도 있다. 제러드 타워는 거의 비어 있다시피 하다. 로비 문은 열려 있고(남을 잘 믿는 남부 국경 지방 주민들이여.) 보안 데스크에는 아무도 없다. 엘리베이터가 2층을 지나도 비즈니스 솔루션스 직원들이 서로 용기를 불어넣느라 기합을 넣는 소리도 전화벨 소리도 들리지 않는다. 덕분에 채무자들도 하루 쉴 수 있을 테니 다행이다.

빌리는 2시간 동안 글을 쓴다. 이제 거의 팔루자에 다다랐는데 어디까지 얘기하면 좋을지 고민이 된다. 조금? 많이? 아니면 아예 건너뛸까? 그는 노트북을 끄고 피어슨 가에 얼굴을 내밀어 베벌리 젠슨과 하루 쉬고 있을 그 남편에게 존재감을 다시 심어 주기로 마음먹는다. 그는 가발과 콧수염과 가짜 임산부 배를 장착하고 리스한 차를 몰고 간다. 돈은 잔디를 깎고 있다. 베벌리는 어울리지 않는 라임그린색 반바지를 입고 현관 앞 베란다에 앉아 있다. 그들 셋은 잠깐 동안 여름이 너무 더웠다는 둥, 끝나서 다행이라는 둥 잡담을 나눈다. 얼마 남지 않은 돌턴 스미스의 출장 얘기도 나온다. 그는 앨라배마주 헌츠빌에 가서 신생 이쿼티 보험 본사에 최첨단 컴퓨터 시스템을 설치할 거라고, 오래 걸리지는 않을 거라고 얘기한다. 이번 일을 끝으로 당분간 이 집에서 쉴 수 있으면 좋겠다고 한다.

"회사 일로 계속 바쁘시네요." 돈이 말한다.

빌리는 수긍하며 베벌리에게 어머니의 안부를 묻는다. 미주리에 사는 그녀의 어머니는 계속 건강이 좋지 않았다. 베벌리는 한숨을 쉬고 별 차도가 없다고 말한다. 빌리는 쾌차하셨으면 좋겠다고 하고 베벌리도 그러길 바란다고 한다. 그녀가 이 말을 하는 동안 빌리가 그녀의 어깨 너머를 쳐다보니 돈이 천천히 고개를 젓고 있다. 장모의 회복 가능성에 대해 자신이 어떻게 생각하는지 부인에게 감추는 것을 보고 빌리는 그가 좋아진다. 돈 젠슨은 아내에게 라임그린색 반바지를 입으면 뚱뚱해 보인다는 말을 절대 하지 않을 것이다.

그는 기분 좋게 서늘한 그의 지층 아파트로 내려간다. 데이비드 로크리지에게는 책이, 돌턴 스미스에게는 노트북이 있다. 스미스가 하는 일은 상관없을지 모르지만 중간에 상당히 중요해질 수도 있기 때문에 꼼꼼히 챙긴다.(벤지 콤슨의 이야기를 쓰고 난 뒤라 재미없고 기계적으로 느껴지기는 한다.) 그는 화면 세 개를 얼른 점검하는 것으로 마무리를 짓는다. 하마터면 죽을 뻔한 유명 셀럽 10인. 이 일곱 가지 음식이 당신의 생명을 구할 수도 있습니다. 가장 똑똑한 개 10종. 클릭을 유도하는 훌륭한 미끼다. 그는 이걸 facebook.com/ads에 올린다. 이 일로 먹고살 수도 있겠다는 생각이 들지만 누가 그러고 싶을까?

노트북을 끄고 책을 좀 읽다가(그는 요즘 이언 매큐언 앓이 중이다.) 냉장고를 체크한다. 하프 앤드 하프*는 괜찮은데 우유는 맛이 갔다. 그는 조니스 고 편의점에 가서 우유를 사 오기로 한다. 돈과 베벌리가 아직도 현관 앞에서 맥주 한 캔을 나눠 마시고 있길래 필요한 거 있느냐고 물어본다.

---

* 우유와 크림을 반씩 섞은 것.

베벌리는 팝 시크릿 팝콘이 있으면 사다 달라고 한다.

"오늘 저녁에 넷플릭스 보려고 하거든요. 괜찮으시면 같이 봐요."

빌리는 하마터면 좋다고 대답하는 소름 끼치는 실수를 저지를 뻔한다. 그 대신 내일 날이 밝자마자 차를 몰고 앨라배마로 출발해야 하기 때문에 일찍 잘 생각이라고 말한다.

그는 조그맣고 초라한 상점가로 걸어간다. 옆면이 긁힌 머튼 릭터의 파란색 SUV는 보이지 않고 사무실 문도 닫혀 있다. 뉴 유 태닝숍, 핫 네일스, 졸리 로저 타투숍도 마찬가지다. 핫 네일스 옆은 방치된 빨래방이고 그 옆 1달러 숍에는 파인 플라자로 이전합니다라는 팻말이 걸려 있다. 편의점은 맨 끝이다. 빌리는 냉장고에서 우유를 꺼낸다. 팝 시크릿은 없지만 액트Ⅱ 팝콘이 있길래 한 상자를 챙긴다. 점원은 머리를 헤나로 염색했고 한참 동안, 그러니까 한 20년 정도 계속 내리막길을 걷고 있는 것처럼 보이는 중년 여자다. 그녀가 봉지에 넣어 주겠다고 하지만 빌리는 됐다고 한다. 편의점에서 쓰는 비닐봉지는 환경에 안 좋다.

돌아가는 길에 그는 방치된 빨래방 앞에 서 있는 두 젊은 남자와 맞닥뜨린다. 한 명은 백인이고 다른 한 명은 흑인이다. 둘 다 앞에 주머니가 달린 후드 스웨터를 입고 있다. 뭔지 몰라도 안에 든 물건 때문에 주머니가 아래로 처졌다. 둘이 머리를 모으고 서로 중얼중얼 대화를 나누고 있다. 빌리가 지나가자 둘이 똑같이 실눈을 뜨고 흘끗 훑어본다. 대놓고 쳐다보지는 않지만 빌리는 곁눈으로 그들을 완벽하게 파악한다. 그가 그대로 지나치자 두 남자는 다시 속닥거리기 시작한다. 근로자의 날을 자축하는 뜻에서 이 동네 조니스 편의점을 털 생각임이라고 적힌 팻말을 목에 걸고 있는 거나 다름없다.

빌리는 상점가를 나선다. 자기를 쳐다보는 그들의 시선을 느낄 수 있다. 텔레파시가 동원된 건 아니다. 교전 지역에서 살아남은 증거라고는 절반만 남은 엄지발가락과 퍼플 하트 훈장(그마저도 오래전에 폐기 처분됐다.)뿐인 자의 일상적인 텔레파시라면 모를까.

그는 자기에게 물건을 판 여자를 떠올린다. 외모상 팔자 사나운 아이 엄마 같았다. 그녀의 팔자는 휴일인 오늘에도 달라지지 않을 것이다. 빌리는 돌아가서 두 남자와 맞장 뜰 생각은 절대 하지 않는다. 그들의 흥분한 표정으로 보건대 그러다 죽기 십상이다. 911에 연락은 할까 고민한다. 하지만 근처에 있던 공중전화도 모두 없어졌고, 들고 있는 전화기는 돌턴 스미스의 것이다. 그걸로 경찰에 연락하면 태워 버려야 한다. 그러면 그의 아이덴티티를 구성하는 나머지 부분도 불길에 휩싸일 것이다. 종이로 이루어졌으니.

그는 아파트로 돌아가 베벌리에게 팝 시크릿은 없더라고 얘기한다. 그녀는 액트II도 괜찮다고 한다. 피어슨 가는 원래 지나가는 차량이 별로 없는데 휴일인 그날은 더 한산하다. 그는 계속 귀를 쫑긋 세우고 듣지만 총소리는 들리지 않는다. 그래 봐야 아무 의미가 없긴 하지만.

2

빌리는 한시라도 빨리 벗어나고 싶은 이 도시에 도착하자마자 지역 신문 앱을 다운받아 놓았기에 다음 날 편의점에 강도가 들었다는 기사가 있는지 찾아본다. 소소한 뉴스를 뭉뚱그려 놓은 지역 소식 코너에 짤막하게 소개되어 있다. 권총으로 무장한 강도 둘이 100달러가 조금 못 되는 돈을 들고 달아났다고 한다.(*거기에 나와 베벌리의 돈도 들어 있었겠군. 빌리는 생각한다.*) 점원 완다 스터브스 혼자 가게를 지키고 있었다. 그녀는 로클런드 기념병원으로 옮겨져 다친 머리를 치료받고 퇴원했다. 얼른얼른 금전 등록기를 비워 주지 않는다고 쓰레기 중 하나가 아마도 개머리판으로 그녀를 때린 모양이다.

빌리는 그만하길 다행이라고 속으로 되뇔 수 있다.(*실제로도 그렇게 한다.*) 그가 911에 연락했더라도 상황은 별반 달라지지 않을 거라고 속으로 되뇔 수도 있다.(*실제로도 그렇게 한다.*) 그래도 선한 사마리아인이 강도당한 사람을 구하기 전에 먼저 그 길을 지난 제사장과 레위인이 된 것 같은 기분이 드는 것은 어쩔 수 없다.

빌리는 해병대 시절에 성경을 통독했다. 모든 해병대원은 신청하면 성경을 한 권씩 받을 수 있었다. 그는 성경을 읽은 것을 후회할 때가 많은데 지금이 바로 그런 때다. 성경에는 모든 얼버무림과 부인(否認)에 구멍을 뚫어 버리는 이야기가 담겨 있다. 성경은 구약이건 신약이건 용서가 없다.

3

나는 해병대에 입대하기 위해 스펙 씨와 함께 채터누가로 갔다. 해병대 기지로 찾아가 입대 신청을 해야 하는 줄 알았더니 청소기 대리점과 세금 신고소 사이에 있는 쇼핑몰의 그냥 사무실이었다. 문에는 한 줄무늬 위에 **누가 스트롱**이라고 적힌 국기가 걸려 있었다. 창문에는 **당당한 소수**와 **그대는 필요한 자질을 갖추고 있는가**라고 적힌 한 해병대의 사진이 걸려 있었다.

스펙 씨는 너 정말 여기 입대하고 싶은 거 맞니 벤지라고 물었고, 나는 네라고 대답했지만 확실하지는 않았다. 열일곱 살 6개월 때는 뭐든 확실하지가 않은 법이다. 머저리처럼 보이고 싶지 않아서 그런 척할 뿐.

아무튼 우리는 안으로 들어갔고 나는 월턴 플렉 하사와 이야기를 나누었다. 그가 해병이 되고 싶은 이유가 뭐냐고 묻길래 조국에 봉사하기 위해서라고 대답했지만, 진짜 이유는 스펙 하우스와 테네시에서 탈출해 슬프게 느껴지지 않는 인생을 살고 싶어서였다. 글렌과 로니는 떠났고, 남는 건 페인트칠뿐이라고 했던 도니의 말은 맞았다.

다음으로 플렉 하사는 스스로 해병이 될 수 있을 만큼 터프하다고 생각하느냐고 물었고 나는 이번에도 확신이 없었지만 그래도 그렇다고 대답했다. 그러자 하사는 전투에서 사람을 죽일 수 있을 것 같으냐고 물었고 나는 그렇다고 대답했다.

스펙 씨가 잠깐 둘이서 얘기 좀 나눌 수 있을까요, 하사님이라고 하자 플렉 하사는 그러자고 했다. 그들은 나를 밖으로 내보냈고 스펙 씨가 책상 맞은편에 앉아서 이야기를 시작했다. 우리 어머니의 못된 남자친구에게 벌어졌던 일을 내 입으로 말할 수도 있었지만 '책임감 있는 어른'이 하는 편이 나았을 것이다. 내가 그 당시와 이후로 겪은 일을 감안할 때 그런 어른이 과연 존재하는지 의문이기는 하지만.

잠시 후에 그들이 나를 다시 안으로 불러들였고 나는 '개인 정보' 난에 과거에 있었던 일에 대해 적었다. 그런 다음 하사가 시킨 대로 꾹꾹 눌러 가며 네 군데에 사인을 했다. 사인이 끝나자 하사는 나에게 월요일에 집합하라고 했다. 가끔 입대하기 전까지 몇 달을 기다려야 하는 경우도 있는데 딱 좋을 때 왔다고 했다. 그러면서 월요일에 다른 '신뼁'들과 ASVAB와 신체 검사를 받게 된다고 했다. ASVAB는 업무 수행 능력과 지적 능력이 얼마나 되는지 알아보는 적성 검사다.

하사는 나에게 문신이 있느냐고 물었고 나는 없다고 대답했다. 하사는 나에게 안경을 쓸 때가 있느냐고 물었고 나는 없다고 대답했다. 하사는 사회 보장 카드를 들고 오고 귀걸이를 했으면 빼라는 둥 다른 지시 사항을 전달한 뒤에 반드시 팬티를 입고 오라고 했다. 나는 웃겼지만 정색하고 알겠다고 했다. 하사가 서류에 적지 않은 문제점이 있으면 헛걸음할 필요 없게 지금 이 자리에서 얘기하라고 했다. 나는 없다고 했다.

플렉 하사는 나와 악수를 하고 놀 생각이 있으면 이번 주말에 해치우라고, 월요일에 그 검사를 받고 나면 나는 일을 책임지는 사람이 된다고 했다. 나는 알았다고 했다. 하사는 그딴 대답은 집어치우라며 내가 네, 플렉 하사님이라고 하는 걸 듣고 싶다고 했다. 그래서 내가 그렇게 말하자 나와 악수하고 만나서 반가웠다고 했다. "그리고 선생님도요." 하사는 스펙 씨에게도 이렇게 말했다.

돌아가는 길에 스펙 씨가 말하길 그 하사가 말은 터프하게 했지만 벤지 너처럼 사람을 죽여 본 적 있을지는 의문이다라고 했다. 그럴 수 있는 사람 같아 보이지 않거든.

그 무렵 로니는 (마법의 부츠를 신고) 떠난 지 4개월인가 5개월이 지났지만 떠나기 전에 데모 더비에서 내게 자기 몸을 만질 수 있게 했다. 기분이 끝내줬지만 내가 좀 더 진도를 나가려고 하자 로니는 깔깔대고 나를 밀치며 너는 너무 어려, 하지만 나를 기억할 수 있는 뭔가를 주고 싶었어라고 했다. 나는 기억하겠다고 했고 지금도 기억하고 있다. 진정한 첫 키스의 상대는 잊지 못하는 것 아닐까. 로니가 말하길

4

빌리는 거기서 멈추고 노트북 너머로 창밖을 내다본다. 로빈은 마침내 어딘가에 자리를 잡으면 페인트칠을 하다가 미칠 집의 친구들이 답장을 보낼 수 있게 스테프넥 부부에게 편지를 쓰겠다고 했다. 빌리에게는 떠나면 너도 그렇게 해 달라고 했다.

"너도 독립할 날이 멀지 않았다고 보거든." 그날 박살 난 벤츠 안에서 그녀는 그렇게 말했다. 그녀는 그에게 자기 셔츠 단추를 풀도록 했다가—거기까지 허락했다—이어서 이렇게 말하며 단추를 다시 채워 모든 찬란함을 그 안에 감췄다. "하지만 전쟁 기계에 너를 바치겠다는 건…… 다시 생각해 봐, 빌리. 너는 아직 죽기에는 너무 어리잖아." 그녀는 그의 콧잔등에 입을 맞췄다. "그리고 너무 잘생겼고."

빌리가 그 찰나와도 같았던 애무의 시간 동안 가장 단단하고 가장 고통스러우며 가장 황홀하게 발기했던 것만 생략하고 이 부분에 대해 쓰기 시작했을 때, 데이비드 로크리지의 휴대전화에서 띵 하고 문자 알림음이 들린다. 켄 호프의 문자다.

당신을 위해 준비한 게 있어요. 이제 가져갈 때가 되지 않았나 싶어서요.

그 말이 맞는 것도 같기에 빌리는 답장을 보낸다. 그래요.

호프가 답장을 보낸다. 당신 집으로 들고 갈게요.

안 되지, 안 되지, 안 되지. 그의 집으로 오겠다고? 바로 옆에 애커먼 가족이 살고, 빌리가 주말마다 그 집 애들이랑 모노폴리를 하는데? 두말하면 잔소리지만 호프는 총을 담요로 둘둘 말아서 들고 올 것이다. 무늬 애꾸눈이라도 그 안에 뭐가 들었는지 다 알 수 있게.

아뇨. 그는 문자를 보낸다. 월마트. 가든 센터 주차장. 오늘 저녁 7시 30분.

그는 호프가 답장을 쓰는 동안 뜨는 점들을 쳐다보며 기다린다. 만나는 장소에 협상의 여지가 있다고 생각한다면 놀랄 각오를 해야 할 것이다. 하지만 호프의 답장은 간단하다. 좋아요.

빌리는 마지막 문장을 완성하지도 않고 노트북을 덮는다. 오늘 일과는 끝이다. 호프 때문에 분위기 잡쳤네. 하지만 그건 아니라는 걸 안다. 호프는 호프일 뿐이고 그도 어쩔 수 없는 상황이다. 분위기를 잡친 진짜 원흉은 총이다. 일이 점점 가까워지고 있는 것이다.

5

7시 25분에 빌리는 데이비드 로크리지의 도요타를 몰고 월마트의 거대한 주차장으로 들어가 가든 센터 구획에 주차한다. 5분 뒤인 7시 30분 정각에 문자가 온다.

안 보여요, 차가 너무 많아서. 내려서 손 흔들어 줘요.

빌리는 차에서 내려 친구를 보기라도 한 것처럼 손을 흔든다. 빈티지 체리색 머스탱 컨버터블—만약 켄 호프 차라는 게 있다면 바로 이 차일 것이다—이 한 통로를 달려서 빌리의 변변찮은 차량 옆에 멈추어 선다. 호프가 차에서 내린다. 지난번에 만났을 때보다 얼굴이 좋아 보이고 술 냄새를 풍기지 않는다. 그가 들고 온 물건을 생각하면 다행스러운 일이다. 그는 폴로 셔츠(당연히 로고가 박혀 있다.)와 잘 다린 치노 바지에 로퍼를 신고 있다. 새로 머리를 잘랐다. *그래도 켄 호프의 본질은 여전하군.* 빌리는 생각한다. 비싼 향수로도 불안의 냄새가 가려지지 않는다. 호프는 중책에 부적합한 인물인데 청부살인업자에게 무기를 전달하는 것은 상당한 중책이다.

총은 담요로 둘둘 말려 있지 않다. 빌리는 그에게 점수를 주고 싶은 마음이 생긴다. 호프가 머스탱의 트렁크에서 꺼낸 건 타탄 무늬 골프백이다. 고개를 내민 네 개의 클럽 헤드가 저물어가는 햇빛을 받고 반짝인다.

빌리는 백을 받아서 그의 차 트렁크에 넣는다.

"또 뭐 있나요?"

호프는 술이 달린 로퍼로 바닥을 쓴다.

"네, 어쩌면요. 잠깐 얘기 좀 할 수 있을까요?"

신중을 기하는 차원에서 호프가 무슨 생각을 하고 있는지 파악하는 편이 좋을 수 있기에 빌리는 도요타 조수석 문을 열고 호프에게 타라고 손짓한다. 호프는 그가 시킨 대로 한다. 빌리는 빙 돌아가 운전석에 탄다.

"닉한테 나 괜찮다는 얘기를 해 달라고 부탁하고 싶어서요. 그래 줄 수 있어요?"

"괜찮다니 뭐가요?"

"모든 면에서요. 저것도 그렇고." 호프는 엄지손가락으로 자기 뒤편을 가리킨다. 트렁크에 담긴 골프백을 말하는 것이다. "내가 믿음직한 사람이라는 확신을 닉에게 심어 주었으면 좋겠어요."

영화를 너무 많이 보셨구먼.

"그 사람에게 모두 다 잘돼 가고 있다고 전해 줘요. 나한테 돈을 빌려준 사람 중에서 몇 명이 슬슬 만족스러워하고 있어요. 당신이 이 일을 마치면 그 사람들 모두 좋아할 거예요. 닉에게 우리 모두 사이좋게 찢어져서 각자 갈 길을 가자고 전해 줘요. 누가 나를 붙잡고 캐물어도 나는 아무것도 몰라요. 나는 당신이 작가인 줄 알고 내 건물의 사무실을 임대해 주었을 뿐이에요."

아니지. 당신에게 사무실을 빌린 사람은 내 에이전트지. 그리고 조지 러소는 사실 조지 피그스라고도 불리는 니콜라이 머제리언의 심복, 조르조 피그릴리고. 너는 연결 고리고 너도 그렇다는 걸 알아. 우리가 지금 이런 대화를 나누는 이유가 그 때문이지. 너는 일이 성사된 뒤에 빠져나갈 수 있을 거라고 생

각하지. 그렇게 생각할 만도 해, 빠져나가는 게 네 주특기니까. 문제는, 내가 보기에 너는 취조실에서 경찰들이 번갈아 너를 괴롭히면 10시간도 못 버티게 생겼다는 거야. 그들이 솔깃한 거래를 제안하면 심지어 5시간이 될 수도 있어. 너는 달걀처럼 쩍 갈라질 거야.

"저기."

빌리는 단둘이 도요타에서 진지하게 대화를 나누는 상황에 걸맞게 친절하되 단도직입적으로 들리길 바라는 말투로 운을 뗀다. 그런데 인간의 탈을 쓴 이 골칫덩어리를 단속하는 것이 과연 빌리 서머스가 해야 하는 일일까? 그에게 주어진 역할은 기술자, 일이 성사되면 탈출 마술사처럼 사라지는 사람 아니었나? 전에는 항상 그랬지만 지금은 200만 달러가 걸린 일이니…….

호프는 기대하는 눈빛으로 그를 쳐다보고 있다. 그 확신, 그 진정제가 필요한 것이다. 그걸 주는 사람은 조지라야 한다. 조지가 그런 걸 잘한다. 하지만 조지 피그스는 여기 없다.

"이게 당신이 평소에 하던 일이 아니라는 건 알아요……."

"맞아요! 아니에요!"

"……그리고 당신이 불안해한다는 것도요. 하지만 우리가 영화배우나 정치인이나 로마의 교황을 처리하는 게 아니잖아요. 그자는 나쁜 놈이라고요."

당신과 같은. 호프의 표정은 이렇게 말하고 있다. 왜 아니겠는가? 빌리가 머리를 리본으로 묶은 깜찍한 여자아이에게 분홍색 플라밍고를 따서 줬든 말든 상관없다. 그건 이른바 정상 참작 대상이 아니다.

빌리는 고개를 돌려 상대방을 똑바로 쳐다본다.

"켄, 내가 뭐 하나만 물어봐야겠는데요. 기분 나쁘게 받아들이지는 말아요."

"네, 그럼요."

"지금 도청기를 달고 있거나 그런 건 아니죠?"

충격을 받은 호프의 표정이면 대답으로 충분하다. 빌리는 횡설수설 이어지는 그의 항의를 중간에 차단한다.

"그래요, 알았어요, 믿을게요. 짚고 넘어가야 했어요. 이제 내 말 잘 들어요. 아무도 이번 일을 두고 전담반을 구성하지 않을 거예요. 대대적인 수사가 이루어지지도 않을 거예요. 경찰에서 당신한테 질문을 몇 개 할 테고 내 에이전트를 찾아 나서겠지만 그럴듯한 서류 몇 장으로 당신을 속인 유령으로 밝혀지고 끝일 거예요." 그러기는 개뿔. "경찰에서 뭐라고 할지 알아요? 신문이나 TV를 상대로가 아니라 자기들끼리?"

켄 호프는 고개를 젓는다. 그의 시선은 빌리의 눈에서 떠날 줄 모른다.

"조폭 살인극 아니면 복수극이라고, 범인이 누군지 몰라도 재판에 쓸 돈을 아꼈다고 할 거예요. 나를 찾으려고 하겠지만 찾지 못할 테고 사건은 장기 미제 파일로 넘어갈 거예요. 사람들은 쓰레기를 처리해서 속이 후련하다고 할 테고. 알겠어요?"

"뭐, 당신이 그렇다고 하니……."

"맞아요. 그럴 거예요. 그러니까 이제 집에 가요. 나머지는 내가 알아서 할 테니."

켄 호프가 갑자기 자기 쪽으로 움직이자 순간 빌리는 이 자가 자신을 치려나 보다고 생각한다. 하지만 호프는 빌리를 끌어안는다. 지금은 전보다 멀쩡해 보일지 몰라도 입 냄새는 얘기가 다르다. 술 냄새는 나지 않지만 아무튼 지독하다.

빌리는 포옹과 입 냄새와 기타 등등을 참고 견딘다. 심지어 살짝 마주 안아 주기까지 한다. 그런 다음 호프에게 이제 제발 가라고 한다. 호프는 다행히(정말 다행히) 차에서 내리지만 몸을 앞으로 숙이고 미소를 짓는다. 내면에서 우러난 미소라도 되는 듯 진짜 같아 보인다. 보아하니 그의 내면에는 제2의 인물이 사는 것 같다.

"당신 비밀을 알아요."

"무슨 비밀을요?"

"아까 나한테 보낸 문자 있잖아요. 가든 센터라고 하면서 소문자 g와 소문자 c를 쓰지 않고 대문자 G와 대문자 C를 썼어요. 그리고 방금 전에도 *지*들끼리가 아니라 *자기*들끼리라고 했고. 당신, 사실은 보기보다 똑똑하죠?"

"당신이 괜히 복잡하게 생각하지 않으면 별일 없으리라는 걸 알 만큼은 돼요. 내가 총을 어디서 구했는지, 그걸로 뭘 하려고 그랬는지 전혀 모르겠다고. 더 이상 할 말 없다고."

"알았어요. 그리고 한 가지 더. 이를테면 경고 비슷한 거예요. 코디라고 알아요?"

당연히 안다. 허접한 미니 축제가 열렸던 곳이다. 처음에 빌리는 거기서 총을 쏜 것 때문에 그에게 이목이 쏠렸다는 말을 듣게 되려나 보다 생각한다. 피해망상적인 발상이지만 거사를 앞두고서는 그렇게 접근해야 한다.

"네. 내가 사는 곳 근처잖아요."

"맞아요. 이 일이 벌어지는 날, 코디에서 시선을 분산시키는 사건이 벌어질 거예요."

빌리가 아는 그런 사건은 법원 근처 선스팟 카페 뒤편 골목 길에서 플래시팟이 터지는 것뿐이다. 코디는 법원에서 한참 떨어진 곳이고 닉은 이 등신에게 플래시팟 얘기는 절대 하지 않을 것이다.

"어떤 사건요?"

"화재요. 아마도 창고일 거예요. 그쪽에 창고들이 많으니까. 당신의 남자…… 그러니까 당신의 표적이…… 법원에 도착하기 전에 벌어질 거예요. 얼마나 전일지는 몰라요. 당신에게 알려 주는 편이 좋지 않을까 생각했어요, 당신 전화기나 컴퓨터나 기타 등등에 속보가 뜰 수도 있으니까."

"그렇군요, 고마워요. 이제 그만 가요."

호프는 그에게 엄지손가락을 들어 보이고 부잣집 도련님 차로 돌아간다. 빌리는 그가 사라질 때까지 기다렸다가 다시 에버그린 가로 향하는데, 트렁크에 실린 고성능 소총을 감안해 조심스럽게 운전한다.

코디의 창고에서 불이 날 거라고? 진짜? 닉도 알까? 빌리가 생각하기에는 모르는 것 같다. 닉은 그의 리듬을 흐트러뜨릴 만한 사안이면 뭐가 됐든 알려 주었을 것이다. 하지만 호프는 알고 있다. 문제는 빌리가 닉이나 조르조에게 이 예상치 못했던 요철에 대해 알려야 하느냐는 것이다. 그는 혼자만 알고 있기로 한다. 마리아가 예수의 탄생에 대해 곰곰이 생각했듯이 그도 곰곰이 생각하기로 한다.

그는 호프에게 괜히 복잡하게 생각하지 말라고 했다. 하지만 그 조그만 취조실에서 서너 시간 보낸 뒤에 형사들이 발뒤꿈치에 대고 으르렁거리고 있던 빚쟁이들에게 무슨 수로 빚을 갚았느냐고 묻기 시작하면 얼마나 단순하게 생각할 수 있을까? 그때쯤이면 놈들은 그를 호프 씨가 아니라 켄이라 부를 것이다. 놈들은 피 냄새를 맡으면 그렇게 한다. 그 돈이 어디서 났죠, 켄? 돈 많은 삼촌이 죽기라도 했나요, 켄? 아직 만회의 여지가 있어요. 우리한테 하고 싶은 얘기 없나요, 켄? 켄?

빌리는 골프백과, 그 안에 총과 함께 든 클럽의 정체가 궁금해진다. 호프의 가방일까? 그렇다면 자기 지문이 남아 있을 경우에 대비해 클럽 헤드를 닦았을까? 거기에 대해 생각하지 않는 편이 낫다. 호프가 자초한 일이다.

하지만 그건 빌리에게도 해당하는 말 아닐까? 그는 닉의 탈출 계획에 대해 계속 고민 중이다. 너무 훌륭해서 오히려 의심스러운 계획이라 빌리는 쓰지 않기로 마음먹었고 그걸 닉에게는 알리지 않기로 했다. 왜냐하면, 아니…… 거래를 중개하고 무기를 조달한 남자를 제거하려는 자가 그 무기를 쓴 사람을 제거하지 않을 이유가 없지 않은가. 빌리는 닉이 그럴 거라고 믿고 싶지는 않지만 반론의 여지가 없는 사실을 하나 알고있다. 켄 호프가 그렇게 믿고 싶지 않아 하다가 빠져나올 가망성이 거의 없는 상황에 말려들었다는 것이다.

그리고 암살의 그날 코디의 창고에 불을 지른다는 건 누구아이디어일까? 닉도 아니고 호프도 아니다. 그럼 누구일까?

여러모로 걱정스럽지만 진입로로 들어서자 한 가지 뿌듯한광경이 그를 맞이한다. 그의 잔디밭이 근사해 보인다.

6

8월 거의 내내 빌리는 단잠을 잤다. 다음 날 무엇을 쓸까, 오로지 그 생각을 하면서 잠이 들었다. 팔루자와, 마당의 야자수에서 초록색 쓰레기 봉지가 펄럭이는(그 봉지가 어떻게 그 위로 올라갔을까? 왜 거기 걸려 있을까?) 집들이 나오는 꿈은 몇 번밖에 꾸지 않았다. 이제 그건 그의 이야기가 아니라 벤지의 이야기였다. 그 두 개가 점점 분리되기 시작했고 그래도 상관없었다. 예전에 유튜브에서 팀 오브라이언*이 『그들이 가지고 다닌 것들』에 대해 이야기한 인터뷰를 본 적이 있었다. 거기서 그는 소설은 진실이 아니라 진실로 가는 길이라고 했는데 빌리는 그게 무슨 뜻인지 이제 알 것 같다. 특히 전쟁을 다룬 글의 경우가 그런데, 오브라이언의 작품이 대부분 전쟁을 다루고 있지 않은가. 로빈 매과이어, 즉 로니 기븐스와 망가진 그 벤츠 안에서 입을 맞추었던 건 잠깐의 휴전이었다. 그 나머지 시간은 대부분 전투였다.

여름이 지나고 가을이 목전인 오늘 밤에 그는 뜬눈으로 누워서 심란해하고 있다. 골프백 안에 든 총 때문은 아니다. 그는 그 총을 가지고 하기로 한 일에 대해 생각하는 중이다. 원래 두 가지 기본적인 사항 말고는 그 이상 고민한 적이 없다. 총을 쏘고 잽싸게 튄다. 이번에는 다른데, 돈을 받고 사람을 죽이는 것이 이번이 마지막이기 때문만은 아니다. 호프가 빌리를 불시에 어색하게 끌어안으며 덫을 놓았을 때 입 냄새가 고약했던 것처럼 이것도 고약한 냄새를 풍기기 때문이다.

누군가가 호프와 접촉을 했군. 빌리는 이렇게 생각하다가 그건 아니라는 걸 깨닫는다. 호프와 접촉한 사람은 없었다. 호프가 그 정도로 대단한 위인이 아니다. 그는 부동산 개발 일도

---

* 미국의 소설가. 베트남전에 파병된 뒤 평생 자신이 겪은 전쟁과 직간접으로 관련된 작품을 썼다.

하고 영화관도 있고 빨간색 머스탱 컨버터블도 있으니 스스로 대단한 위인이라고 *생각할지* 모르지만 실은 작은 연못에서 노는 큰 물고기에 불과하다. 그마저 뭐 그렇게 큰 물고기도 아니다. 그리고 이건 엄청난 일이다. 수많은 사람이 돈을 받고 있다. 호프도 그중 하나다. 빚이 벌써 일부 탕감됐고 그는 조엘 앨런이 처리되면 전부 없어질 거라고 생각하는 눈치다. 그런가 하면 닉과, 닉이 이 작전에 투입한 병력도 있다. 분대 규모는 아니지만 그와 비슷하다. 어쩌면 그 정도 규모일 수도 있다. 닉이 그에게 얘기하지 않은 부분이 더 있을 수 있다.

호프와 접촉한 사람은 없었다. 누군가가 닉과 접촉해 호프를 끌어들이게 했다. 빌리는 선스팟 카페에서 호프를 처음 만났을 때 닉과 호프가 한통속인 게 분명하다는 생각을 했던 기억을 떠올린다. 이제는 그렇지 않다고 단정하기 직전이다. 호프는 카지노 영업 허가를 원했지만 얻지 못했다. 그가 그런 걸 받아 내는 법을 잘 아는 닉과 가깝게 지냈더라도 그런 사태가 벌어졌을까? 카지노는 돈을 찍어 내도 좋다는 허가증이나 다름없고 호프는 돈이 필요한데?

이 작전의 배후가 호프에게 코디의 창고에서 화재가 발생할 거라고 귀띔한 사람과 동일인물일까? 어쩌면 그럴 것이다. 아마도.

이제 로스앤젤레스에 수감되어 있는 조엘 앨런을 생각해 보자. 그는 아늑하기 그지없을 보호 구치 생활을 하고 있다. 변호사를 사주해 이송에 저항하고 있다. 결국에는 여기로 이송될 수밖에 없다는 걸 알면서 왜 그럴까? LA의 음식이 더 맛있어서 그런 건 아니다. 시간을 벌고 있는 걸까? 변호사를 중개인 삼아 이 미친 짓을 시작한 사람과 협상을 시도하는 걸까?

그 사람은 앨런이 결국에는 여기로 이송될 거라는 사실과, 그가 여기 도착하면 아는 정보를 가지고 거래를 하기 전에 빌리의 손에 아작이 날 거라는 사실을 안다. 그 사람은 앨런이 보험—사진, 녹음, 아니면 (빌리로서는 내용을 알 수 없는) 서면 자백—을 들어 놨을지 모른다는 사실도 안다. 다만 모험을 감행해야 한다고, 그 정도 위험 부담은 감수할 만하다고 생각하고 있는 게 분명하다. 그 판단이 맞을지도 모른다. 아마 그럴 것이다. 앨런 같은 남자들은 보험을 들지 않는다. 앨런 같은 남자들은 자기가 천하무적인 줄 안다. 그는 청부살인에 재주가 있을지 몰라도 지금처럼 똥밭에 구르게 된 원인은 충동적으로 저지른 범죄였다.

게다가 누군지 모를 그 사람은 자신에게 선택의 여지가 없다고 생각할지 모른다. 어떤 비밀을 감추려는 건지 몰라도 저질이다. 앨런을 사형 제도가 있는 주에서 재판을 받게 하면 안 된다. 그가 거래할 수 있는 화끈한 정보를 손에 쥐고 있는 한은.

빌리는 잠 속으로 빠져들기 시작한다. 잠들기 직전에 마지막으로 떠오른 생각은 모노폴리를 하다보면 파산을 면하려고 재산을 하나씩 팔게 된다는 것이다. 하지만 그 방법이 효과를 보는 경우는 거의 없다.

7

　다음 날 아침에 빌리가 차에 올라타려는데 코린 애커먼이
두 집의 잔디밭을 가로질러 온다. 갈색 봉지를 들고 있는데,
안에서 맛있는 냄새가 풍긴다.

　"크랜베리 머핀을 만들었어요. 샘하고 데릭이 둘 다 학교에
서 따뜻한 점심 먹고 왔는데 뭘 좀 더 먹고 싶다고 해서. 두 개
남겨 놨어요. 당신 몫으로."

　"이렇게 고마울 데가." 빌리가 봉지를 받아든다. "그런데 자
말이 퇴근하면 먹을 수 있게 한 개라도 남겨야 하지 않겠어요?"

　"그이 몫으로 하나 챙겨 놨어요. 하지만 이건 두 개 다 당신
이 먹었으면 좋겠어요, 알겠죠?"

　"그 숙제는 가능하다고 봐요." 빌리는 웃으며 말한다.

　"당신 살이 빠졌어요." 그녀는 말을 하다 말고 잠깐 멈추었
다. "별일 없는 거죠?"

　빌리는 놀라워하며 자기 몸을 내려다본다. 살이 빠졌나? 그
런 것 같다. 예전에 쓰다가 못 쓰게 됐던 허리띠 구멍이 이제
다시 쓰이고 있다. 잠시 후에 그는 그녀를 다시 쳐다본다.

　"나 잘 지내고 있어요, 코리."

"충분히 건강해 보이긴 하지만 그런 뜻에서 물어본 게 아니에요. 아니, 그게 다는 아니에요. 책 쓰는 거 잘 되고 있어요?"

"대박으로요."

"그럼 좀 더 잘 챙겨 먹어야겠어요. 건강한 음식으로 피자나 타코벨 말고 초록색과 노란색 채소로. 장기적으로는 혼자 사는 남자의 식습관이 술보다 더 심각한 문제를 낳는대요. 오늘 저녁 먹으러 와요. 6시에. 셰퍼드 파이* 만들 거예요. 당근이랑 완두콩을 잔뜩 넣어서."

"맛있겠어요. 그런데 나 때문에 괜히 번거로운 거 아니에요?"

"전혀 아니에요. 그리고 고마운 마음도 전해야 하고 해서요. 우리 애들한테 워낙 잘해 주잖아요. 새니스는 그 플라밍고를 받은 뒤로 당신에게 전보다 더 반한 눈치예요." 그녀는 비밀을 전하기라도 하는 듯 언성을 낮춘다. "그 인형 이름을 프랭키에서 데이브로 바꿨어요."

빌리는 차를 몰고 시내로 향하며 새니스가 플라밍고의 이름을 바꾼 것에 대해 생각한다. 그래서 행복한 한편으로 그 이름이 결국에는 가짜라 부끄러워진다.

---

* 다진 고기와 채소 위에 으깬 감자를 얹어서 구운 것.

8

　그날 오후에 빌리는 제러드 타워를 나서 피어슨 가 쪽으로 두어 블록을 산책한다. 잠깐 걸음을 멈추고 쓰레기통 두어 개가 있는 좁은 골목길을 들여다본다. 여기면 될 것 같다. 그는 주차장으로 유턴한다.

　나중에는 미드우드로 돌아가던 길에 월마트에 들른다. 미드우드에서 살기 시작한 이후로 항상 여기 들르는 느낌이다. 빌리는 장바구니를 들고 계산대 앞에 줄을 서서 기다리는 동안 이 일을 때려치우는 것에 대해 다시 고민한다. 그냥 사라져 버리면 어떨까. 닉 한 명만 그를 추적할 텐데, 이미 계좌에 입금된 상당한 금액의 선금을 돌려받기 위해서만은 아닐 것이다. 빌리는 사라지기의 달인이지만 닉은 추적을 멈추지 않을 것이다. 먼저 강성파를 보내 버키 핸슨을, 그것도 거칠게 심문할 것이다. 빌리 서머스의 소재를 알 만한 사람이 있다면 뉴욕에 사는 그의 브로커일 테니까. 버키는 손톱을 다 뽑힐 수도 있다. 죽을 수도 있다. 어느 쪽이 됐건 부당한 처사다.

　닉은 그뿐 아니라 부하들, 아마도 프랭키 엘비스와 폴리 로건을 그가 살던 동네에 보낼 것이다. 파치오 부부와 래글랜드 부부가 심문을 당할 것이다. 자말과 코린도 그럴 것이다. 어쩌면 아이들까지? 다 큰 어른들이 어린아이들에게 말을 걸면 불필요한 관심을 끌 수 있으니 그럴 가능성은 없지만 그 둘이 새니스와 데릭을 심문하는 광경을 상상만 해도 속이 울렁거린다.

다른 이유가 두 가지 더 있다. 빌리는 지금까지 한 번도 맡은 일을 내팽개치고 도망친 적이 없다. 그게 첫 번째 이유다. 그리고 조엘 앨런은 당해도 싸다. 그게 두 번째 이유다. 그는 나쁜 놈이다.

"손님? 계산할까요?"

빌리는 월마트 계산대 앞으로 돌아온다.

"미안해요. 딴생각하고 있었어요."

"괜찮아요. 저도 늘 그래요." 계산대 점원이 말한다.

그는 장바구니의 물건을 쏟아 낸다. 퍽! 쾅! 이런 단어가 적힌 밝은 초록색 골프 클럽 헤드 커버, 총기 청소 키트, 나무 숟가락 세트, 반짝이로 HAPPY BIRTHDAY라고 적힌 큼지막한 빨간색 리본, 뒤에 롤링 스톤스 로고가 그려진 가벼운 재킷 그리고 어린이용 도시락이다. 계산대 점원은 맨 마지막으로 도시락 바코드를 찍고 좀 더 자세히 들여다본다.

"세일러 문! 아이가 좋아하겠어요!"

새니스 애커먼이 좋아하겠지만 이건 그 애를 위한 선물이 아니다. 더 나은 세상에서는 그럴 테지만.

9

그날 밤에 그는 애커먼 가족과 저녁 식사를 마친 뒤(코리가 만든 셰퍼드 파이가 맛있었다.) 지하 오락실로 내려가 골프백에서 총을 꺼낸다. 들은 대로 M24고 상태가 괜찮아 보인다. 그는 총을 분해해 부품을 탁구대 위에 늘어놓고 모두 50개가 넘는 그것들을 하나씩 청소한다. 골프백의 한쪽 지퍼 포켓에 망원 조준기가 들어 있다. 다른 쪽 포켓에는 탄약 다섯 개가 담긴 탄창이 들어 있다. 탄약은 시에라 매치킹 할로 포인트 보트 테일이다.

그에게 필요한 탄약은 하나뿐일 것이다.

10

다음 날 아침 9시 45분에 제러드 타워 로비로 들어설 때 그의 왼쪽 어깨에는 골프백 끈이 매달려 있다. 대부분의 일쥐들이 쳇바퀴를 돌고 있도록 일부러 늦게 출근한 참이다. 나이 많은 경비 어브 딘이 잡지—오늘은《모터 트렌드》—를 보다 말고 그를 향해 씩 웃어 보인다.

"골프 치러 가세요? 아, 부러운 작가의 팔자!"

"내 거 아니에요. 내가 보기에는 세상에서 제일 재미없는 운동이 골프니까. 내 에이전트 주려고요."

빌리는 반짝이는 글씨가 적힌 큼지막한 리본이 보이도록 가
방의 위치를 바꾼다. 리본이 달린 곳은 티 대신 탄창이 들어
있는 사이드 포켓이다.

"오, 대단하시네요. 이렇게 비싼 선물을 하다니!"

"저를 위해서 해 준 게 워낙 많아서요."

"네, 저도 들었어요. 하지만 러소 씨는 골프장에 어울려 보
이지 않는데 말이죠."

어브는 자기 앞으로 손을 내밀어 조르조의 거대한 복부를
표현한다.

빌리에게는 미리 준비해 놓은 멘트가 있다.

"맞아요, 걸어 다니면 세 홀 만에 심장마비로 쓰러질 거예
요. 하지만 맞춤 골프 카트가 있죠. 대학생 때 골프를 배웠다
고 하더라고요, 지금보다 훨씬 날씬했던 시절에. 그런데 딱 한
번 나를 꼬드겨서 필드로 데리고 나갔을 때 공을 얼마나 세게
날렸는지 알아요?"

어브가 자리에서 일어나자 빌리는 순간 늙은 경찰의 직감이
마지막으로 발동해 골프 클럽을 한번 보자고 하는 게 아닌가
싶어 등골이 서늘해진다. 그러면 조엘 앨런은 목숨을 건지고
빌리는 끝장날 것이다. 하지만 그는 옆으로 몸을 돌리더니 양
손으로 그의 작지 않은 둔부를 때린다.

"힘은 여기서 나오는 거거든요." 어빈은 강조하는 뜻에서

자기 몸을 다시 한번 때린다. "바로 여기서. 아무 NFL 라이너나 홈런 타자를 붙잡고 물어봐요. 호세 알투베를 봐요. 키는 168센티미터밖에 안 되지만 엉덩이가 벽돌 같잖아요."

"정말 그런가 봐요. 조지가 한 힘 하거든요." 빌리는 초록색 클럽 커버 하나를 바로 잡는다. "어브, 좋은 하루 보내요."

"선생님도요. 저기, 그분 생일이 언제예요? 카드라도 보내게요."

"다음 주요. 하지만 그 친구, 여기 없을 거예요. 서부로 출장 갔거든요."

"야자수와 수영장의 예쁘장한 아가씨들." 어브는 말하고 자리에 앉는다. "부럽네요. 오늘 늦게까지 계실 거예요?"

"모르겠어요. 써지는 거 봐서요."

"아, 부러운 작가의 팔자."

어브는 같은 말을 반복하고 잡지를 펼친다.

11

사무실에서 빌리는 초록색 클럽 커버를 벗긴다. 탕!이라고 적혀 있는 커버다. 그가 쇠톱을 써서 딱 알맞은 길이로 잘라 놓은 커튼 봉이 레밍턴의 총신에 달려 있다. 그 봉의 끝에는 나무 숟가락의 대가리가 달려 있다. 초록색 클럽 커버를 씌워 놓으면 꼭 골프 클럽 헤드 같다. 그는 700의 개머리판, 총신, 볼트를 꺼낸다. 그런 다음 클럽 두 개를 옆으로 치우고 덜거덕거리는 소리가 들리지 않게 스웨터로 감싸 놓은 도시락을 꺼낸다. 그 안에 볼트 플러그, 공이, 밀핀, 바닥판 래치, 기타 등등 좀 더 작은 부품들이 들어 있다. 그는 분해한 총과 총알 다섯 발이 든 탄창, 르폴드 조준기, 유리 절단기를 사무실과 간이 주방 위 벽장에 넣는다. 그런 다음 문을 잠그고 열쇠를 주머니에 넣는다.

그는 글을 써 보려는 시도조차 하지 않는다. 이 개떡 같은 상황을 해결할 때까지 글쓰기는 중단이다. 그는 그의 이야기를 쓰고 있던 맥북을 옆으로 치우고 그의 노트북을 연다. 기억에 입력된, 숫자와 문자의 무작위적인 조합으로 이루어진 암호를 입력하고(암호를 포스트잇에 적어서 어딘가에 숨겨 놓거나 그러지 않는다.) 현란한 게이 파일을 연다. 두말하면 잔소리지만 여기서 말하는 현란한 게이는 비즈니스 솔루션스의 콜린 화이트다. 거기에 빌리는 콜린이 입었던 현란한 의상 열 개를 나열해 놓았다.

조엘 앨런이 법원으로 이송되는 날 콜린이 그중 어떤 옷을 입을지 예측할 길은 없고, 빌리는 그건 중요한 문제가 아니라고 결론을 내린 참이다. 사람들이 자기 눈이 거짓말을 하고 있어도 눈을 믿기 때문이라기보다, 낙하산 바지라야 하기 때문이다. 콜린은 어떨 때는 그 위에 어깨가 넓은 꽃무늬 파워 셔

츠를, 또 어떨 때는 **트럼프를 지지하는 성소수자**라고 적힌 티셔
츠를, 또 어떨 때는 무수히 많은 밴드 티셔츠 중 하나를 걸친
다. 뭐가 됐든 상관없는 것이, 그날 사람들에게 목격될 콜린은
롤링 스톤스의 입술 로고가 뒷면에 찍힌 재킷을 입고 있을 것
이다. 이제 막 지나간 무더운 여름 동안 콜린이 재킷을 입은
걸 한 번도 본 적 없지만 그런 스타일의 옷은 분명 콜린의 옷
장에 있을 것이다. 그리고 만약 이 지역의 가을날이 으레 그러
듯이 디데이에 날이 덥더라도, 재킷을 입은 것이 문제가 되지
는 않을 것이다. 개성 있는 패션으로 간주될 것이다.

가짜 공공사업부 트럭에 타고 있던 닉의 부하들은 그 트럭
앞을 곧장 지나치는 빌리를 보더라도 *빌리 서머스가 도망치
고 있다*고 생각하지 않을 것이다. 낙하산 바지와 어깨까지 내
려오는 검은 머리를 언뜻 보고 *희한한 옷 입고 다니는 그 게이
가 미친듯이 달리고 있네* 하고 생각할 것이다.

바라건대.

빌리는 계속 그의 노트북으로 아마존에 접속해 익일 배송으
로 쇼핑을 한다.

9장

1

일주일이 지난다. 조르조에게서 연락이 오길 계속 기다리지만 감감무소식이다. 금요일 저녁에 그는 동네 사람들을 초대해 뒷마당에서 바비큐 파티를 열고, 이후에 자말과 폴 래글랜드와 함께 잠깐 3인 패스를 한다. 그러는 동안 아이들은 폴과 자말이 던지는 공을 피해 가며 술래잡기를 하는데, 둘 다 화끈한 강속구다. 자말이 빌리에게 빌려준 글러브가 두툼한 포수용 미트인데도 몇 개 안 되는 그릇을 씻는 동안에도 계속 손이 화끈거린다. 설거지를 마쳤을 때 전화 벨이 울린다.

그는 먼저 데이비드 로크리지의 전화기를 확인하지만 그 전화기가 아니다. 다음 차례로 빌리 서머스의 전화기를 확인하지만 그것도 아니다. 그렇다면 벨이 울릴 거라고 생각지도 못했던 전화기가 남는다. 뉴욕에서 버키가 연락한 것이 분명하다. 돌턴 스미스의 번호를 아는 사람은 그뿐이다. 하지만 위에 선반이 달린 서랍장에서 전화기를 집어들었을 때 그는 그게 아니라는 사실을 깨닫는다. 부동산 중개업자 머튼 릭터와 계약서를 작성했을 때에도, 위층에 사는 베벌리 젠슨에게도 그 번호를 알려 주었다.

"여보세요?"

"안녕하세요, 이웃 사촌님." 베벌리가 아니라 그녀의 남편이다. "앨라배마는 어때요?"

빌리는 순간 젠슨이 무슨 말을 하는 건지 알아듣지 못하고 얼어붙는다.

"돌턴? 내 말 안 들려요?"

딸깍 하고 아귀가 들어맞는다. 그는 지금 헌츠빌에서 이퀴티 보험회사의 컴퓨터 시스템을 구축하는 것으로 되어 있다.

"아뇨, 잘 들려요. 앨라배마 어떠냐고요? 푹푹 찌죠."

"그것 말고는 날씨가 괜찮고요?"

헌츠빌의 날씨가 어떤지 빌리로서는 알 도리가 없다. 여기와 비슷하겠지만 누가 알겠는가. 돈 젠슨이 전화할 수도 있다는 생각을 눈곱만큼이라도 했더라면 미리 체크했겠지만.

"별다른 건 없어요. 어쩐 일이에요?"

아, 당신의 실체가 도대체 뭔지 궁금하던 참이라서요. 그는 돈이 이렇게 얘기하는 상상을 한다. 그 가짜 배에 대부분의 사람들은 속아 넘어갈지 몰라도 우리 와이프는 한눈에 간파했어요.

"실은요. 장모님의 상태가 어제 악화돼서 오늘 오후에 돌아가셨어요."

"이런. 정말 안타까운 소식이네요."

빌리는 진심으로 안타까워한다. '정말'까지는 아닐지 몰라도 '조금'은 그렇다. 베벌리는 코린 애커먼이 아니지만 그래도 괜찮은 이웃이다.

"네, 베브가 엄청 속상해하고 있어요. 지금 방에서 짐을 싸다가 울다가, 울다가 싸다가 그러네요. 내일 비행기를 타고 세인트루이스까지 가서 공항에서 차를 렌트해 디긴스라는 코딱지만 한 마을로 갈 거예요. 장례식도 장례식이지만 처리해야 하는 일들이 많아서 며칠 동안 거기 있을 거예요." 돈은 한숨을 쉰다. "돈이 많이 들겠지만 변호사가 화요일에 유언장을 공개한다는데, 우리 몫으로 남겨진 유산이 있을 것 같아서요. 내가 듣기로는 그런데, 변호사들이 어떤 식인지 잘 아시잖아요."

"비밀스럽죠."

"맞아요, 비밀스럽죠. 그래도 장모님은 이른바 저축의 여왕이었고 자식이라고는 베브 하나였으니까요."

"아하."

"거기에 좀 오래 있을 것 같아서 연락을 했어요. 우리 집 열쇠를 그 집 문 아래에 맡기고 가도 되겠는지 베브가 물어보라고 해서요. 앨라배마에서 돌아왔을 때 우리 집 냉장고를 체크하고 베브가 기르는 접란과 봉선화에 물 주는 것도 부탁하고 싶고요. 이름까지 붙여 애지중지 키우고 있거든요. 만약 당신이 일주일 넘게 있다가 올 거면 고민이 되긴 하네요. 이 동네에 아는 사람이 별로 없어서 말이죠."

그 주변에 사는 사람들 자체가 별로 없어서 그렇지. 그리고 빌리는 잘됐다는 생각도 한다. 잘된 정도가 아니라 엄청난 행운이다. 조엘 앨런이 캘리포니아에서 출발하기 전에 젠슨 부부가 돌아오지 않는다면 피어슨 가의 그 집을 독차지할 수 있는 것이다.

"안 될 것 같다고 하시면……."

"할 수 있고 기꺼이 할게요. 얼마나 오래 있다가 올 것 같아요?"

"모르겠어요. 최소 1주, 어쩌면 2주요. 회사에는 휴가를 냈어요. 물론 무급이지만 그렇게 해서 돈이 생긴다면……."

"그렇죠. 알겠어요." 점점 더 훌륭해지고 있다. "그리고 화분은 걱정 말아요. 조만간 돌아가서 이번에는 제법 오랫동안 거기 있을 것 같으니까요."

"잘됐네요. 베브가 냉장고에 있는 거 뭐든 먹어도 된다고 전해 달랬어요. 버리느니 아무라도 먹는 게 낫다면서. 물론 우유는 어차피 상할 것 같긴 하지만요."

"그러게요. 나도 그런 적 있어요. 잘 다녀와요."

"고마워요, 돌턴."

"별말씀을요."

2

그날 밤에 빌리는 양손을 베개 아래에 넣고 침대에 누워서, 파치오 부부의 집 앞 가로등이 그의 천장에 길쭉하게 드리운 흐릿하고 누르스름한 불빛을 올려다본다. 커튼을 친다는 걸 계속 깜빡하고 있다. 커튼을 쳐야겠다고 생각했다가도 금세 잊어버린다. 앞으로는 기다리는 것 말고는 할 일이 없으니 기억할 수 있을지 모른다.

그는 대기하는 기간이 길지 않길 바라는 마음이다. 돈과 베벌리가 마침 알맞게 집을 비우기 때문이기도 하지만 벤지의 이야기를 글로 옮기는 작업을 하지 않으니 제러드 타워에서 보내는 시간이 더디게 느껴질 것이기 때문이기도 하다. 다음 차례는 팔루자이고 빌리에게는 하고 싶은 이야기가, 정확히 그려 내고 싶은 근사한 디테일이 있다. 갈기갈기 찢긴 채 야자수에 걸려서 뜨거운 바람을 맞고 깃발처럼 나부끼던 쓰레기봉지. 서커스 무대에서 피에로들이 조그만 차에서 쏟아져 나오듯 택시에서 줄줄이 내려 해병대를 상대하던 지하드 게릴라들. 래퍼 50센트와 스눕 독이 그려진 티셔츠를 입고 너덜너덜한 나이키나 척 테일러를 신고 폐허를 누비며 탄약을 조달하던 아이들. 반만 남은 사람 손을 입에 물고 졸란 공원을 총총히 가로지르던 다리 세 개짜리 개. 그 개의 발치에서 하얗게 일던 먼지구름이 빌리의 눈에 선하다.

조각들이 다 갖추어져 있지만 이번 일을 마무리하기 전에는 그걸 맞출 방법이 없다. 윌리엄 워즈워스에 따르면 평온한 상태에서 소환된 강렬한 감정이 담긴 글이야말로 가장 훌륭한 글이라고 한다. 빌리는 거기에 필요한 평정심을 잃었다.

이윽고 잠이 들지만 나지막한 문자 알림음이 야심한 시각에 그를 깨운다. 평소 같으면 못 듣고 잤을지 모르지만 요즘은 날마다 꿈도 가물가물한 선잠을 잔다. 해병대 시절에는 늘 그랬다.

침대 옆 테이블에서 전화기 세 대가 나란히 충전 중이다. 빌리, 데이브 그리고 돌턴의 휴대전화다. 화면에 불이 들어온 것은 그의 전화기다.

DblDom: 전화 바람. 그 뒤로 라스베이거스 지역 번호가 딸린 연락처가 이어진다. DblDom은 닉의 카지노 호텔 더블 도미노(Double Domino)다. 빌리가 있는 지역은 새벽 3시다. 닉은 라스베이거스에서 잠자리에 들 준비를 하고 있을 것이다.

빌리는 전화를 건다. 닉이 받더니 어떻게 지내고 있느냐고 묻는다. 빌리는 잘 지내고 있는데, 지금 새벽 3시라고 말한다.

닉이 호쾌하게 웃는다.

"전화하기 가장 좋은 시각이지, 다들 집에 있으니까. 우리 친구가 다음 주 수요일에 자네 쪽으로 갈 거라는 소식을 방금 전에 입수했어. 월요일이 될 뻔했는데 그 친구가 살짝 식중독 증상을 보였다는군. 아마도 자작극이었겠지. 차를 타고 호텔로 이동해 거기서 하룻밤을 지낼 거라고 해. 알겠지?"

빌리는 알아듣는다. 카운티 구치소가 앨런의 호텔일 것이다.

"그다음 날 아침에 그걸 받으러 자네가 있는 쪽으로 갈 거야. 무슨 말인지 알지?"

"네."

기소 적부심을 받는다는 말이다.

"우리 빨간 머리 친구한테서 물건 받았나?"

"네."

"상태 괜찮고?"

"네."

"좋아. 자네 에이전트가 문자를 한 번 더 보내면 스탠바이 하는 거야. 그런 다음에는 휴가를 떠나는 거고. 알겠지?"

"네."

"이 전화기랑 쓰고 있던 다른 전화기 요금은 미리 처리하는 게 좋을 거야. 오케이?"

"네."

제대로 알아들었는지 닉이 계속 확인하는 게 성가시지만 다행이기도 하다. 닉은 자기가 계속 덜떨어진 인간을 상대하고 있는 줄 안다. 빌리 서머스의 전화기, 데이비드 로크리지의 전화기, 그동안 썼을지 모르는 다른 일회용 전화기를 모두 폐기 처분하라. 그는 닉은 모르는 전화기만 남겨 둘 것이다.

"나중에 또 얘기하자고. 전화기는 원하면 당분간 그냥 써도 되지만 내가 보낸 문자는 지우도록 해."

그 말을 끝으로 닉은 전화를 끊는다.

빌리는 문자를 삭제하고 누워서 1분도 안 돼 잠이 든다.

3

서늘한 주말이다. 가을이 마침내 찾아오고 있는 모양이다. 에버그린 가의 나무에서 처음으로 알록달록한 색이 보이기 시작한다. 빌리는 일요일 오후에 펼쳐진 모노폴리에서 대여섯 명이 훈수를 두는 가운데 세 아이들을 상대한다. 주사위가 대개는 그의 편인데 오늘은 아니다. 더블이 세 번 연속으로 나와서 세 번 감옥에 간힌다. 메가 밀리언스 복권에서 여섯 개의 숫자를 모두 맞히는 것만큼이나 확률적으로 희박한 경우다. 그는 다른 두 아이가 파산할 동안 계속 갇혀 있다가 결국 데릭 애커먼에게 발목을 잡힌다. 저당 잡혔던 그의 마지막 재산이 은행으로 넘어가자 아이들은 일제히 환호성을 지르고, *바*

보 바보 사고만 치는 바보 노래를 부르며 그를 놀린다. 코린이 왜 이렇게 시끄러운가 하고 내려왔다가 깔깔 웃다 말고 아저씨 그만 괴롭히라고, 아저씨 숨 막히겠다고 외친다.

"아저씨 발렸어요!" 대니 파치오가 신이 나서 외친다. "*어린 애한테 발렸어요!*"

"맞아." 빌리도 걸걸대고 웃는다. "감옥에 가는 대신 열차를 전부 차지하기만 했어도……"

샤니스의 친구 베키가 그를 향해 혀를 내밀고 야유를 보내자 다들 또 깔깔대며 웃는다. 잠시 후에 그들은 위로 올라가 거실에서 파이를 먹는다. 자말이 거기서 야구 결승전을 보고 있다. 샌은 플라밍고를 무릎에 올려놓고 빌리 옆에 앉는다. 7회에 가서는 빌리의 팔에 머리를 기대고 잠이 든다. 코린이 저녁 같이 먹겠느냐고 묻지만 빌리는 초저녁에 영화나 볼까 생각 중이라며 거절한다. 전부터 「데들리 익스프레스」를 꼭 보고 싶었다고 말이다.

"저 그거 예고편 봤어요." 데릭이 말한다. "무서워 보이던데."

"나는 팝콘을 잔뜩 먹어. 그러면 무서워지는 걸 막을 수 있거든."

빌리는 영화관에 가지 않고 시내를 가로질러 포드 퓨전을 세워 놓은 주차장으로 달리며 팟캐스트로 리뷰를 듣는다. 만사 불여튼튼이다. 그는 퓨전을 몰고 피어슨 가 658번지로 가서 돌턴 스미스의 장비를 벽장에 넣는다. 그런 다음 2층으로 올라가 베벌리 젠슨의 접란과 봉선화에 물을 준다. 접란은 맹렬하게 자라고 있지만 봉선화는 많이 시든 것 같다.

"많이 먹어라, 대프니."

봉선화 앞에 달린 조그만 팻말에 그 이름이 적혀 있다. 접란은 월터인데 그 이유는 아무도 모른다.

빌리는 문을 잠그고 야구 모자로 금발이 아닌 머리를 가리고 집을 나선다. 그리고 이제 거의 해가 졌지만 선글라스도 쓴다. 퓨전을 아까 그 주차장에 대고 도요타를 몰고 미드우드로 돌아가 TV를 좀 보다가 침대에 눕는다. 거의 곧바로 잠이 든다.

4

월요일 오후에 누군가가 문을 두드린다. 빌리는 켄 호프인 줄 알고 침울하게 문을 여는데 호프가 아니다. 필리스 스탠호프다. 웃고 있지만 눈이 빨갛고 퉁퉁 부었다.

"같이 저녁 먹을래요?" 필리스가 느닷없이 묻는다. "남자친구한테 차여서 기분 전환을 좀 하고 싶어서요." 그녀는 말을 잠깐 멈추었다가 다시 잇는다. "제가 살게요."

"그럴 필요 없어요." 빌리는 이 일이 어떻게 끝날지 알 것 같고 그건 어쩌면 좋은 생각이 아닐지 모르지만 그래도 상관없다. "기쁜 마음으로 저녁 살게요. 그게 불편하면 지난번처럼 더치페이 하고요."

하지만 그들은 더치페이를 하지 않는다. 빌리가 계산한다. 빌리는 필리스가 그와 자는 것으로 관계의 종말을 자축하기로 마음먹었는지 모르겠다고 생각하는데, 그녀가 들이켠 스크루 드라이버 세 잔—식전에 두 잔, 식사와 함께 한 잔—이 그 심증을 더욱 굳히는 역할을 한다. 빌리가 와인 리스트를 보여주려고 하지만 그녀는 손사래를 친다.

"섞지 않으면 걱정할 일이 없거든요. 어디 나오는 말인가 하면……"

"「누가 버지니아 울프를 두려워하랴」에 나오는 말이죠."

빌리가 대신 말문을 맺자 필리스는 웃음을 터뜨린다.

그녀는 저녁은 별로 먹지 않는다. 1부는 직접 만나서, 2부는 전화상으로 이루어진 조금 불쾌한 결별이었다고 전하며 배가 별로 고프지 않다고 한다. 그녀가 간절히 원했던 건 이 술이었다고 한다. 밥값은 더치페이를 하지 않았을지 몰라도 이제 일말의 가능성이라기보다 불가피한 수순처럼 느껴지는 다음 단계로 넘어가려면 그녀 쪽에서 호기롭게 나서 주어야 한다. 빌리는 그걸 원한다. 여자와 마지막으로 시간을 보낸 것이 언젠지 모르겠다. 빌리는 데이비드 로크리지의 카드로 계산을 하며 아이들이 그를 놀렸던 것을 떠올린다. 바로 그 바보가 불과 하루 만에 이렇듯 사고를 치고 있다.

"당신 집으로 가요. 내 집 욕실 선반에 있는 그 인간의 애프터셰이브는 보기도 싫으니까."

흠. 내 욕실 선반에 있는 애프터셰이브는 봐도 돼요. 심지어 내 칫솔을 써도 돼요.

에버그린 가에 있는 노란 집에 도착하자 필리스는 평가하는 눈빛으로 이리저리 둘러보다가 그가 시내 중고용품점에서 산 「닥터 지바고」 포스터를 칭찬하고 술이 있느냐고 묻는다. 빌리는 냉장고에 여섯 캔짜리 맥주를 쟁여 놓았다. 그가 잔이 필요하냐고 묻자 그녀는 캔째 마시겠다고 한다. 그는 두 개를 거실로 들고 온다.

"글을 쓰는 동안에는 술 안 마신다고 하지 않았어요?"

그는 어깨를 으쓱한다.

"약속은 깨지라고 있는 거죠. 게다가 지금은 근무 시간도 아니고요."

둘이서 캔을 따자마자 그녀가 "이 집은 덥네요." 하며 블라우스 단추를 풀기 시작한다. 아침이 되면 거의 입에 대지 않은 채로 김이 빠져 버린 맥주가 커피 테이블에 놓여 있을 것이다.

섹스는 기분 좋게 끝난다. 적어도 빌리의 입장은 그렇다. 필리스 입장에서도 그런 것 같지만 여자들 생각은 잘 모르겠다. 가끔 그들은 이제 그만 잠을 잘 수 있게 상대가 그만 용을 쓰고 내려와 주길 바랄 때도 있지만, 만약 그녀가 연기를 한 거라면 훌륭한 연극배우다. 빌리가 더는 참을 수 없는 지경에 이르기 직전에 그녀가 그의 어깨에 대고 신음 소리를 내며 거의 피가 날 정도로 세게 손톱으로 누른 시점이 있다.

빌리가 몸을 굴려 침대 한쪽으로 자리를 옮기자 필리스가 수고했다는 듯이 어깨를 토닥인다.

"연민의 빠구리는 아니었길 바라요."

"그건 아니었어요, 진짜로. 복수의 빠구리였느냐고 묻지는 않을게요."

그녀는 웃음을 터뜨린다.

"잘 생각했어요."

그러더니 그의 반대편으로 몸을 굴려서 5분 만에 코를 골기 시작한다.

빌리는 잠깐 뜬눈으로 누워 있다. 하도 얌전하게 골아서 거의 가르랑거림에 가까운 그녀의 코 고는 소리 때문이 아니라 생각의 스위치가 내려가지 않기 때문이다. 그녀가 그런 식으로 찾아와 그와 함께 이 집까지 오게 된 것이 꼭 모든 등장인물이 완벽하게 소진되고 커튼콜에 응하듯 마지막으로 한번 등장하는 졸라의 소설 같다는 생각이 든다. 빌리는 이야기가 아직 끝나지 않았길 바라지만 이 부분은 거의 끝난 느낌이다. 일을 마치고 돈을 챙기면 (돌턴 스미스의 이름 아니면 다른 이름으로) 새로운 삶이 시작될 것이다. 어쩌면 더 나은 삶이 시작될 것이다.

얼마 전부터, 어쩌면 벤지의 이야기를 쓰기 시작한 이후부터 숨이 막혀서 이 삶은 더 이상 살지 못하겠다는 것을 느꼈다. 그가 나쁜 놈만 죽인다는 주장은, 아니, *기만*은 여기까지다. 지금 이 동네에서는 선한 사람들이 각자의 집에서 잠을 청하고 있다. 빌리가 그 사람들을 죽일 일은 없겠지만 여기서 지낸 이유가 밝혀지면 그들 안에 있던 무언가가 그로 인해 파괴될 것이다.

너무 시인 같은 발상일까? 너무 낭만적인 발상일까? 빌리가 생각하기에는 그렇지 않다. 이방인이 등장해 동네 주민으로 변모했지만 결정타는 이것이다. 알고 보니 그는 처음부터 끝까지 이방인이었다는 것.

3시쯤에 빌리는 필리스가 화장실에서 구역질하는 소리를 듣고 깬다. 변기 물이 내려간다. 수도꼭지가 틀어진다. 그녀가 다시 침대로 돌아온다. 조금 흐느껴 운다. 빌리는 계속 자는 척한다. 울음이 멈춘다. 코 고는 소리가 다시 시작된다. 잠에 든 빌리는 야자수에 걸려 퍼덕이는 쓰레기 봉지 꿈을 꾼다.

5

6시 직후에 눈을 떠 보니 커피 냄새가 난다. 필리스가 빌리의 버튼업 셔츠를 입고 맨발로 부엌에 있다.

"잘 잤어요?"

"네. 당신은요?"

"엄청 잘 잤어요. 커피 냄새 끝내주네요."

"내가 아스피린 훔쳐 먹었어요. 간밤에 술을 너무 마신 모양이에요."

그녀는 재미있어하는 한편 멋쩍어하는 눈빛으로 그를 쳐다본다.

"내 애프터셰이브만 훔쳐 바르지 않았으면 상관없어요."

그 말에 그녀는 웃음을 터뜨린다. 원 나이트를 했다가 다음 날 아침에 끔찍한 순간을 맞이할 수 있고 그도 두어 번 그런 적 있다. 그러나 이번에는 괜찮을 것 같고 그래서 다행이다. 필리스는 좋은 여자다.

그가 스크램블드에그를 해 주겠다고 하지만 그녀는 얼굴을 찡그리며 고개를 젓는다. 그는 그래도 버터를 바르지 않은 토스트를 먹이고, 홀가분하게 씻고 옷을 갈아입을 수 있게 방과 욕실을 내어준다. 잠시 후에 나온 그녀는 멀쩡해 보인다. 블라우스가 살짝 쭈글쭈글하긴 하지만 다른 건 그대로 나가도 될 정도다. *나중에 사람들한테 공개할 수 있는 이야깃거리가 생겼네.* 빌리는 생각한다. 살인범과 보낸 하룻밤. 그녀가 공개하기로 마음먹은 경우에는 그럴 테지만, 공개하지 않을지도 모른다.

"나 집까지 태워다줄 수 있어요, 데이브? 옷 갈아입고 싶어서요."

"그럼요."

그녀는 문 앞에서 잠깐 걸음을 멈추고 그의 팔에 손을 얹는다.

"복수의 섹스는 아니었어요."

"그래요?"

"여자는 가끔 그냥 욕망의 대상이 되고 싶을 때도 있거든요. 그리고 당신이 나를 원했잖아요……. 아닌가요?"

"맞아요."

그녀는 그럼 됐다는 뜻에서 고개를 끄덕인다.

"그리고 나는 당신을 원했고요. 하지만 이번이 처음이자 마지막일 것 같아요. 사람 일은 모르는 거라지만 내 느낌상으로는 그래요."

빌리는 이번이 처음이자 마지막이라는 걸 알기에 고개를 끄덕인다.

"친구로 지낼 거죠?" 필리스가 묻는다.

그는 그녀를 안아 주고 뺨에 입을 맞춘다.

"언제까지나요."

아직 이른 시각이지만 에버그린 가 사람들은 일찍 일어난다. 길 건너편에서는 다이앤 파치오가 현관 앞 흔들의자에 앉아 있다. 분홍색 모직 실내복으로 몸을 감쌌고 한 손에 커피 잔을 들고 있다. 빌리는 필리스를 위해 도요타 조수석 문을 열어 준다. 뒤로 돌아서 운전석으로 걸어가는데, 다이앤이 그를 향해 엄지손가락을 들어 보인다.

빌리는 웃지 않을 도리가 없다.

6

점심 트럭이 등장하자 빌리는 내려가서 타코와 콜라를 산다. TV 드라마나 존 그리섬 소설에 등장할 법한 젊은 변호사 일당인 짐 올브라이트, 존 콜턴 그리고 해리 스톤이 와서 자기들 옆에 앉으라고 손짓하지만, 빌리는 사무실로 들고 올라가 일을 하면서 먹을 생각이라고 말한다.

짐이 손가락을 하나 들고 읊는다.

"'임종을 앞두고 사무실에서 보낸 시간이 너무 적었다고 후회하는 사람은 없다.' 오스카 와일드가 저승으로 건너가기 직전에 한 말이에요."

빌리는 오스카 와일드가 마지막으로 한 말은 "저 벽지가 없어지든지 내가 없어지든지 둘 중 하나"로 알려져 있다고 짐에게 알려 줄 수도 있지만 그냥 미소만 짓는다.

사실 거사일이 코앞으로 닥친 마당에 그들과 함께 시간을 보내고 싶지가 않다. 그들을 싫어해서가 아니라 좋아하기 때문이다. 필리스는 하루 월차를 낸 모양이다. 그녀가 수요일과 목요일에도 출근하지 않으면 좋겠지만 그건 너무 큰 욕심일 것이다.

사무실로 다시 들어갔을 때 돌턴의 전화기 벨이 울린다. 돈 젠슨이다.

"내 친구 돌런! 컴백했어요?"

"네."

"잘 지내고 있어요? 대피랑 월러는 어때요?"

"우리 셋 다 잘 지내고 있어요. 그쪽은 어때요?"

돈의 목소리를 듣자 하니 이제 막 12시를 지났을 뿐인데도 취한 모양이다.

"어우, 나는 이보다 더 좋을 수가 없어요." '없어요'가 아니라 '업스요'로 들린다. "베비도요. 베비, 인사해!"

베벌리가 소리를 지르고 있기 때문에 멀긴 해도 잘 들린다. "안녕하세요, 꿀단지 씨!" 그러고는 깔깔대며 웃는다. 그러니까 그녀도 술을 마시고 있는 거다. 둘 다 고인의 죽음을 애도하는 분위기가 아니다.

"베비가 안부 전하네요."

"네, 들었어요."

"돌런…… 내 친구…….." 돈이 언성을 낮춘다. "우리 이제 부자예요."

"진짜요?"

"변호사가 오늘 아침에 유언장을 공개했는데, 장모님이 베비한테 전 재산을 남겼지 뭐예요. 주식에 현금까지. 거의 *이심만* 달러예요!"

뒤에서 베벌리가 환호성을 지르고 빌리는 자기도 모르게 미소를 짓는다. 술이 깨면 그녀는 다시 슬퍼하겠지만 이 도시의 별로 바람직하지 않은 동네에서 아파트 생활을 하던 두 사람은 지금 당장은 자축하는 분위기고 빌리도 그들을 나무랄 수가 없다.

"잘됐네요, 돈. 정말 잘됐어요."

"이번에는 얼마 동안 집에 있을 거예요? 그것 때문에 전화했어요, 돌런."

"아마 제법 오래 있을 거예요. 새로 계약한 업체가……"

돈은 빌리의 말이 끝날 때까지 기다리지 않는다.

"좋아요, 좋아. 대피랑 윌러 물 주는 거 계속 부탁해요. 왜냐하면…… 왜게요?"

"왠데요?"

"알아맞혀 봐요!"

"모르겠는데요."

"알아맞혀야 해요, 컴퓨터 도사. 얼른!"

"둘이 디즈니랜드에 다녀올 거라서?"

돈이 어찌나 껄껄대고 웃는지 빌리는 살짝 움찔하며 전화기를 귀에서 떼지만 그래도 계속 미소를 짓고 있다. 괜찮은 사람들에게 좋은 일이 생겼으니 그의 상황이 어떻든 간에 기뻐할 수밖에 없다. 졸라가 이 비슷하게 전개되는 작품을 쓴 적 있는지 궁금해진다. 아마 없을 것이다. 하지만 디킨스라면……

"비슷했어요, 돌런, 비슷했어. *우린 크루즈 여행을 갈 거예요!*"

뒤에서 베벌리가 함성을 지른다.

"한 한 달쯤 집에 있을 거예요? 아니면 6주? 왜냐하면……"

이 시점에서 베벌리가 전화기를 낚아채자 빌리는 혹사당한 귀를 보호하는 차원에서 다시 한번 전화기를 멀찌감치 떨어뜨려야 한다.

"그렇게 오랫동안 못 있을 것 같으면 그냥 죽게 둬요! 새 화분 사면 되니까! 아예 온실을 사든지요!"

빌리는 이참에 조의와 축하를 동시에 전하고 다시 돈이 전화기를 건네받는다.

"그리고 돌아가면 이사할 거예요. 이제는 길 건너편의 그 빌어먹을 공터를 감상하지 않을 거예요. 당신이 사는 아파트를 디스하는 건 아니에요, 돌. 베비는 전부터 거기 살고 싶어 했거든요."

베브가 외친다. "이젠 아니야!"

"대프니하고 월터 물 잘 주고 있을 테니 그 걱정은 하지 말아요."

"대가는 지불할게요, 컴퓨터 천재 식물 돌보미! 이젠 그럴 만한 여유가 되거든요!"

"됐어요. 당신들은 훌륭한 이웃사촌이잖아요."

"당신도 마찬가지예요, 돌런. 우리가 지금 뭐 마시고 있는지 알아요?"

"샴페인 아닐까요?"

빌리는 다시 한번 전화기를 멀찌감치 떨어뜨린다.

"와우 씨, 완전 정답!"

"너무 많이 마시지는 말아요. 그리고 베벌리한테 인사 전해 줘요. 어머님이 돌아가신 건 안타깝지만 유산을 받게 된 건 축하한다고."

"그럴게요. 정말 고마워요." 돈은 잠깐 멈췄다가 거의 정신이 멀쩡한 사람 같은 투로 말을 다시 잇는다. 감탄하는 투다. *"20만 달러라니. 이거 실화 맞아요?"*

"맞아요."

빌리는 전화를 끊고 사무실 의자에 기대고 앉는다. 그는 20만 달러보다 훨씬 많은 돈을 받겠지만 진정한 부자는 돈과 베벌리 젠슨이라는 생각이 든다. 그렇다, 진정한 부자는 그들이다. 감상적이기는 하지만 맞는 말이다.

7

다음 날 아침에 제러드 타워 모퉁이를 돌아 주차장으로 진입하는데, 데이비드 로크리지의 휴대전화에서 문자 알림음이 울린다. 그는 4층에 주차할 때까지 기다렸다가 읽는다.

G러소: 수표가 입금되는 중이야.

서해안은 이제 겨우 6시 30분이라 과연 그럴까 싶지만, 수표가 조만간 입금될 *예정*인 건 맞다. 앨런이 아마도 시경 소속 형사나 주 경찰관과 한 수갑을 차고서 상용 비행기를 타고 건너오는 모양인데 다행이다. 이제 쇼를 시작할 때도 됐다. 아니, 그럴 때도 이미 예전에 지났다.

그는 자동차 뒷문을 열고 종이 쇼핑백을 꺼낸다. 그 안에 낙하산 바지와 뒷면에 롤링 스톤스의 입술 로고가 박힌 실크 재킷이 담겨 있다. 콜린 화이트는 금색을 좋아하지만 이 조합은 금색이 아니다. 빌리는 내적 갈등 끝에 금색 조합은 너무 현란하다는 결론을 내린다. 그가 아마존에서 주문한 건 금색 반짝이가 달린 검은색이다. 콜린이 보았다면 분명 마음에 들어했을 조합이다.

빌리는 어브가 어쩐 일로 쇼핑백을 들고 출근하느냐고 물어볼 경우에 대비해 둘러댈 이야기를 준비해 놓았지만—그럴 것 같지는 않지만 가능성은 얼마든지 존재한다—빌리가 로비를 지나 엘리베이터로 향할 때 어브는 비즈니스 솔루션스의 몇몇 예쁘장한 여직원들과 대화를 나누는 데 정신이 팔려서 손을 흔들고 그만이다.

빌리는 사무실에 들어가서 쇼핑백을 열고 옷을 헤치고 스테이플스 문구점에서 사 온 팻말을 맨 밑바닥에서 꺼낸다. SORRY CLOSED라고 적혀 있는 팻말이다. 그 문구 양쪽으로 울상을 지은 만화 얼굴이 그려져 있다. 아래에는 짧게 이유를 적을 수 있는 칸이 있다. 빌리는 네임펜으로 거기에 단수 4층 또는 6층을 이용할 것이라고 적고 글씨가 번지지 않게 팻말을 몇 번 흔든 다음 다시 쇼핑백 안에 넣는다. 여기에 긴 머리 가

발을 추가하고 쇼핑백을 벽장에 넣는다.

　그는 책상 앞으로 자리를 옮겨서 벤지 이야기를 USB로 옮긴다. 그런 다음 자폭 프로그램을 돌려 맥북 프로의 모든 정보를 지운다. 맥북은 여기 남겨 두기로 한다. 그 오랜 시간 동안 썼으니 아무리 열심히 지워도 맥북과 이 사무실의 온 사방에 지문이 남았을 테지만 상관없다. 방아쇠를 당기고 조엘 앨런이 법원 앞 계단 위로 쓰러져 죽는 것을 확인하고 나면 빌리 서머스는 더 이상 존재하지 않는 사람이 될 것이다. 그의 개인 노트북도 데이터를 모두 삭제해 여기 남겨 두고 피어슨 가에 사 놓은 싸구려 올테크를 써도 되지만 그러고 싶지가 않다. 이 노트북은 지금까지 평지풍파를 함께하고 있는 친구다.

8

　1시간 뒤에 누군가가 출입문을 두드리는 소리가 들린다. 어쩌면 겁에 잔뜩 질린 켄 호프이겠거니 생각하며 또다시 문을 여는데 다시 한번 짐작이 틀린다. 이번에는 닉의 라스베이거스 팀원 중 한 명인 데이나 에디슨이다. 오늘은 공공사업부 작업복을 벗고, 특징 없는 검은색 바지에 회색 캐주얼 재킷을 입었다. 왜소하고 안경을 쓰고 있어서 언뜻 보면 복도 저쪽 끝에 있는 필리스 스탠호프의 회계 사무소 직원 같다. 하지만 좀 더 자세히 들여다보면, 특히 해병대 출신인 경우 뭔가 다르다는 것을 알아차릴 수 있을 것이다.

"안녕하세요." 에디슨의 목소리는 낮고 깍듯하다. "닉이 그쪽한테 전해 달라는 이야기가 있어서 왔는데요. 잠깐 들어가도 될까요?"

빌리는 옆으로 비켜선다. 데이나 에디슨은 깔끔한 갈색 로퍼로 가볍게 바깥 사무실을 지나 빌리가 작업실로 쓰고 있는 조그만 회의실로 들어선다. 여기는 망루이기도 하다. 에디슨은 유연하고 자신만만하게 움직인다. 그는 하다 만 크리지비 게임이 띄워져 있는 빌리의 개인 노트북을 흘끗 쳐다보고는 창밖을 내다본다. 빌리가 지난여름 수없이 눈으로 그린 사선을 그 역시 눈으로 훑는다. 다만 이제 여름은 가고 찬 기운이 감돈다는 게 다르긴 하다.

데이나 에디슨이 시간적인 여유를 허락해서 다행이다. 빌리는 여기서 상당히 똑똑한 데이비드 로크리지로 지내는 데 익숙해져 있어서 말실수를 저지를 수도 있었다. 하지만 데이나가 등을 돌리고 있는 동안 빌리는 *바보 빌리*의 가면을 장착한다. 눈을 동그랗게 뜨고 입을 살짝 벌린다. 촌구석 바보로 보일 정도는 아니고 에밀 졸라가 슈퍼맨의 숙적이라는 말을 믿을 만한 남자로 보일 정도다.

"데이나 맞죠? 닉의 집에서 만났던."

그는 고개를 끄덕인다.

"나랑 레지가 그 조그만 공공사업부 트럭을 타고 빈둥거리고 다니는 거 봤죠?"

"네."

"닉이 내일 일을 치를 준비가 다 됐는지 궁금해서요."

"당연하죠."

"총은 어디 있어요?"

"음…….."

데이나는 그의 다른 모든 부분처럼 조그맣고 단정한 이를 드러내며 씩 웃는다.

"됐어요. 하지만 가까운 데 있는 건 맞죠?"

"그럼요."

"저 유리창 자를 절단기는 준비해 놨고요?"

멍청한 질문이지만 상관없다. 그는 멍청한 인간으로 보여야 한다.

"물론이죠."

"오늘은 그거 쓰지 않는 게 좋겠어요. 오후 내내 해가 건물 이쪽을 비춰서 구멍이 누군가에게 보일 수도 있으니까."

"나도 알아요."

"네, 그렇겠죠. 닉한테 들었어요, 왕년에 저격수였다고. 팔루자에서 여럿 죽였다면서요. 거기는 어땠어요?"

"좋았어요."

사실은 좋지 않았다. 그리고 이 대화도 마찬가지다. 에디슨을 이 안에 들인 것은 작고 제대로 압축이 된 먹구름을 들인 것과 다름없다.

"닉은 당신이 계획을 제대로 이해하고 있는지 확인하고 싶다고 했어요."

"제대로 이해하고 있어요."

데이나는 그래도 메시지를 그대로 전달한다.

"당신이 총을 쏘고 5초, 아무리 늦어도 10초 뒤에 저기 저 카페 뒤편에서 뭐가 터지는 엄청 큰 소리가 들릴 거예요."

"플래시뱅이요."

"맞아요, 플래시뱅. 그건 프랭키가 맡을 거예요. 그로부터 5초, 아무리 늦어도 10초 뒤에 이번에는 모퉁이 문구점 뒤편에서 뭐가 터질 거예요. 그건 폴리 로건이 맡을 거고요. 사람들이 밖으로 탈출하기 시작하겠죠. 당신도 무슨 일인지 얼른 확인하고 잽싸게 도망치려는 직장인들을 따라서 나가요. 나가서 모퉁이를 돌아요. 그럼 공공사업부 트럭이 기다리고 있을 거예요. 레지가 뒷문을 열어 놓고 있을 거예요. 운전석에는 내가 앉아 있을 거고. 트럭에 타서 잽싸게 작업복으로 갈아입어요. 알아들었죠?"

빌리는 알아듣지 못한 적이 없었다. 막판 개인 수업 같은 건 필요 없다.

"네. 그런데 하나만 확인할게요, 데이나."

"뭔데요?"

"내가 준비하려면 해야 하는 일이 있고, 그걸 일단 시작하면 돌이킬 방법이 없어요. 내일이 그날인 게 확실해요?"

데이나가 물론이라고 말을 하려고 입을 열지만 빌리는 고개를 젓는다.

"잘 생각하고 대답해요. 뭐 하나라도 바뀌면 이 일은 파토 나고 나는 골로 가고 조엘 앨런은 계속 숨이 붙어 있을 테니까. 그러니까…… *확실해요?*"

데이나 에디슨은 빌리를 재평가하는 듯 유심히 들여다본다. 그러더니 미소를 짓는다.

"해가 동쪽에서 뜨는 것만큼이나 확실해요. 다른 거 또 있어요?"

"아뇨."

"좋아요."

에디슨은 다시 용수철처럼 걸어서 바깥 사무실로 돌아간다. 하나로 틀어서 묶은 머리가 짙은 빨간색 문고리 같다. 문 앞에서 그는 몸을 돌리고 아무 감정 없이 반짝이는 파란 눈으로 빌리를 쳐다본다.

"헛방 날리지 말아요."

그 말을 남기고 사라진다.

빌리는 다시 작업실로 돌아가 중단된 크리비지 게임을 물끄러미 바라본다. 그는 데이나 에디슨이 코디의 창고에서 불이 날 수 있다는 얘기는 하지 않은 점을 생각하고 있다. 알았더라면 그 얘기를 분명 했을 것이다. 그리고 닉의 계획대로 했다가 이마에 구멍이 뚫린 채 시골 도로변 개골창에 버려지는 신세로 전락할 가능성에 대해서도 생각하고 있다. 그런 일이 벌어진다면 그 구멍은 데이나 에디슨이 낼 것이다. 그러면 150만 달러는 누구 차지가 될까? 당연히 닉이다. 빌리는 피해망상이라고 믿고 싶지만 에디슨의 방문을 받고 나니 그럴 가능성이 없지 않아 보인다. 그들이 오랜 세월 동안 같이 일을 하기는 했지만 닉도 분명 그런 생각을 한 적 있을 것이다. 켄 호프를 제거하고 빌리 서머스를 제거하고 모두 유유히 사라지기.

빌리는 개인 노트북을 덮는다. 그의 이야기를 쓰는 것이 이보다 더 아득하게 느껴질 수가 없다. 젠장, 오늘은 심지어 크리비지 게임도 하지 못하겠다.

9

집으로 가는 길에 에이스 하드웨어에 들러서 필요한 마지막 준비물을 산다. 맹꽁이자물쇠다. 집에 도착해 보니—여기에서 보내는 마지막 밤이다—현관 앞 계단 맨 꼭대기에 돌멩이로 눌러 놓은 쪽지가 있다. 그는 어깨에 메고 있던 노트북 가방을 내려놓고 쪽지를 집고 앉아서 들여다보며, 생략했더라면 좋았을 커튼콜이라는 생각을 한다. 누가 봐도 어린애가, 하지만 재능이 있는 어린애가 크레용으로 그린 그림이다. 화가가 이제 겨우 여덟 살이라 얼마나 재능이 있는지는 알 수가 없다. 아래에는 자기 이름을 적어 놓았다. 섀니스 애냐 애커먼. 위에는 대문자로 이렇게 적었다. 데이브 아저씨에게!

여러 가닥으로 땋은 머리에 밝은 빨간색 리본을 묶고 웃고 있는 짙은 밤색 피부의 여자아이를 그린 그림이다. 분홍색 플라밍고를 안고 있는데, 플라밍고의 머리에서 하트가 줄줄이 흘러나오고 있다. 빌리는 그림을 한참 동안 쳐다보다가 접어서 뒷주머니에 넣는다. 그는 상상조차 한 적 없는 상자 안에 제 발로 들어가고 말았다. 3개월 전, 호텔 로비에 앉아서 『아치의 친구들과 여자들』을 읽으며 그를 태워 갈 차를 기다리고 있었던 그때로 시계 바늘을 돌릴 수만 있다면 200만 달러의 보수는 물론이고 뭐든 포기할 수 있겠다. 그때로 돌아간다면 프랭키 엘비스와 폴리 로건이 왔을 때 닉에게 미안하다고 전해 달라고, 생각이 바뀌었다고 말할 것이다. 하지만 돌아갈 방법은 없고 이제는 오로지 전진뿐이다. 데이나 에디슨이 이 동네로 찾아와 이리저리 캐묻고 다니고 어쩌면 섀니스의 어깨에 그 작고 단정한 손을 얹을지도 모른다는 생각이 들자, 빌리는 입술을 거의 보이지 않을 정도로 굳게 다문다. 그는 상자에 갇혔고 여기서 빠져나가려면 총을 쏘는 수밖에 없다.

10장

1

목요일 아침. 그날이다. 빌리는 5시에 일어난다. 물과 함께 토스트를 먹는다. 커피는 마시지 않는다. 일을 끝낼 때까지 카페인은 일체 사절이다. 700을 어깨에 얹고 르폴드 조준기를 들여다볼 때 두 손에 떨림이 전혀 없어야 한다.

토스트 접시와 빈 물잔을 개수대에 넣는다. 식탁에는 휴대전화 네 개가 일렬로 놓여 있다. 그는 세 대의 전화기—빌리, 데이브, 일회용 전화기—의 유심 카드를 꺼내 전자레인지에 넣고 2분 동안 돌린다. 오븐 장갑을 끼고 숯덩이로 변한 잔재를 꺼내 쓰레기 처리기에 넣고 분쇄한다. 유심이 없는 전화기는 종이 쇼핑백에 담는다. 여기에 돌턴 스미스의 전화기, 맹꽁이자물쇠, 그리고 돌턴 스미스의 장비를 가져다놓고 베벌리의 화분에 물을 주러 피어슨 가에 갔을 때 썼던 평범한 회색 야구 모자를 넣는다.

노트북을 한쪽 어깨에 메고 문 앞에 잠깐 서서 좌우를 둘러본다. 여기는 집이 아니고, 그는 F.W.S. 멀킨 보안관보가 모는 차를 타고 힐뷰 트레일러 주차장의 스카이라인 드라이브 19번지를 떠난 이래(거기도 특히 밥 레인스의 손에 동생이 죽은 뒤로는 집이라고 볼 수 없었다.) 집이라고 부를 만한 곳을 가져 본 적이 없었지만, 그나마 집에 가장 가까웠던 곳이 여기다.

"뭐, 자 그럼."

빌리는 밖으로 나간다. 문은 굳이 잠그지 않는다. 경찰이 괜히 부수고 들어오게 할 필요는 없다. 고생고생해 가며 살려 놓은 잔디밭이 그들에게 온통 짓밟히는 것만으로도 충분하다.

2

빌리는 차를 몰고 주차장으로 가지 않는다. 주차장은 용도가 끝났다. 6시 5분에 그는 제러드 타워에서 몇 블록 가면 나오는 메인 가에 차를 댄다. 시각이 이렇다 보니 대로변에 자리가 많고 인도는 아예 인적이 없다. 노트북을 어깨에 멘다. 종이 쇼핑백을 손에 든다. 열쇠는 도요타의 컵 홀더에 둔다. 누군가가 훔쳐 가겠지만 꼭 그래야 하는 건 아니다. 보고 있는 사람이 없는지 주변을 확인해 가며 죽은 휴대전화 세 대를 각기 다른 하수구에 버리는 것도 마찬가지다. 이걸 해병대에서는 '보안 유지'라고 한다. 그는 세 번째 전화기를 버린 뒤에 새니스가 자기와 플라밍고를 그린 그림을 들고 왔는지 확인한다. 이름이 데이브로 바뀐 플라밍고. 있다. 다행이다. 이건 보존할 가치가 있는 그림이다.

기어리 가를 따라 제러드 타워에서 반대편으로 한 블록 걸어가 예전에 살펴 놓은 골목길로 간다. 보고 있는 사람이 없는지(그리고 술에 취해 거기서 자고 있는 성가신 홈리스는 없는지도) 다시한번 체크한 뒤 골목길 안으로 들어가 두 개의 쓰레기통 중에서 두 번째 뒤에 쭈그리고 앉는다. 이 도시는 쓰레기 수거일이 금요일이라 양쪽 모두 꽉 차 있고 악취를 풍긴다. 그는 노트북과 회색 야구모자를 쓰레기통 뒤편에 넣고 쓰레기통에서 포장지를 여러 개 주워다가 그걸로 덮는다.

총을 쏘는 것보다 이 부분이 더 걱정스럽다. 그런 걸 아이러니라고 하나? 잘 모르겠다. 그가 아는 게 있다면 이 도시로 왔을 때 읽고 있었던 『테레즈 라캥』만큼이나 노트북을 잃어버리기 싫다는 것이다.(그 책은 피어슨 가 658번지에 잘 모셔져 있다.) 그것들은 행운의 부적이다. 그가 단호한 결의 작전과 유령의 분노 작전 때 거의 내내 들고 다녔던 아기 신발과도 같다.

누군가가 이 골목길에 들어와서 쓰레기통 뒤편을 뒤져 오물이 뭔 포장지를 헤치고 노트북을 훔쳐 갈 가능성은 낮고, 그런다 한들 암호를 풀 방법은 절대 없겠지만, 중요한 건 이 물건이다. 하지만 그걸 어깨에 메고 제러드 타워에서 빠져나올 수는 없으니 들고 갈 수가 없다. 콜린 화이트는 전화기를 들고 다녔고 그의 일부인 게 분명한 헤드셋을 한 채로 점심을 먹으러 나올 때도 두어 번 있었지만, 빌리가 알기로 노트북을 들고 나온 적은 한 번도 없었다.

그는 6시 20분에 제러드 타워에 도착한다. 법원이 끝을 막고 있는 이 길이 나중에는 직장인들로 북새통을 이루겠지만 지금은 무덤 같다. 보이는 사람이라고는 졸린 눈을 하고서 아침 스페셜 메뉴 간판을 선스팟 카페 앞에 설치하는 여자뿐이다. 빌리는 그 뒤편에 플래시팟이 이미 설치되어 있을까 궁금해하다가 그 생각을 떨쳐 버린다. 플래시팟은 그가 알 바 아니고 켄 호프가 코디에서 벌어질 거라고 했던 화재도 마찬가지다. 그러거나 말거나 빌리는 총을 쏠 것이다. 그것이 그의 일이고, 뒤에서 다리가 하나씩 불에 타서 무너지고 있으니 총을 쏘아야 한다. 선택의 여지가 없다.

어브 딘은 7시 아니면 7시 반이나 되어야 보안 데스크로 출근할 텐데, 이 건물의 두 관리인 중 한 명이 로비 바닥을 닦고 있다. 빌리가 모범생처럼 출입 기록을 남기려고 카드 리더기 앞으로 다가가자 그가 고개를 든다.

"좋은 아침이에요, 토미." 빌리는 엘리베이터를 향해 걸어

가며 말한다.

"이렇게 일찍 어쩐 일이에요, 데이브? 지금은 하느님도 일어나지 않았을 시각인데."

"데드라인이 있어서요." 빌리는 오늘 해야 하는 일에 딱 알맞은 단어라는 생각을 한다. "하느님이 다시 자러 들어갈 시각까지 사무실에 있을지 몰라요."

그 말을 듣고 토미는 웃음을 터뜨린다.

"파이팅하세요."

"그럴 생각이에요."

3

그는 종이가방 두 개를 들고 5층 남자 화장실로 간다. 콜린 화이트 변장을, 긴 검은 머리 가발까지 꼼꼼히 챙겨서(어쩌면 이 가발이 가장 중요한 부분일지 모른다.) 세면대 옆 쓰레기통에 넣고 종이타월로 덮는다. 팻말과 맹꽁이자물쇠는 문에 건다. 열쇠는 돌턴의 전화기와 벤지 콤슨 USB와 함께 주머니에 넣는다.

사무실까지 반쯤 갔을 때 끔찍한 생각이 떠오른다. 오늘 아침에 여기까지 준비를 하는 동안 섀니스의 그림을 생각하느라 잠깐 딴 데 정신이 팔렸던 때가 있었다. 혹시 돌턴 스미스의 전화기를 하수구에 버린 건 아닐까? 등골이 오싹해지면서 순간, 주머니에 손을 넣어 보면 빌리의 전화기나 데이브의 전화기나 아니면 그 아무짝에도 쓸모없는 일회용 전화기가 들어 있을 게 분명하다는 생각이 든다. 그렇다 한들 돌턴 스미스의 신용카드가 모두 멀쩡하니 다른 전화기로 교체하면 그만이지만 피어슨 가 658번지로 새 전화기가 배달되기 전에 돈이나 베벌리가 전화를 하면 어쩌란 말인가. 그들은 왜 연락이 안 되는지 의아해할 것이다. 그게 문제가 되지 않을 수도 있지만 문제가 될 수도 있다. 좋은 이웃, *고마워할 줄 아*는 이웃답게 경찰에 연락해 그에게 아무 일 없는지 지층 아파트를 들여봐 달라고 할지 모른다.

그는 전화기를 움켜쥐고서, 바퀴를 쳐다보며 공이 어느 칸에 안착하는지 확인하지 못하는 룰렛 도박꾼이 된 것 같은 심정을 느끼며 잠깐 그대로 있는다. 거기에 따르는 불편함이나 심지어 위험해질 가능성보다 더 끔찍한 것이 있다면 그가 부주의했음을 알게 되는 것이다. 이제 과거가 된 삶에 연연했음을 알게 되는 것이다.

그는 주머니에서 전화기를 꺼내고 안도의 한숨을 내쉰다. 돌턴의 전화기다. 실수를 저지를 수 있었지만 무사히 모면했다. 두 번은 안 된다. 운명의 여신은 용서를 모른다.

4

7시 15분. 빌리는 돌턴 스미스의 전화기로 지역 신문사 사이트에 접속하고 돌턴 스미스의 신용카드로 유료화의 벽을 뚫는다. 1면 헤드라인은 얼마 남지 않은 주 의원 선거일 수밖에 없지만 1면 하단, 그 옛날 실제 종이신문 같으면 접히는 부분 바로 아래쪽에 휴턴 살인범으로 기소된 앨런 기소 적부심 받기로라는 헤드라인이 있다. 기사는 이렇게 시작된다. "지루한 인도 소송 끝에 조엘 앨런이 드디어 길고 긴 재판의 첫날을 맞이할 예정이다. 검사 측은 앨런을 살해 의도를 품고 치명적인 총상으로 제임스 휴턴(43세)을 살해한 1급 살인죄로 기소할 계획이며……."

빌리는 뒷부분까지 읽지는 않고 건너뛰지만 신문사 사이트에 새로운 소식이 뜨면 알림이 오도록 설정한다. 바깥 사무실 책상 앞에 앉아서 지금까지 쓴 적 없는 스테이플스 공책을 한 장 뜯어서 또박또박 적는다. 데드라인 앞두고 작업 중. 방해하지 마시오. 그걸 문에 붙이고 안에서 문을 잠근다.

천장에 달린 벽장에서 레밍턴 700 부품을 꺼내 글을 쓰던 테이블 위에 늘어놓는다. 총기 교본의 분해 도식처럼 놓인 부품들을 보자 팔루자의 기억이 소환된다. 그는 그 기억을 떨쳐 버린다. 그것 역시 두고 떠난 또 다른 과거의 삶이다.

"실수는 더 이상 용납하지 않는다."

그는 소총을 조립하기 시작한다. 총신, 노리쇠, 갈퀴와 차개 스프링, 개머리판 완충기, 기타 등등. 두 손이 거의 혼자서 신속하게 움직인다. '오늘 우리는 부품의 명칭을 배운다. 어제는 매일 하는 청소를 했다.'로 시작되는 헨리 리드의 시*가 잠깐 생각나지만 그것 역시 멀찌감치 치워 버린다. 오늘 아침에는 어린 소녀가 그린 그림과 시를 생각할 겨를이 없다. 나중이라면 모를까. 나중에 글을 쓸 수도 있겠다. 지금은 받을 돈만 주목하며 일에 집중해야 한다. 이제 더는 받을 돈에 별 관심이 없지만 그건 중요하지 않은 문제다.

조준기가 맨 마지막에 장착되자 정확하게 맞춰졌는지 조준앱으로 다시 한번 확인한다. 이걸 영점 조절이라고 한다. 노리쇠를 세 번 움직여 보고 오일을 한두 방울 떨어뜨린 다음 다시 움직여 본다. 딱 한 발만 쏠 예정일 때는 이럴 필요가 없지만 배운 대로 하는 거다. 마지막으로 탄창을 장전하고 노리쇠를 돌려 결정적인 한 발을 약실에 넣는다. 그런 다음 무기를 조심스럽게(하지만 이제 더는 공손하지 않게) 테이블에 내려놓는다.

그는 압정, 끈, 네임펜을 동원해 창문에 지름 5센티미터짜리 원을 그린다. 거기에 X자 모양으로 종이테이프를 붙이고 유리절단기로 작업을 시작한다. 절단기를 돌리고 돌리고 또 돌리는 동안 전화기에서 나지막이 종소리가 나지만 멈추지 않는

---

* 「부품의 이름 짓기(Naming of Parts)」.

다. 창이 두꺼워서 시간이 좀 걸리지만 결국 동그란 모양의 유리가 와인 마개처럼 깔끔하게 떨어져 나온다. 구멍 사이로 시원한 아침 바람이 불어온다.

전화기를 확인해 보니 신문사에서 보낸 문자 알림이다. 코디의 창고에서 4단계 규모의 화재가 발생했다고 한다. 창밖을 내다보니 시커먼 연기 기둥이 보인다. 켄 호프가 어디서 정보를 얻었는지 몰라도 정확하게 맞아떨어졌다.

이제 7시 30분이고 최대한 준비를 마쳤다. 이 정도면 충분하길 바랄 따름이다. 그는 글을 쓸 때 썼던 의자에 앉아서 헐렁하게 깍지 낀 손을 무릎 위에 올려놓고 기다린다. 팔루자에서 블랙워터 도급업체들을 밀고해 엄청난 후폭풍을 일으킨 아랍인이 운영하는 인터넷 카페와 강을 사이에 두고 높은 데서 기다렸던 것처럼. 10여 군데 옥상에서 총성과 야자수에 걸려 펄럭이는 쓰레기 봉지 소리를 들으며 기다렸던 것처럼. 심장이 뛰는 속도가 느려지고 일정해진다. 긴장은 전혀 되지 않는다. 그는 코트 가를 오가는 차량이 점점 많아지는 것을 지켜본다. 조만간 모든 주차 공간이 채워질 것이다. 그는 손님들이 선스팟 카페로 들어가는 것을 지켜본다. 몇 명은 야외 테이블에 앉는다. 빌리가 몇 달 전에 켄 호프와 함께 앉았던 곳이다. 채널6 뉴스 중계차가 천천히 등장하지만 그 한 대뿐이다. 다른 차량들은 창고 화재 현장으로 달려갔든지 조엘 앨런이 뭐 그리 대단한 인물이 아니든지 둘 중 하나다. *아마 둘 다겠지.*

시간이 지나간다. 늘 그렇다.

5

비즈니스 솔루션스 직원들이, 그중 일부는 테이크아웃 컵을 들고 7시 50분부터 등장하기 시작한다. 그들은 8시 15분쯤이면 단 몇 초라도 한눈팔지 못하게 반투명한 블라인드로 큼지막한 유리창을 가려 놓은 공간에서 감당 못 할 빚을 진 사람들을 닦달해 가며 열심히 일할 것이다. 개중 몇 명은 로비 문을 향해 가다 말고 법원을 지나 코디 쪽에서 피어오르는 시커먼 연기 기둥을 쳐다본다. 콜린 화이트도 그중 한 명이다. 그는 테이크아웃 커피 대신 레드불을 들고 있다. 오늘은 홀치기 염색한 나팔바지에 쨍한 주황색 티셔츠를 입고 있다. 빌리가 숨겨 놓은 옷과 전혀 다르지만 아수라장일 테니 상관없을 것이다.

사람들이 계속 등장하지만 공실이 많은 이 건물로 오는 이는 많지 않다. 대부분 법원으로 향한다. 8시 30분이 되자 짐 올브라이트와 존 콜턴이 코트 가를 지나 광장을 가로지른다. 그들은 상자 모양의 큼지막한 서류가방을 들고 있다. 그리고 그들 뒤로 필리스 스탠호프가 보인다. 옷장에서 겨울잠을 자던 가을 코트가 처음으로 바깥나들이를 하고 있다. 진홍색이라 빨간 두건이 연상된다. 엄지손가락으로 젖꼭지를 훑고 지나가자 그녀가 그를 내려다보며 더욱 깊숙이 몰아붙이던 순간이 언뜻 생생하게 떠오른다. 빌리는 그 기억도 떨쳐 버린다.

5층에는 빌리를 제하고 열두 명이 근무한다. 변호사 사무실에 다섯 명, 회계사 사무실에 일곱 명이다. 변호사 사무실에서 총성은 들릴 수도 들리지 않을 수도 있지만 첫 번째 플래시팟이 터질 때 나는 굉음은 들릴 것이다. 직원들은 잠깐 서로 쳐다보며 *이게 무슨 소리지* 하고 묻다가 복도를 가로질러 크레센트 회계 사무소로 달려갈 것이다. 그쪽에 코트 가가 보이는 방향으로 창문이 달려 있다. 그들은 옹기종기 모여서 밖을 내다보며 이게 무슨 일이고 어떻게 대처해야 하는지 고민할 것이다. 1층으로 내려갈까 아니면 여기 그대로 있을까? 의견이 엇갈릴 것이다. 높은 시야가 확보되어 있고 난리법석이 벌어진 곳은 길 건너편 법원 아니면 모퉁이 문구점일 테니, 그들은 길게는 5분 정도 지체하다가 내려가기로 결정할 것이다. 빌리는 5분까지 필요하지도 않다. 3분, 어쩌면 2분이면 충분하다.

휴대전화에서 또다시 종소리와 함께 뉴스 알림이 뜬다. 창고에서 난 불이 인근 물류센터까지 번졌고 다른 지역 소방차가 출동 중이라고 한다. 64번 도로가 최소 정오까지 폐쇄될 예정이다. 운전자들은 47A 주립도로로 우회하는 것이 좋겠다고 한다. 8시 55분에 다시 불길이 잡히고 있다는 푸시 알림이 접수된다. 아직까지는 사상자 소식이 없다.

이제 빌리는 레밍턴을 무릎 위에 가로로 올려놓고 창문 앞에 앉아 있다. 날은 화창하고, 닉이 조바심을 냈던 것과 다르게 비 소식은 전혀 없고, 산들바람은 상쾌한 숨결 수준이고, 채널6 취재진은 정오의 뉴스 촬영 준비를 마쳤는데, 오늘의 주인공은 어디 있을까? 빌리는 앨런이 9시 정각에 호송 버스가 아닌 보안관 차량을 타고 재판 준비가 끝날 때까지 기다리도록 대기실로 호송될 줄 알았는데, 5분이 지난 지금까지 홀랜드 가에 있는 구치소 쪽에서 달려오는 공무용 차량은 코빼기도 보이지 않는다.

10분이 지나도 감감무소식이다. 선스팟에서 아침을 먹던 손님들이 하나둘씩 자리에서 일어난다. 이제 눈을 반짝 뜬 매장 책임자가 조만간 아침 스페셜 메뉴가 적힌 입간판을 점심 스페셜 메뉴가 적힌 입간판으로 바꿀 것이다.

9시 15분이 되고 법원 위로 보이는 연기 기둥이 점점 옅어지는 것처럼 느껴진다. 빌리는 무슨 문제가 생겼는지 궁금해지기 시작한다. 9시 20분이 되자 문제가 생긴 게 분명하다는 생각이 든다. 앨런의 몸에 탈이 났거나 일부러 탈을 일으켰을까? 구치소에서 누군가에게 공격을 당했을까? 그래서 의료실에 있거나 어쩌면 죽었을까? 기소 적부심을 연기하려고 정신이 이상해진 것처럼 연극을 부렸을 수도 있다. 실제로 정신이 이상해졌을 수도 있다.

9시 30분, 빌리가 출구 전략을 고민하는데—어떤 전략이 됐건 총을 분해하는 것이 맨 첫 단계일 것이다—옆면에 카운티 보안관이라고 적힌 검은색 SUV가 코트 가로 진입한다. 지붕 위와 라디에이터 그릴 안에서 파란색 등이 번쩍거린다. 빈둥거리던 채널6 취재진이 당장 관심을 집중한다. 필리스의 가을 코트와 똑같은 색상의 짧은 원피스를 입은 여자가 중계차에서 나온다. 한 손에는 마이크를, 다른 손에는 외모를 체크할 거울을 쥐고 있다. 거울에 비친 환한 아침 햇살이 빌리 쪽으로 반사되자 그는 눈이 부셔서 고개를 돌린다.

무전기를 쥔 경찰 두 명이 법원에서 나와 길가에 멈추어 선 SUV 쪽으로 돌계단을 빠르게 내려온다. 앞 조수석 문이 열리고, 갈색 양복에 우스꽝스러울 정도로 큼지막한 흰색 스텟슨 모자를 쓴 투실투실한 남자가 내린다. 운전석에서는 제복을 입은 경관이 내린다. TV 중계진이 촬영 중이다. 기자가 투실투실한 남자 쪽으로 다가간다. 카운티 보안관이 분명하다. 감히 그렇게 생긴 스텟슨 모자를 쓸 수 있는 사람은 보안관뿐이다. 법원 경찰들이 기자를 저지하려고 하지만 투실투실한 남자가 앞으로 오라고 손짓한다. 기자는 질문을 한 뒤 대답을 들으려고 남자에게 마이크를 갖다 댄다. 빌리는 뭐라고 대답할지 대충 알 것 같다. 우리는 이렇게 위험한 인간들을 다루는 법을 잘 알고 있습니다, 정의는 실현될 겁니다, 돌아오는 11월에 나를 뽑아 주세요.

기자는 짧게 코멘트를 치고 뒤로 한 걸음 물러난다. 투실투실한 남자는 SUV 쪽으로 몸을 돌린다. 뒷문이 열리고 제복을 입은 다른 경관이 내린다. 이쪽은 XL 사이즈의 거한이다. 빌리는 앞에 총 자세로 레밍턴을 들고 지켜보며 기다린다. 운전자가 거한 옆으로 다가간다. 그들이 몸을 돌려서 문을 열자 이제 조엘 앨런이 등장한다. 단순한 기소 적부심이라 배심원들에게 잘 보일 필요가 없기 때문에 사복이 아니라 주황색 죄수복을 입고 있다. 두 손은 앞으로 수갑을 찼다.

기자가 앨런에게 질문을 하려고 한다. 아마 "범행을 인정하십니까?"와 같은 통찰력 있는 질문일 것이다. 그러나 투실투실한 남자가 이번에는 양손으로 그녀를 몰아낸다. 앨런은 그녀를 보고 씩 웃으며 뭐라고 말을 건넨다. 조준기가 없어도 다 보인다.

거구의 경관이 앨런의 팔꿈치를 잡고 그의 몸을 법원 계단 쪽으로 돌린다. 그들은 계단을 올라가기 시작한다. 빌리는 창문 구멍에 레밍턴의 총신을 넣는다. 개머리판을 어깨의 움푹 들어간 곳에 얹고 양쪽 팔꿈치를 살짝 벌린 무릎 위에 올려놓는다. 지금과 같은 저격에는 이것으로 충분하다. 조준기를 들여다보자 저 아래 현장이 펄쩍 가까워진다. 햇볕에 탄 투실투실한 남자의 목덜미 주름까지 보인다. 거구의 경관의 허리띠에서 대롱거리는 열쇠고리도 보인다. 앨런의 옅은 갈색 머리도 보인다. 뒤통수를 덮은 머리칼이 밖으로 한 줌 삐쳤다. 빌리는 그 삐친 머리칼을 지나 그 아래 숨겨진 뇌를 향해 총알을 날릴 것이다. 앨런이 석방 카드로 쓸 수 있길 바라며 감추고 있는 비밀을 향해.

　이번에는 그 마지막 모노폴리 게임에서 데릭이 그를 이기자 아이들이 놀리던 순간이 번쩍 떠오른다. 그는 그 기억을 추방한다. 이제 그와 앨런만 남는다. 이 세상에 그들 둘뿐이다. 그렇게 압축된다. 빌리는 가볍게 숨을 마시고 참은 상태에서 방아쇠를 당긴다.

6

　총탄의 충격으로 앨런이 호송 경관의 손아귀에서 풀려난다. 그는 팔을 벌리고 앞으로 날아가 계단을 들이받는다. 두개골 앞면이 다른 어느 곳보다 먼저 거기에 도착한다. 투실투실한 보안관은 우스꽝스러운 카우보이모자를 떨어뜨려 가며 몸을 숨길 곳을 찾아 달린다. 기자도 도망친다. 카메라맨은 반사적으로 몸을 웅크리지만 꿋꿋하게 자리를 지킨다. 거구의 경찰도 마찬가지다. 빌리를 훈련시킨 남부 출신의 해병대 병장이 그 둘을 보았다면 좋아했을 것이다. 특히 거구의 경찰 같은 경우, 앨런을 한 번 홀끗 쳐다보더니 총을 꺼내 들며 몸을 홱 돌려서 총성의 진원지를 찾는다. 이자는 정신을 똑바로 차리고 있고 빠르지만 빌리는 이미 레밍턴 700을 거둔 뒤다. 그는 총을 바닥에 떨어뜨리고 바깥 사무실로 간다.

복도를 살그머니 내다보니 아무도 없다. 첫 번째 플래시팟이 터진다. 엄청 요란한 굉음이 들린다. 빌리는 주머니에서 열쇠를 꺼내 가며 남자 화장실로 총알같이 달려간다. 열쇠로 맹꽁이자물쇠를 따고 화장실 안으로 들어갔을 때 복도 끝에서 격앙된 목소리가 들린다. 젊은 변호사 일당과 그들 휘하의 변호사 보조, 비서 들이 그가 예상했던 대로 크레센트 회계 사무소를 향해 간다.

빌리는 쓰레기통 위로 허리를 숙여 종이타월을 치우고 변장 도구를 챙긴다. 청바지 위로 낙하산 바지를 입고 끈을 당겨 조이고 대충 묶는다. 앞섶에 지퍼는 없다. 그는 그 위에 롤링 스톤스 재킷을 걸친다. 그런 다음 세면대 거울을 보며 가발을 쓴다. 까만 머리가 목덜미 중반까지밖에 내려오지 않지만 그래도 이마를 눈썹까지 덮고 얼굴 옆면을 가린다.

남자 화장실 문을 연다. 복도에는 아무도 없다. 변호사들과 회계사들(필도 그중 한 명이다.)이 아직까지 아래에서 벌어지고 있는 소동을 멍하니 구경하고 있다. 조만간 그들은 이 건물에서 탈출하기로 결정을 내리고 인원이 너무 많아서 그중 일부는 엘리베이터가 아니라 계단으로 내려가겠지만 아직은 아니다.

빌리는 화장실을 나서 계단을 내려가기 시작한다. 아래에서 시끌벅적한 소리가 들리지만 3층과 4층 사이 계단에는 아무도 없다. 그 층 사람들은 계속 창밖을 멍하니 내다보고 있다. 하지만 비즈니스 솔루션스가 독차지해서 쓰고 있는 2층은 그렇지가 않다. 반투명한 블라인드가 없더라도 그 층에서는 창문이 도로 쪽으로 나 있는 위층처럼 전경이 보이지 않을 것이다. 그들이 조잘거리며 쿵쾅쿵쾅 요란하게 계단을 내려가는 소리가 들린다. 콜린 화이트도 그 행렬에 섞여 있겠지만 그의 도플갱어가 있다는 사실은 아무도 모를 것이다. 빌리는 무리 뒤에서 내려갈 테고 오늘 아침에는 아무도 뒤를 돌아보지 않을 테니 말이다.

빌리는 2층 층계참 바로 위에서 걸음을 멈춘다. 그는 천둥소리를 내는 무리가 완전히 사라질 때까지 거기 서 있다가 카키색 카고 반바지를 입은 남자와 잘 안 어울리는 체크무늬 바지를 입은 여자를 따라 1층으로 내려간다. 1층 로비로 들어가는 문 앞에서 정체 현상이 빚어지고 있는지 도중에 발이 묶이자 그는 불안해진다. 조만간 위층 사람들이 이 계단으로 내려올 테고 그중에는 5층 직원들도 있을 것이다.

하지만 다시 행렬이 움직이기 시작하고 나서 5초 뒤에—짐, 존, 해리 그리고 필리스는 아직까지 위에서 밖을 내다보고 있었으면 하는 것이 빌리의 바람이다—그는 로비로 나온다. 어브 딘이 자기 자리를 버리고 광장으로 나갔다. 파란색 경비 조끼를 입고 있어서 금세 눈에 띈다. 밝은 주황색 셔츠를 입은 콜린 화이트도 금세 눈에 띈다. 그는 휴대전화를 들고 아수라장을 촬영하고 있다. 선스팟 카페와 그 옆 여행사 사이에서 자욱하게 피어오르는 연기를 향해 달려가는 경찰들, 사람들에게 법원이나 실내로 다시 들어가라고 외치는 경찰들과 법원 집행관들, 모퉁이에서 다시 연기가 나자 목이 찢어지라 비명을 질러 가며 도망치는 사람들.

콜린만 동영상을 찍는 게 아니다. 아이폰을 들고 있으면 천하무적이라도 되는 줄 아는지 여럿이 똑같이 그러고 있다. 하지만 빌리가 밖으로 나가서 보니 그런 사람은 소수다. 대부분은 그저 도망치기 바쁘다. 누군가가 *총기 난사다!* 하고 외친다. 또 다른 어떤 사람은 *법원에서 폭탄이 터졌다!* 하고 소리를 지르고 있다. 또 다른 누군가는 *무장 병력이다!* 하고 악을 쓴다.

빌리는 오른쪽으로 광장을 가로질러 코트 가 플레이스로 건너간다. 가로수가 늘어선 이 짧은 대각선 길을 지나면 주차장 뒤편의 2번가가 나온다. 그 혼자 이 길을 선택한 건 아니다. 30명도 넘는 사람들이 그의 앞에서 달리고 있고 뒤에서도 최소 30여 명이 따라오고 있다. 하지만 길가에 서 있는 공공사업부 대형 밴을 눈에 담은 사람은 그 혼자뿐이다. 데이나가 운전석에 앉아 있다. 위아래가 붙은 이 도시의 공식 작업복을 입은 레지가 뒷문 옆에 서서 인파를 살피고 있다. 코트 가에서 도망친 사람들은 대부분 휴대전화로 통화 중이다. 빌리도 그럴 수 있으면 좋겠지만 돌턴 스미스의 전화기가 낙하산 바지 안에 입은 청바지 주머니에 들어 있다. 좋은 기회를 날려 버린 셈이지만 모든 걸 계산할 수는 없는 법이다.

그는 데이나 아니면 레지의 눈에 띌 수 있다는 걸 알기에 고 개를 숙이지는 않지만(데이나일 가능성이 크다.) 숨을 헐떡이며 지 갑을 방패처럼 자기 가슴에 대고 있는 통통한 여자 옆으로 바 짝 다가가기는 한다. 밴이 가까워지자 빌리는 여자 쪽으로 고 개를 돌리고 자기보다 더 게이 같은 게이는 없다는 듯이 콜린 화이트가 익살을 부릴 때와 비슷하게 언성을 높여 소리를 지 른다.

"이게 무슨 일이에요? 맙소사, 이게 무슨 일이에요?"

"테러 공격인가 봐요." 여자가 대답한다. "세상에, 폭탄이 터지다니!"

"그러게 말이에요! 맙소사, 나도 소리 들었어요!"

잠시 후 그들이 밴을 지나친다. 빌리는 위험을 무릅쓰고 어 깨 너머를 흘끗 돌아본다. 그들이 그를 쳐다보고 있지 않은지, 아니면 쫓아오고 있지 않은지 확인해야만 한다. 다행히 아니 다. 그 어느 때보다 많은 인파가 코트 가 플레이스를 탈출로로 삼고 있다. 그 사람들로 인도가 가득 찼다. 레지는 까치발을 하고 서서 인파를 열심히 살피며 빌리를 찾고 있다. 아마 데이 나도 마찬가지일 것이다. 빌리는 속도를 높여 사람들 사이를 이리저리 누비며 통통한 여자를 쌩하니 앞질러 간다. 경보까 지는 못 되지만 그 비슷하다. 그는 2번가에서 좌회전을 하고 로렐 가에서 다시 좌회전, 그다음 얀시 가에서 우회전을 한다. 이제는 탈출 행렬이 그의 뒤편으로 멀어진다. 길거리에 서 있던 젊은 남자가 빌리의 어깨를 잡고 뭐 때문에 이렇게 난리냐고 묻는다.

"나도 몰라요."

빌리는 남자의 손을 뿌리치고 계속 걸음을 옮긴다.

뒤에서 사이렌 소리가 허공으로 울려 퍼진다.

7

노트북이 없어졌다.

빌리가 이제는 쓰레기통에서 넘친 중국 음식을 점점이 뒤집어쓴 포장지를 홱 들추지만 닳고 닳은 자갈 말고는 아무것도 없다. 그의 기억이 팔루자와 아기 신발을 향해 옆으로 주르륵 미끄러진다. *야, 그거 잘 보관해*라고 말하던 타코에게로 미끄러진다. 빌리는 그 신발을 벨트 고리에 끈으로 묶어서, 들고 다니던 다른 모든 것과 함께 허리춤에서 덜렁거리도록 매달아 놓았더랬다. 그들 모두가 들고 다니던 다른 모든 것과 함께.

그 빌어먹을 노트북은 없어도 된다. 벤지의 이야기는 USB로 옮겼고, 러디 '타코' 벨과 다른 사람들은 아직 자기 차례를 기다리고 있다. 영화에 나오는 대천재가 암호를 푼다 한들 노트북에는 그와 돌턴 스미스의 연결 고리를 유추할 만한 단서가 아무것도 없다. 젠슨 부부 말고 유일한 연결고리가 있다면 버키 핸슨인데, 그는 이미 폐기 처분한 전화로만 버키와 통화를 했었다.

그러니까 잊어버리자. 선택의 여지도 없고 잃은 것도 없다.

하지만 너무 찜찜하다. 너무 불길하다. 맡지 말았어야 하는 이 개떡 같은 일의 마지막 요약본 같다.

그는 주먹을 쥐어 아플 정도로 세게 쓰레기통 옆면을 때리고 사이렌 소리에 귀를 기울인다. 이제는 경찰이 아니라 레지와 데이나가 걱정이다. 경찰은 모두 엄청난 아수라장이 펼쳐지고 있는 법원으로 출동하고 있을 것이다. 하지만 레지와 데이나는 기다리다 지치면 빌리가 제러드 타워 안에 갇혔든지 그들을 배신했든지 둘 중 하나라고 결론을 내릴 것이다. 빌리가 아직 건물 안에 있는 경우에는 그들이 할 수 있는 일이 아무것도 없겠지만, 그가 계획대로 하지 않고 독자 노선을 걷기로 한 경우에는 찾으러 나설 수 있다.

이건 아기 신발하고 달라. 그리고 젠장, 아기 신발도 요술 부적이 아니었잖아, 그렇게 믿고 싶었을 뿐. 그걸 잃어버린 뒤에 벌어진 개떡 같은 일과는 아무 상관 없어. 전쟁과 아이의 운명이 그랬을 뿐이고 이것 역시 마찬가지야. 누가 여기 노트북이 있는 걸 보고 들고 간 거야. 노트북은 없어졌어. 트랜짓 밴이 천천히 이 앞을 지나기 전에 얼른 몸을 숨겨야 해.

빌리는 무테안경 뒤로 보이던 데이나 에디슨의 작고 예리한 두 눈을 떠올린다. 그는 그 눈을 무사히 피했고, 다시 한번 요행을 바랄 생각은 없다. 얼른 피어슨 가의 지층 아파트로 피해야 한다.

빌리는 일어나 허둥지둥 골목길 입구로 간다. 차량 몇 대가 보이지만 트랜짓 밴은 없다. 그는 오른쪽으로 몸을 돌리다가 바보 같은 실수를 깨닫고 경악하는 한편 넌더리를 내며 그대로 얼어붙는다. *바보 빌리*가 진짜 빌리가 되어 버리기라도 한 걸까? 가발을 쓰고 롤링 스톤스 재킷과 빌어먹을 낙하산 바지를 입고 피어슨 가로 출발하려 했던 것이다. 나를 좀 보라 하고 광고하는 거나 다름없지 않은가.

그는 가발과 재킷을 벗으며 골목길 안으로 되짚어 들어간다. 다시 쓰레기통 뒤에 몸을 숨기고, 바보 같은 낙하산 바지를 흘러내리지 않게 잡고 있는 끈을 풀어서 바지를 내리고 거기서 빠져나온다. 그런 다음 쭈그리고 앉아 모든 걸 한데 뭉뚱그리고 그 뭉치를 쓰레기가 뭔 구깃구깃한 포장지 아래로 최대한 깊숙이 넣는데…… 뭔가가 손끝에 닿는다. 얇고 단단하다. 혹시 야구모자 챙일까?

과연 그렇다. 그걸 쓰레기통 뒤편으로 이렇게 깊숙이 밀어넣었단 말인가? 모자를 옆으로 치우고 중국 음식의 악취를 맡아 가며 녹슨 쓰레기통 옆면에 어깨를 기대고 좀 더 깊숙이 손을 넣는다. 앞으로 뻗은 손끝이 뭔가를 스치고 지나간다. 그게 뭔지 알겠고 도무지 믿을 수가 없다. 그는 녹슨 쓰레기통 옆면에 이제는 뺨을 대 가며 좀 더 손을 내밀어 노트북 가방 손잡이를 잡는다. 그걸 끄집어내 두 눈을 의심하며 쳐다본다. 그렇게까지 깊숙이 넣지 않았다고 맹세할 수 있었는데, 실상 그랬던 모양이다. 이건 엉뚱한 전화기를 버린 건 아닌가 생각했을 때하고는 경우가 다르다고, 경우가 전혀 다르다고 속으로 중얼거리지만 사실 다르지 않다.

그렇게 오랜 기간 동안 이 도시에 있겠다고 동의한 것이 패착이었다. 모노폴리가 패착이었다. 뒷마당에서 바비큐 파티를 벌인 것이 패착이었다. 사격 연습장에서 깡통 새를 맞힌 것? 그것도 패착이었다. 평범한 사람처럼 생각하고 행동하며 지냈던 것이 가장 큰 패착이었다. 그는 청부살인업자다. 거기에 걸맞게 머리를 굴리지 않으면 절대 빠져나갈 수가 없을 것이다.

그는 비교적 깨끗한 포장지로 모자와 노트북 가방을 닦는다. 가방을 어깨에 메고, 전에는 깨끗했는데 이제는 더러워진 모자를 눌러쓴다. 골목길 입구로 가서 다시 밖을 내다본다. 경찰차 한 대가 경광등을 번쩍이고 사이렌을 울리며 다음번 모퉁이를 돌아 나오고 있다. 빌리는 뒤로 물러나 그 차가 지나갈 때까지 기다린다. 그런 다음 다시 나와 피어슨 가를 향해, 무너진 기차역 맞은편의 아파트 건물을 향해 씩씩하게 걸음을 옮기기 시작한다. 아기 신발을 허리춤에 대롱대롱 매달고 좁은 길을 끝없이 쓸고 다녔던 팔루자가 다시 떠오른다. 순찰대가 지나가길 기다렸던 때. 마을 밖으로 1.5킬로미터 가면 나오는, 따뜻한 음식과 터치 풋볼이 있고 어쩌면 사막의 별 아래에서 영화도 볼 수 있는 비교적 안전한 기지로 돌아가고 싶었던 때.

아홉 블록만 가면 돼. 그는 속으로 중얼거린다. *아홉 블록만 가면 성공이야. 아홉 블록과 그 순찰대만 피하면.* 사막의 별 아래에서 영화를 보지는 않을 것이다. 그건 빌리 서머스 시절의 얘기다. 하지만 돌턴 스미스의 올테크 컴퓨터에는 유튜브와 아이튠스가 있다. 폭력이 등장하지도, 뭐가 터지지도 않고 엉뚱한 짓을 저지르는 사람들만 나오는 영화. 그리고 막판에는 키스를 하는.

아홉 블록만 가면 된다.

8

빌리가 일곱 블록을 지나 다른 데보다 으리으리한 지역에서 벗어났을 때 앞쪽 네거리를 통과하는 시청 소속 트랜짓 밴 한 대가 그의 눈에 들어온다. 공공사업부에서 쓰는 밴이 다 똑같이 생겼으니 다른 차일 수도 있지만 그 차는 웨스트 애비뉴 한복판에서 거의 멈추다시피 해 가며 천천히 움직이다가 다시 속도를 내서 달린다.

빌리는 이미 어느 가게 입구로 몸을 피했다. 밴이 이쪽 길로 다시 돌아오지 않자 그 차가 다시 보이면 숨을 곳을 물색해 가며 다시 걸음을 옮긴다. 갔던 길을 되짚어 오던 그들에게 발각

되면 그는 죽은 목숨일 것이다. 있는 무기라고는 열쇠고리에 달린 열쇠뿐이다. 물론 닉이 애초에 그를 속일 생각이 없었다면 심하게 욕을 얻어먹고 그만일지 모른다. 하지만 정말 그럴지 알아볼 생각이 없고, 어느 쪽이 됐건 간에 아파트로 가려면 계속 걸어야 한다.

그는 네거리에서 걸음을 멈추고 트랜짓 밴이 사라진 쪽을 쳐다본다. 차량 몇 대와 UPS 트럭 말고는 아무것도 없다. 고개를 숙이고 종종걸음으로 길을 건너는데, IED 폭탄 길이라고 불렸던 팔루자의 10번 도로가 떠오르는 것을 어쩔 도리가 없다.

피어슨 가로 접어들어 마지막 한 블록을 가볍게 뛰어가자 그의 아파트 건물이 나온다. 그 안으로 들어가려면 길을 건너야 하는데, 누군가―당연히 데이나일 것이다―가 소음기를 단 권총으로 그의 오른쪽 견갑골을 겨누고 있는 듯한 황당한 간질거림이 느껴진다. 잡석이 흩뿌려진 공터로 거의 쉴 새 없이 부는 바람결에 지역 일간지에 끼어 있던 쿠폰지가 날려 발목을 감싸자 빌리는 놀라서 살짝 움찔한다.

그는 서리 때문에 들뜬 658번지의 인도를 총총히 지나 계단을 올라간다. 트랜짓 밴이 보일 거라고 확신하며 어깨 너머를 흘끗 돌아보지만 길거리에는 아무도 없다. 사이렌 소리는 데이비드 로크리지의 남은 삶과 더불어 과거 일이 되었다. 문손잡이에 열쇠 하나를 꽂아 보지만 맞지 않는다. 다른 열쇠를 시도해 보지만 그것 역시 맞지 않는다. 그는 아기 신발처럼 잃어

버릴 수도 있었던 전화기와 노트북을 떠올린다.

진정해. 열쇠고리에 계속 매달고 다닌 에버그린 가 열쇠라 안 맞은 거니까 긴장 풀어. 이제 집에 거의 다 왔어.

세 번째 만에 현관문이 열린다. 빌리는 안으로 들어가 문을 닫는다. 그는 베벌리 젠슨의 작품일 수도 있는 오돌토돌한 그물 레이스 커튼 사이로 밖을 내다본다. 아무것도 보이지 않고 계속 그러다가 까마귀 한 마리가 길 건너편의 울퉁불퉁한 돌밭에 내려앉았다가 날아오르고, 다시 아무것도 보이지 않다가 아이 하나가 진득하게 옆에서 걸어 주는 어머니와 함께 세발자전거를 타고 지나가고, 땜질이 된 인도에서 신문지 또 한 장이 옆으로 재주넘기를 한다. 그걸 보고 *땜질이 된 피어슨 가의 인도*라고 생각하는 여유를 부리다 천천히 움직이는 트랜짓 밴을 목격한다. 빌리는 꼼짝 않고 가만히 있다. 그는 레이스 커튼 사이로 밖을 내다볼 수 있지만 조수석에 앉은 레지는 집 안을 들여다볼 수 없다. 그래도 레이스 커튼 뒤에서 갑작스럽게 뭐가 움직이면 알아차릴 수 있을지 모른다. 레지의 친구는 분명 알아차릴 것이다.

트랜짓 밴은 계속 달린다. 빌리는 브레이크 등이 켜지길 기다린다. 하지만 등은 켜지지 않고 잠시 후에 밴은 시야에서 사라진다. 장담할 수는 없지만 이제 안심해도 될 것 같다. 바라건대. 그는 지하로 내려가 아파트 안으로 들어간다. 여긴 집이라기보다 은신처에 불과하지만 지금으로서는 그거면 충분하다.

11장

1

하나뿐인 지층 아파트의 창문은 길쭉한 암적색 천으로 가려져 있다. 빌리는 천을 옆으로 젖히고 소파에 앉아서, 이 아파트는 잠수함 같고 이 창문은 잠망경이라는 생각을 다시 한번 한다. 그는 가슴 위로 팔짱을 끼고 15분 동안 소파에 앉아서 트랜짓 밴이 갔던 길을 되짚어 오길 기다린다. 빈틈없는 데이나가 이 집을 살펴볼 만하다는 결론을 내리면 밴이 멈추어 설수도 있다. 도심을 에워싼 후줄근한 지역이 한두 군데가 아니니 그럴 가능성이 낮긴 하지만 아예 없지는 않다.

그들에게 발각되면 죽임을 당할 거라는 확신이 점점 커진다.

빌리에게 권총이 없긴 하지만 마음만 먹으면 쉽게 구할 수는 있다. 보아하니 이 일대에서는 거의 날마다 총기 매매가 이루어지는 눈치다. 총을 사러 건물 안으로 들어갈 필요도 없다. 그냥 주차장에서 아무 질문에 대답할 필요 없이 현금으로 믿음직한 물건을 살 수 있다. 간단한 녀석으로, 쉽게 감출 수 있는 32구경이나 38구경. 이번에는 깜빡한 게 아니었다. 총이 필요할 수도 있는 상황을 그가 예측하지 못했을 뿐이다.

하지만 닉에게 아무 말도 하지 않고 계획을 변경할 거면 *뭐라도 예측을 했어야지.*

놈들이 집 앞을 다시 지나가면—피해망상이긴 하지만 가능성이 없지 않다—빌리가 어떤 조치를 취할 수 있을까? 선택지가 별로 없다. 부엌에 고기 써는 칼이 있긴 하다. 고기 포크도. 먼저 들어온 녀석을 그 고기 포크로 상대할 수 있을 테고 그 녀석은 레지일 것이다. 쉬운 상대. 그러고 나면 데이나가 그를 처리할 것이다.

15분이 지나도 가짜 공공사업부 트럭은 집 앞을 다시 지나가지 않는다. 빌리는 그들이 다른 동네로 건너갔든지, 에버그린 가의 집을 체크해 보기로 했든지 아니면 대저택으로 돌아가 닉의 추가 명령을 기다리기로 했나 보다고 결론을 내린다. 그는 커튼을 닫아서 풍경을 가리고 손목시계를 본다. 10시 40분이다. *재밌는 일을 하면 시간이 금방 흐르지.*

채널2와 채널4는 평소처럼 쓸데없는 아침 방송을 내보내고 있지만 화면 하단으로 총격과 폭발 사건을 소개하는 자막이

지나간다. 진정한 대박은 아침 프로그램을 내팽개치고 현장에서 생중계 중인 채널6이다. 거기가 그럴 수 있는 이유는 보도국 책임자가 앨런의 기소 적부심을 취재하기 위해 법원으로 파견한 인력을, 코디의 창고에서 화재가 발생했을 때 그쪽으로 보내지 않았기 때문이다. 월터 크롱카이트*에 버금가는 활약을 보인 덕분에 레드 블러프 같은 남단 소도시의 보도국장으로 임명된 게 아닐 테니 태만하거나 게을러서 그랬을 테지만, 나중에는 엄청 현명한 판단을 내린 인물로 포장될 것이다.

사망자 1명, 법원에서 벌어진 참사로 현재 부상자는 보고된 바 없음. 화면 하단에 이런 자막이 떠 있다. 빨간 원피스를 입은 기자가 계속 보도를 하고 있지만 코트 가가 봉쇄됐기 때문에 메인 가 모퉁이로 자리를 옮겼다. 빌리가 보기에는 이 도시의 모든 경찰 병력이 그곳으로 총출동한 것 같고, 과학수사반 차량이 두 대인데 한 대는 주 경찰 소속이다.

"빌." 기자가 말한다. 아마도 스튜디오의 앵커를 부르는 모양이다. "나중에 기자 회견이 열리겠습니다만 지금 현재로서는 공식적으로 발표된 것이 전혀 없습니다. 하지만 현장은 계속 주시하고 있고, 엄청나게 용감한 우리의 카메라맨 조지 윌슨이 몇 분 전에 포착한 것을 보여 드리려고 하는데요. 조지, 그거 다시 보여 줄 수 있어요?"

---

* 미국의 전설적인 앵커.

조지가 카메라를 들어 제러드 타워를 정중앙에 잡고 5층에 초점을 맞춘다. 줌을 최대로 당겨도 영상에 흔들림이 거의 없는 걸 보고 빌리는 감탄하지 않을 도리가 없다. 카메라맨 조지는 대환장 파티가 벌어져도 그 자리를 꿋꿋이 지켰고, 주변에서 난리 블루스를 춰도 침착하게 대처했고, 전국 방송으로 보도될 게 분명한 영상을 촬영했고, 예리한 눈썰미 덕분에 현재를 기준으로 딱 한 보 반 뒤에서 경찰을 좇고 있다. *해병대 출신일 수도 있겠어. 해병대 출신일 거야. 최전방 소총수. 내가 우리끼리 브루클린이라고 부른 다리에서 저 사람 옆을 지나갔든지, 바람은 불고 똥은 날리는 졸란의 묘지에서 그 옆에 쭈그리고 앉아 있었을지 몰라.*

빌리를 비롯한 채널6 시청자들에게 저격수가 구멍을 뚫어놓은 유리창이 영상으로 보여진다. 데이나가 예견했던 것처럼 해가 비치는 쪽이라 더 잘 보인다.

"저곳에서 저격이 이루어졌을 가능성이 거의 100퍼센트일 것으로 추정되는데요." 기자가 말한다. "저 사무실을 누가 쓰고 있었는지 금세 밝혀질 겁니다. 경찰에서는 이미 파악했을지도 모르고요."

화면이 스튜디오의 빌로 바뀐다. 그는 분위기에 걸맞게 심각한 표정을 짓고 있다.

"이제 막 TV를 켜신 분들을 위해 앤드리아 기자의 보도를 다시 한번 보내 드리려고 합니다. 아주 놀라운 소식인데요."

촬영된 영상이 나온다. 파란색 등을 반짝이며 다가오는 SUV
가 보인다. 문이 열리고 투실투실한 보안관이 내린다. 거의 배
우 클라크 게이블 수준으로 귀가 크다. 그 귀가 우스꽝스러운
스텟슨 모자를 받치고 있는 느낌이다. 앤드리아가 마이크를
앞으로 내밀고 다가간다. 법원 경관들이 저지하려고 하지만
보안관은 거만하게 한 손을 들어 그들을 막고 그녀에게 질문
을 허락한다.

"보안관님, 조엘 앨런이 휴스턴 씨를 살해했다고 자백했나
요?"

보안관은 미소를 짓는다. 그의 억양은 이보다 더 남부 스타
일일 수가 없다.

"자백은 필요 없어요, 브래덕 씨. 유죄를 선고하는 데 필요
한 모든 증거가 갖추어져 있으니까요. 정의는 구현될 겁니다.
그렇게 믿고 계시면 돼요."

빨간 원피스를 입은 기자, 앤드리아 브래덕이 뒤로 물러난
다. 조지 윌슨이 SUV의 열린 문을 정중앙으로 잡는다. 조엘
앨런이 트레일러에서 대기 중이었던 영화배우처럼 차에서
폴짝 내린다. 앤드리아 브래덕은 다른 질문을 하려고 다가가
지만 보안관이 그녀를 향해 손을 들자 순순히 뒤로 물러난다.

*그런 식이면 절대 성공하지 못해, 앤드리아. 밀어붙일 줄도
알아야지, 아가씨.*

빌리는 몸을 앞으로 숙인다. 지금이 바로 결정적인 순간인

데 다른 각도, 다른 관점에서 보니 흥미진진하다. 축축한 채찍 휘두르는 소리 비슷한 총성이 들린다. 채널6의 편집 담당이 모자이크 처리를 했기 때문에 충격으로 훼손된 부위는 보이지 않지만 앨런의 몸이 앞으로 날아가 계단을 들이받는 것은 보인다. 카메라맨 조지가 반사적으로 몸을 웅크리자 영상이 흔들리고 아래로 내려가지만 다시 제자리를 찾는다. 카메라가 앨런의 몸을 잠깐 가만히 비추다 고개를 들고 총격의 근원지를 찾는 거구의 경찰에게로 옮겨 간다.

그리고 잠시 후 선스팟 카페 뒷길에서 쾅! 하는 소리가 들린다. 윌슨은 매직 아이를 그쪽으로 돌려 도망치는 행인들(앤드리아 브래덕도 그중 한 명이다. 그 빨간색 원피스는 못 보고 지나칠 수가 없다.)과 선스팟 카페와 여행사 사이에서 자욱하게 피어오르는 연기를 보여 준다. 앤드리아가 카메라 쪽으로 다시 걸음을 옮긴 순간—그것만큼은 가상하다고 인정하는 수밖에 없다—두 번째 플래시팟이 터진다. 그녀는 움찔하며 그쪽으로 몸을 홱 돌려서 쳐다보다가 총총히 원위치로 복귀한다. 산발한 머리로 숨을 헐떡이고 있고, 마이크 팩은 줄에 대롱대롱 매달려 있다.

"폭발음이 들립니다. 그리고 총격이 발생했습니다." 그녀가 침을 꿀꺽 삼킨다. "제임스 휴스턴 살인 사건으로 기소 적부심이 예정되어 있던 조엘 앨런이 *법원 앞 계단에서 총격을 당했습니다!*"

그 뒤로 어떤 보도가 이어지건 시시할 수밖에 없기에 빌리는 TV를 끈다. 오늘 저녁이면 그가 에버그린 가에서 데이비드 로크리지로 살며 알고 지냈던 사람들의 인터뷰가 방송될 것이다. 그건 보고 싶지 않다. 자말과 코린이 아이들 근처에는 카메라가 얼씬도 하지 못하게 막겠지만 그 둘의 인터뷰만으로도 충분히 끔찍하다. 그리고 파치오 부부, 피터슨 부부. 심지어 술에 취해 지냈던 미망인 제인 켈로그까지. 그들은 심하게 분노할 테고, 그보다 더 심하게 마음의 상처를 입고 믿기지 않아 할 것이다. 그들은 그가 괜찮은 사람인 줄 알았다고 할 것이다. 그가 좋은 사람인 줄 알았다고 할 것이다. 지금 그가 느끼는 이 감정은 부끄러움일까?

"그렇지." 그는 아무도 없는 아파트에 대고 말한다. "아무것도 느끼지 못하는 것보다는 나아."

섀니스와 데릭과 다른 아이들이 모노폴리를 같이 했던 아저씨가 나쁜 사람을 쏴서 죽였다는 걸 알면 도움이 될까? 그렇게 생각하면 기분이 괜찮아지지만 모노폴리를 같이 했던 아저씨가 숨어서 나쁜 사람을 쏘았다는 사실에는 변함이 없다. 그것도 뒤통수를 쏘았다는 사실에는.

2

버키 핸슨에게 전화하자 음성 사서함으로 넘어간다. 빌리가 짐작했던 대로다. 화면에 저장되지 않은 번호가 뜨면(버키는 돌턴 스미스의 연락처를 저장해 놓을 만큼 멍청하지 않다.) 버키는 남단의 어느 시골에서 고객이 건 전화라는 걸 알더라도 받지 않을 친구다.

"연락 주세요." 빌리는 버키의 음성 사서함에 대고 말한다. "되도록 빨리."

그는 전화기를 손에 쥐고 좁고 긴 아파트를 왔다 갔다 한다. 1분도 안 돼서 벨이 울린다. 버키는 시간을 낭비하지 않고 이름을 부르지도 않는다. 그들 둘 다 마찬가지다. 버키의 전화기는 안전하고 빌리의 전화기 역시 깨끗하더라도 몸에 밴 예방 조치다.

"그 친구, 지금 자네가 어디 있고 도대체 어떻게 된 일인지 궁금해하고 있어."

"제가 그 일을 해치웠다, 그게 팩트예요. TV를 틀기만 하면 알 수 있다시피."

빌리는 전화기를 잡지 않은 손으로 뒷주머니를 만지작거리다가 그 안에 데이비드 로크리지가 적어 놓은 사야 할 물건 목록이 있다는 걸 알아차린다. 장을 보고 나오면 그걸 버린다는 걸 자꾸 잊어버리곤 한다.

"그 친구 말로는 계획이 있었다던데. 전부 정해 놓았다고."

"자기들끼리 정해 놓은 계획이 있었겠죠."

버키가 이 말을 곱씹는 동안 정적이 흐른다. 그는 브로커 일

을 한 그 오랜 세월 동안 한 번도 잡힌 적이 없었고 바보가 아
니다. 마침내 그가 묻는다.

"확실해?"

"그 인간이 잔금을 입금하면 맞는지 아닌지 알 수 있겠죠. 아
니, '잔금을 입금하지 않으면'이라고 해야 하나? 입금됐어요?"

"왜 그리 다그쳐. 일이 끝난 지 2시간밖에 안 됐구만."

빌리는 부엌 벽에 걸린 시계를 흘끗 확인한다.

"3시간에 가깝고 송금이 뭐 그리 시간이 오래 걸리는 일도
아니잖아요. 깜빡하셨나 본데, 우리는 지금 컴퓨터 시대에 살
고 있다고요. 확인해 보세요."

"잠깐만." 빌리의 지층 아파트에서 북쪽으로 2000킬로미터
떨어진 곳에 컴퓨터 자판 두드리는 소리가 들린다. 잠시 후 버
키가 다시 말한다. "아직 입금 안 됐어. 내가 연락해 볼까? 추
적 안 되는 이메일 주소 알고 있어. 아마 그 뚱뚱한 오른팔하
고 연결이 될 거야."

빌리는 안절부절못하며 아침에 마신 술 냄새를 풍기고 있을
켄 호프를 떠올린다. 호프는 끈 떨어진 연이다. 그리고 빌리
서머스, 그도 마찬가지다.

"내 말 듣고 있어?"

"3시 정도까지 기다렸다가 다시 체크해 보세요."

"그때도 안 들어왔으면 이메일 보내고?"

버키에게도 물어볼 권리가 있다. 빌리가 받을 150만 달러

중에서 15만이 버키의 몫이다. 아주 상당한 금액이고 세금도 없지만 한 가지 문제점이 있다. 죽으면 그 돈을 쓸 수 없다는 것이다.

"가족 있어요?"

버키와 함께 일한 그 오랜 세월 동안 빌리가 한 번도 물어본 적 없는 질문이다. 버키와 마지막으로 만난 것도 5년 전 일이다. 그들은 철저하게 비즈니스 관계다.

버키는 화제가 갑작스럽게 바뀌어도 놀라지 않는 눈치다. 화제가 바뀐 게 아니라는 걸 알기 때문이다. 빌리 서머스와 돌턴 스미스 간의 연결 고리가 그다.

"전처 둘, 아이는 없어. 두 번째 부인과 헤어진 게 12년 전이야. 그 친구는 가끔 엽서를 보내지."

"제가 생각하기에는 도망치는 게 좋겠어요. 전화 끊자마자 택시 타고 뉴워크 공항으로 가세요."

"충고 고맙네." 버키는 화난 목소리가 아니다. 체념한 목소리다. "이렇게 빅엿을 먹여 주는 것도 고맙고."

"사례는 충분히 할게요. 그 인간한테 받아야 하는 돈이 150만이거든요. 거기서 100만을 드리죠."

이번에 흐르는 정적을 빌리는 놀랐다는 뜻으로 해석한다. 잠시 후에 버키가 묻는다.

"진심이야?"

"네."

진심이다. 그는 버키에게 그 우라질 150만을 전부 주겠다고 약속하고 싶은 유혹을 느낀다. 이제 더는 그 돈에 욕심이 없다.

"자네가 지금 상황 파악을 제대로 한 거면, 자네를 고용한 측에서 줄 생각이 없는 돈을 나한테 주겠다고 약속하는 셈이야. 어쩌면 애초부터 줄 생각이 없었던 돈을."

빌리는 이마에 호구라고 문신으로 새겨진 거나 다름없었던 켄 호프를 떠올린다. 닉은 빌리도 그런 인간인 줄 알았을까? 그 생각이 들자 그는 치미는 분노를 느끼며 반가워한다. 분노가 부끄러움을 두들겨 패서 내쫓는다.

"줄 거예요. 내가 받아 내고 말 테니까. 그동안 멀리 도망쳐 있어요. 이동할 때는 가명을 쓰시고."

버키는 웃음을 터뜨린다.

"지금 번데기 앞에서 주름 잡는 거야? 피할 데 있어."

"그 추적 안 되는 계정으로 보내 줬으면 하는 이메일이 있는데. 받아 적을 수 있어요?"

잠깐 정적이 흐른 뒤 버키가 말한다.

"말해."

"제 고객은 일을 처리하고 자력으로 사라졌습니다, 마침표. 탈출의 귀재인 거 아시죠, 물음표. 자정까지 잔금을 입금해 주시기 바랍니다, 마침표."

"그걸로 끝이야?"

"네."

"답장 오면 문자 보낼게."

"알겠습니다."

3

그는 배가 고프다. 그럴 수밖에 없다. 퍽퍽한 토스트 말고는 아무것도 먹은 게 없고 그마저도 한참 전의 일이다. 냉장고에 다진 쇠고기가 한 봉지 있다. 비닐 포장지를 벗기고 냄새를 맡아 본다. 상태가 괜찮은 것 같길래 약간의 마가린과 함께 200그램 정도 프라이팬에 투척한다. 전자레인지 앞에 서서 뭉친 고기를 풀고 젓다가 뒷주머니에 넣어 둔 사야 할 물건 목록을 다시 손으로 건드린다. 꺼내 보니 사야 할 물건 목록이 아니다. 섀니스가 그린 자화상과 분홍색 플라밍고다. 그 플라밍고는 이름이 프레디에서 데이브로 바뀌었지만 조만간 다시 바뀔 것 같다. 접혀 있지만 플라밍고의 머리에서 아이의 머리로 이어지는 빨간색 하트가 비쳐 보인다. 그는 그림을 펼쳐 보지 않고 다시 주머니 안에 쑤셔 넣는다.

그는 전자레인지 옆 찬장에 인스턴트식품을 잔뜩 쟁여 놓았다. 수프, 참치, 딘티 무어 비프 스튜, 스팸, 스파게티오스. 그는 맨위치 소스 캔을 꺼내 지글거리는 쇠고기 위로 촥 붓는다. 소스가 부글부글 끓기 시작하자 빵 두 조각을 토스터에 넣는다. 빵이 구워지길 기다리는 동안 섀니스의 그림을 주머니에서 꺼낸다. 이번에는 펼쳐서 본다. *이 그림을 처분해야 해. 찢어서 변기에 넣고 물을 내려야 해.* 하지만 접어서 다시 주머니에 넣는다.

토스터에서 빵이 튀어나온다. 빌리는 빵을 접시에 담고 맨위치 소스를 떠서 그 위에 뿌린다. 콜라를 챙기고 식탁에 앉는다. 접시에 담은 걸 다 먹고 다시 가서 남은 걸 떠온다. 그것도 다 먹는다. 콜라를 마신다. 그런 다음 프라이팬을 씻는데 배속이 뒤틀리기 시작한다. 그는 기차 소리를 내며 화장실로 달려가 변기 앞에 무릎을 꿇고 먹은 걸 모두 게워 낸다.

물을 내리고 휴지로 입을 닦고 다시 물을 내린다. 물을 좀 마시고 나서는 잠망경 창문 앞으로 가서 밖을 내다본다. 도로에는 아무도 없다. 인도도 마찬가지다. 피어슨 가는 대체로 그런 것 같다. 시 소유지, 출입 금지, 위험 접근 금지라고 적힌 팻말들이 역사였던 벽돌 건물의 울퉁불퉁한 잔해를 지키는 공터말고는 볼 게 아무것도 없다. 누군가가 버리고 간 쇼핑 카트는 없어졌지만 남자용 속옷은 아직 잡초에 걸린 채로 남아 있다. 낡은 혼다 스테이션 왜건이 지나간다. 잠시 후에는 포드 핀토가 지나간다. 이런 차량들이 아직까지 굴러다니다니 빌리도 직접 보지 않았다면 믿지 못했을 것이다. 다음 차례는 픽업트럭이다. 트랜짓 밴은 보이지 않는다.

빌리는 커튼을 치고 소파에 누워서 눈을 감고 잠을 잔다. 꿈은 꾸지 않는다. 적어도 그가 기억하기로는 그렇다.

4

그는 전화기에서 나는 소리를 듣고 잠에서 깬다. 벨소리인
걸 보니 버키가 문자로 보내기에는 너무 복잡한 소식을 입수
한 모양이다. 그런데 받고 보니 버키가 아니다. 베벌리 젠슨
이고 웃는 목소리가 아니다. 이번에는…… 뭐라고 해야 할까?
울고 있다기보다 아기가 어디가 불편할 때 내는 소리에 가깝
다. 징징댄다고 해야 할까?

"아, 안녕하세요. 제가 지금……." 그녀가 훌쩍이며 침을 꿀
꺽 삼킨다. "……쉬시는데 방해하는 건 아닌지 모르겠어요."

"아니에요." 빌리는 일어나 앉는다. "전혀 아니에요. 무슨
일 있어요?"

그 말에 징징거림이 요란한 흐느낌으로 바뀐다.

"엄마가 돌아가셨어요, 돌턴 씨! 정말로 돌아가셨어요!"

이런 젠장. 그건 나도 이미 알아. 그가 아는 또 한 가지 사실
이 있다면 그녀가 술을 마시고 전화를 했다는 것이다.

"고인의 명복을 빌게요."

정신이 몽롱한 상태라 그로서는 이게 최선이다.

"나를 끔찍한 인간이라고 생각할까 봐 전화했어요. 계속 웃

고 떠들면서 크루즈 여행을 가겠다고 나불거렸으니 말이에요."

"그럼 여행 안 가요?"

실망이다. 이 집을 독차지할 수 있을 줄 알았더니.

"아, 아마 갈 거예요." 그녀는 시무룩하게 코를 훌쩍인다. "돈이 가고 싶어 하고 나도 그런 것 같거든요. 레드넥 리비에라라는 데 있는 케이프 샌 블라스로 신혼여행 비슷한 걸 다녀온 뒤로 어디든 가 본 적이 없어서요. 나는 그냥…… 내가 엄마의 무덤 위에서 춤을 추고 있거나 뭐 그러는 걸로 보이지 않았으면 해요."

"그렇게 보이지 않았어요." 사실이다. "횡재를 만났으니 신이 날 수밖에요. 자연스러운 반응이에요."

이 말에 그녀는 완전히 긴장을 풀고는 울고 숨을 헐떡이고 물에 빠진 사람처럼 꼬르륵거린다.

"고마워요, 돌런." 자기 남편처럼 돌턴이 아니라 돌런이라고 발음한다. "이해해 줘서 고마워요."

"그래요. 이제 아스피린 먹고 좀 누워요."

"그러는 게 좋겠어요."

"그럼요." 나지막이 딩 하는 소리가 들린다. 버키일 것이다. "이제 그만……"

"거긴 아무 일 없죠?"

아뇨. 모든 게 개판이에요, 베브, 물어봐 줘서 고마워요.

"아무 일 없어요."

"그리고 화분을 두고 한 말도 농담이었어요. 돌아갔을 때 대프니랑 월터가 죽어 있으면 엄청 속상할 거예요."

"내가 잘 돌볼게요."

"고마워요. 정말, 정말, 정말, 정말 고마워요."

"별말씀을. 이제 그만 끊어야겠어요, 베브."

"그래요, 돌런. 그리고 정말, 정말, 정말……"

"나중에 또 통화해요."

그는 전화를 끊는다.

버키의 수많은 통신용 아이디 중 하나가 보낸 문자다. 내용은 간단하다.

bigpapi982: 아직 입금 안 됐어. 자네가 어디 있는지 알고 싶대.

빌리도 통신용 아이디를 써서 답장을 보낸다.

DizDiz77: 원하는 대로 모두 이룰 수 있는 건 아니죠.

5

그는 저녁으로 스크램블드에그와 토마토 수프를 데워 먹고 이번에는 게우지 않는다. 식사를 마친 뒤에는 6시 뉴스 시간에 맞춰 TV를 틀고 NBC 계열 방송국으로 채널을 돌린다. 채널6의 영상은 다시 보고 싶지도 않고 다시 볼 필요도 없기 때문이다. 리버티 뮤추얼 보험사 광고에 이어 그의 사진이 나온다. 에버그린 가 뒷마당에서 단순한 욕망 해소의 대상이 아니라 요리도 할 줄 아는 자!라고 적힌 앞치마를 입고 웃고 있는 사진이다. 함께 찍힌 뒤편의 사람들 얼굴은 모자이크 처리됐지만 모두 빌리가 아는 사람들이다. 모두 그의 이웃이었다. 그가 동네 사람들을 초대해 바비큐 파티를 열었을 때 찍은 사진이고, 출처는 아마도 자기 휴대전화나 조그만 니콘 카메라로 항상 사진을 찍고 다녔던 다이앤 파치오일 것이다. 우라지게 잘 가꾸어져 있는 그의 잔디밭(아직까지도 그의 잔디밭으로 여겨진다.)이 눈에 들어온다.

사진 아래에 이런 자막이 달렸다. 데이비드 로크리지는 누구인가? 장담하건대 경찰 측에서는 이미 파악을 마쳤을 것이다. 요즘은 컴퓨터로 눈 깜빡할 새 지문을 검색할 수 있고 그의 지문은 해병대 시절부터 데이터베이스에 저장돼 있다.

"이자는 조엘 앨런을 법원 계단에서 뻔뻔하게 살해한 범인으로 추정되는 인물입니다."

두 앵커 중 한쪽이 말한다. 은행원처럼 생긴 쪽이다.

잡지 모델처럼 생긴 다른 앵커가 뒷말을 잇는다.

"아직까지는 동기가 밝혀지지 않았고 도주 방법도 마찬가지입니다. 하지만 경찰에서 확신하는 부분이 하나 있는데요, 바로 외부 도움이 있었을 거라는 점입니다."

아닌데. 도와주겠다는 제안은 있었지만 내가 거절했지.

"총격이 벌어지고 몇 초 뒤에." 은행원처럼 생긴 앵커가 말한다. "한 번은 범인이 자리를 잡고 있었던 제러드 타워 맞은 편, 또 한 번은 메인 가와 코트 가가 만나는 네거리의 건물 뒤 편, 이렇게 두 번의 폭발음이 들렸는데요. 로런 콘리 경찰서장 에 따르면 고성능 폭탄이 아니라 불꽃놀이와 로큰롤 밴드 공 연장에서 쓰이는 섬광탄이었다고 합니다."

잡지 모델 앵커가 배턴을 넘겨받는다. 왜 그렇게 주거니 받 거니 하는지 빌리로서는 알 수 없는 노릇이다. 수수께끼다.

"래리 톰슨이 현장에 나가 있습니다. 아니, 코트 가가 봉쇄 됐으니 최대한 가까이 나가 있다고 할 수 있겠는데요. 래리?"

"네, 맞습니다." 자기가 바로 래리라고 못을 박으려는 듯 래 리가 이렇게 말한다. 그 뒤로 노란색 폴리스라인이 보이고 경 찰차 대여섯 대가 법원을 에워싸고 아직까지 경광등을 반짝 이고 있다. "경찰에서는 주도면밀하게 계획된 조직폭력배의 공격으로 추정하고 있습니다."

정답.

"오늘 기자회견장에서 콘리 서장이 발표한 바에 따르면, 아 마도 가명이겠습니다만 용의자 데이비드 로크리지는 특이한 시나리오로 포장하고 초여름부터 대기 중이었다고 합니다. 콘 리 서장의 말을 들어 보겠습니다."

래리 톰슨의 얼굴이 경찰서장의 기자회견 영상으로 바뀐다. 우스꽝스러운 스텟슨 모자의 주인공 비커리 보안관은 참석하 지 않았다. 콘리가 범인은(그녀는 그를 용의자로 지칭하는 수고조차 기울이지 않는다.) 어떤 식으로 책을 쓰는 척하고 있었는지 소개하는 말로 기자회견을 시작하자 빌리는 TV를 끈다.

뭔가 마음에 걸리는 부분이 있다.

6

30분 뒤에 빌리는 젠슨 부부가 사는 2층으로 올라가 대프니와 월터에게 물을 주던 도중에 결정을 내린다. 총격 당일에 지층 아파트를 떠날 계획은 전혀 없었고 며칠 어쩌면 일주일 동안 거기서 지낼 생각이었는데 상황이, 그것도 안 좋은 쪽으로 바뀌었다. 알아내야 할 것이 있는데 버키의 도움을 받을 수가 없다. 버키는 제 몫을 다했고 영리하다면 지금쯤 비행기를 타고 낙진 지대에서 벗어나고 있을 것이다. 그런데 낙진이 떨어지고 있는 게 맞긴 할까? 빌리는 별것 아닌 일에 기겁하는 건 아닌지 아직 잘 모르겠지만 알아보기로 한다.

그는 지층으로 다시 내려가 돌턴 스미스 변장을 한다. 이번에는 가짜 임산부 배를 거의 끝까지 부풀리고 도수 없는 알을 끼운 뿔테 안경도 잊지 않는다. 『테레즈 라캥』과 함께 거실 책꽂이에서 대기 중이던 안경이다. 이제는 짙은 어스름이 깔려 있어 그건 다행이다. 조니스 편의점이 비교적 가까운 것도 마찬가지다. 다행스럽지 않은 부분이 있다면 닉의 부하들이 아직까지 온 동네를 샅샅이 뒤지고 있을지 모른다는 것인데, 프랭키 엘비스와 폴리 로건이 한 차를, 레지와 데이나가 다른 차를 타고 있을 테고 지금은 트랜짓 밴이 아닐 것이다.

하지만 그들은 그가 지금쯤 몸을 숨겼다고 생각할 테니 시도해 볼 만한 일이다. 그들은 어쩌면 그가 이 도시를 떠났다고 생각할 수도 있다. 그리고 그들이 우연히 그의 옆을 지나가더라도 돌턴 스미스 변장이 제 역할을 할 것이다. 바라건대 그럴 것이다.

그는 결국 일회용 휴대전화가 필요하다는 결론을 내리지만 그날 아침에 멀쩡한 전화기를 버린 것을 자책하지는 않는다. 하느님이 아닌 이상 모든 걸 예견할 수는 없는 법이고 콜린 화이트 복장으로 그 골목길에서 나올 뻔했던 것에 비하면 그건 어리석은 짓이라고 볼 수도 없다. 빌리와 같은 일—까놓고 말하자면 청부살인업—을 하려면 일단 계획을 세우고 예측하지 못한 일 때문에 발목을 잡히는 사태만은 벌어지지 않기를, 아니면 초록색으로 칠한 조그만 방에서 팔에 주삿바늘이 꽂히는 사태만은 벌어지지 않기를 바라야 한다.

나는 잡히면 안 돼. 잡히면 그 빌어먹을 화분들이 죽게 된다고.

그 처량한 상점가에서 문을 연 가게는 조니스 편의점뿐이고 핫 네일스는 다시 문을 열 가능성이 없다. 유리창에 비누칠이 됐고 파산 통지가 문에 붙어 있다.

손님은 맥주 코너를 살피는 히스패닉계 남자 둘뿐이다. 에너지 드링크와 50가지 스낵킹 케이크 사이에 상자에 담긴 일회용 전화기가 쌓여 있다. 빌리는 그중 하나를 집어서 계산대로 들고 간다. 강도를 당했던 완다인가 하는 여자가 아니라 중동 출신으로 보이는 남자가 카운터를 지키고 있다.

"이것만 계산하세요?"

"네."

그는 돌턴 스미스일 때는 목소리 톤을 살짝 높이려고 한다. 지금 자신이 누구인지를 일깨우는 또 다른 방편이기도 하다.

점원이 바코드를 찍는다. 84달러가 조금 못 되고 120분이 들어 있다. 월마트에 가면 이보다 최대 30달러 싸게 살 수 있겠지만 지금은 찬밥, 더운밥 가릴 처지가 아니다. 게다가 월마트에서는 얼굴 인식을 걱정해야 한다. 요즘은 사방에서 얼굴 인식이 이루어진다. 여기에도 비디오카메라가 설치돼 있지만 12시간이나 24시간마다 재활용될 것이다. 그는 현금으로 계산한다. 도주 중일 때는, 혹은 은신 중일 때는 현금이 왕이다. 점원이 좋은 시간 보내라고 인사한다. 빌리도 똑같이 인사한다.

이제는 충분히 어둠이 깔렸다. 맞닥뜨리는 몇 안 되는 차량들은 전조등을 켜고 달리고 있기 때문에 운전석에 누가 앉아 있는지 보이지 않는다. 차가 그를 향해 달려올 때마다 고개를 숙이고 싶은 충동 내지는 본능이 느껴지지만 그랬다가는 의심스러워 보일 것이다. 야구모자를 안 쓰고 있기 때문에 모자

챙을 내릴 수도 없다. 금색 가발이 제 몫을 할 수 있기만을 바랄 따름이다. 그는 경찰과 닉의 부하들이 양쪽에서 찾고 있는 빌리 서머스가 아니다. 이 도시의 후줄근한 동네에 살며 뿔테 안경을 계속 추어올려야 하는 시시한 컴퓨터 전문가 돌턴 스미스다. 컴퓨터 앞에서 먹은 도리토스 나초와 리틀 데비 과자 때문에 살이 쪘고 여기서 10킬로그램이 더 늘면 뒤뚱뒤뚱 걷게 될 것이다.

선을 잘 지킨 훌륭한 변장이지만 그래도 그는 등 뒤로 658번지 현관문을 닫으며 안도의 한숨을 내쉰다. 지층으로 내려가 전등을 끄고 잠망경 커튼을 젖힌다. 밖에 아무도 없다. 길거리에는 인적이 끊겼다. 물론 그의 위치가 발각되었다면 그들(프랭키와 폴리나 경찰이 아니라 레지와 데이나일 가능성이 크다.)이 뒤에서 공격할 수도 있지만 어찌할 수 없는 부분을 걱정하는 건 부질없는 짓이다. 그랬다가는 미쳐 버리기 딱 좋다.

빌리는 좁은 커튼을 닫고 다시 전등을 켜고 거실에 딱 하나 놓여 있는 안락의자에 앉는다. 생긴 건 후줄근하지만 후줄근한 수많은 것이 그렇듯 편안하다. 그는 커피 테이블에 전화기를 놓고 쳐다보며 자기 짐작이 맞는지 아니면 피해망상일지 궁금해한다. 피해망상인 편이 여러모로 낫지만 이제 둘 중 어느 쪽인지 알아보아야 한다.

그는 상자에서 전화기를 꺼내 배터리를 끼우고 콘센트에 꽂아 충전한다. 예전에 쓰던 일회용 전화기와 다르게 이건 플립

폰이다. 옛날식이지만 마음에 든다. 플립폰을 쓸 때는 상대방
이 하는 말이 듣기 싫으면 그냥 전화를 끊어 버릴 수 있다. 유
치할지 몰라도 그러고 나면 묘하게 통쾌하다. 충전은 금세 끝
난다. 기기를 상자에서 꺼내자마자 쓰지 못하면 폭발했던 스
티브 잡스 덕분에 이런 식의 시판 기기는 배터리가 50퍼센트
충전된 상태로 출시된다.

전화기에서 어떤 언어를 쓸 거냐고 묻는다. 빌리는 영어를
택한다. 그러자 이번에는 무선 네트워크를 쓸 거냐고 묻는다.
빌리는 아니라고 한다. 그는 몇 분을 결제했는지 입력하고 업
체 본사에 전화해 등록을 마무리한다. 그 정도 시간이면 앞으
로 3개월 동안 쓰기에 충분하다. 그때쯤이면 그가 어느 바닷
가에 가 있고 돌턴 스미스의 신용카드로 결제되는 전화기만
쓰고 있길 바랄 따름이다.

임무 종료를 선언하며. 그러면 얼마나 좋을까.

빌리는 전화기를 이 손에서 저 손으로 던지며 프랭크 매킨
토시와 폴리 로건이 그를 미드우드의 그 집으로 데려갔던 날
을, 가지 않았더라면 좋았을 그 길을 생각한다. 닉이 그를 맞
았지만 밖으로 나오지는 않았다. 빌리는 임대한 대저택으로
맨 처음 찾아갔던 때를 생각한다. 그 집에서도 닉이 그를 두
팔 벌려 환영했지만 역시 밖으로 나오지는 않았다. 이번에는
닉이 그에게 플래시팟과 탈출 작전에 대해 설명했던 날을 떠
올린다. 밴의 뒷자리에 올라타기만 하면 돼, 빌리. 위스콘신까

지 편안하게 그걸 타고 가면 돼. 저녁의 시작은 샴페인, 끝은 베이크드 알래스카였다. 이 지역 주민이고 어쩌면 부부지간일 남녀 한 쌍이 식사를 준비하고 서빙했다. 그 둘은 닉을 보았지만 그들이 아는 한 닉은 거래차 뉴욕에서 여기로 찾아온 사업가였다. 그가 여자에게 돈을 쥐여 주자 둘은 집에서 나갔다.

일회용 전화기가 이쪽에서 저쪽으로 움직인다. 오른손에서 왼손으로, 왼손에서 오른손으로.

내가 닉에게 호프가 플래시팟을 설치할 거냐고 물었지. 그때 그놈이 뭐라고 했더라? 호프를 뭐라고 불렀더라? 그런데 필리오 디 푸타나라고 하지 않았나? 개새끼 아니면 갈보새끼 아니면 씹새끼라는 뜻이었다. 셋 중 하나고 정확한 뜻은 중요하지 않았다. 중요한 건 닉이 그다음으로 한 말이었다. 자네가 나를 그렇게 생각한다면 슬픈데?

그런데 필리오 디 푸타나는 호구로 지목된 인물이었다. 총알이 발사된 건물의 주인이 호프였다. 총을 조달한 사람도 호프였고 이제는 경찰에서 총을 입수해 벌써 역추적에 돌입했을 것이다. 만약 그들이 판매 시점까지 역추적하는 데 성공한다면—*시기가 문제일 뿐 성공은 기정사실이다*—어떤 사실을 발견하게 될까? 호프가 일말의 상식이라는 게 있었다면 가명을 썼겠지만 경찰이 판매자에게 호프의 사진을 보여 주면 게임 끝이다. 켄 호프는 덥고 답답한 취조실에 갇혀서 거래를 하겠다고 달려드는 신세로 전락할 것이다. 자기가 제일 잘하는 것이 거래인 줄 알 테니.

하지만 짐작건대 켄 호프는 그 답답한 취조실까지 갈 일이 없을 것이다. 이미 죽은 목숨일 테니 니콜라이 머제리언에 대해 떠벌릴 일이 없을 것이다.

여기까지는 빌리가 일찌감치 파악한 바지만 6시 뉴스를 듣고 내리게 된 결론이 있다. 에버그린 가의 아이들과 모노폴리를 하고 잔디를 관리하고 코린의 쿠키를 먹고 동네 주민들과 노닥거리는 시간을 줄였더라면 진작 도달했을 결론이다. 지금 이 시점에도 그가 내린 결론이 믿기지 않지만 논리상 부인할 수가 없다.

켄 호프와 데이비드 로크리지 말고도 전면에 나선 사람이 있었다는 것.

아닐까?

7

빌리는 조지 피그스라고도 불리고 거물급 저작권 에이전트 조지 러소라고도 불리는 조르조 피그릴리에게 문자를 보낸다. 조르조가 보면 알 수 있는 가명을 쓴다.

트릴비: 답장 부탁해.

기다려 봐도 아무 응답이 없다. 느낌이 쌔한 게, 조르조가 손에서 절대 놓지 않는 것이 휴대전화와 먹을거리다. 빌리는 다시 문자를 보낸다.

트릴비: 지금 당장 통화 좀 했으면 하는데. 빌리는 고민하다가 이렇게 덧붙인다. 계약서상으로 출간일에 잔금을 입금하기로 하지 않았나?

조르조가 그의 문자를 읽고 있거나 답문을 작성 중이면 점이 뜰 텐데 뜨지 않는다. 전혀 아무것도 없다.

트릴비: 문자 부탁해.

감감무소식이다.

빌리는 전화기를 닫고 커피 테이블 위에 놓는다. 조르조의 침묵이 어떤 점에서 최악인가 하면, 놀랍지 않다는 점에서 그렇다. 그의 안에 *바보 빌리*가 실제로 존재하는 모양인지, 임무를 완수하고 돌아가기에는 너무 늦어 버릴 때까지 깨닫지 못한 사실이 하나 있었으니 바로 조르조도 켄 호프와 함께 전면에서 활동했다는 것이다. 호프가 제러드 타워로 빌리를 데려가 5층 작업실을 보여 줬을 때 조르조도 동행했다. 그리고 그때가 조르조의 초행도 아니었다. *이쪽은 지난주에도 만났던 조지러스. 호프가 경비 어브 딘에게 이렇게 얘기하지 않았던가.*

조르조가 네바다주로 돌아갔을까? 그렇다면 라스베이거스에서 밀크셰이크를 먹고 있을까 아니면 주변 사막 어딘가에 매장됐을까? 하느님도 알다시피 그가 1번 타자도 아닐 것이다. 아니, 100번 타자도 아닐 것이다.

조르조가 죽었더라도 경찰에서는 그를 통해 닉을 추적할 거야. 그 둘은 옛날 옛적부터 한 팀이었으니까. 닉은 책임자, 조지 피그스는 그의 콘실리에리(고문)로. 조직 안에서 조지 같은 남자가 실제로 그렇게 불리는지 아니면 영화계에서 만든 용어인지 빌리로서는 알 길이 없지만 그 뚱보가 닉에게 그런 존재였다. 그의 해결사였다.

다만 아주 옛날 옛적부터는 아니었다. 빌리가 맨 처음 닉에게 일을 받아서 한 것이 2008년이었이었는데—세 번째로 한 청부살인이었다—그때는 조지가 없었다. 그 일은 닉이 혼자서 진행했다. 닉이 빌리에게 말하길 도시 변두리에서 조그만 클럽과 카지노를 운영하는 변태가 있다고 했다. 나이 많은 여자를 괴롭히는 걸 좋아하는데 눈이 뒤집혀서 한 명을 죽여 버렸다. 닉은 그자의 정체를 알아냈고 외지의 프로에게 부탁해 처리하고 싶었다. 그런데 빌리를 추천받았다. 그것도 아주 적극적으로.

빌리가 두 번째로 라스베이거스에 찾아갔을 때는 조르조가 닉의 옆에 있는 정도가 아니라 직접 계약을 진행했다. 둘이서 대화를 나누고 있었을 때 닉이 들어와 빌리를 터프하게 끌어안고 등을 몇 번 토닥이더니 한쪽 구석에 앉아 술을 홀짝이며 그냥 듣기만 했다. 끝까지 그랬다. 두 번째 의뢰가 들어온 건 변태라고 했던 첫 번째 타깃을 처리하고 1년도 되지 않았을 때였다. 조르조는 이번 타깃이 칼 트릴비라는 이름의 독립 포르노 영화 제작자라고 했다. 그러면서 오럴 로버츠*를 섬뜩하리만치 닮은 남자의 사진을 보여 주었다.

"트릴비, 그 모자 말이죠."

조르조는 말했다가 빌리가 그게 무슨 말인지 모르는 척하자 설명해 주었다.**

"나는 떡치는 영화를 찍는다는 이유로 누굴 쏘지는 않아요."

"남자가 여섯 살짜리 따먹는 걸 영화로 찍는 사람은?"

칼 트릴비가 나쁜 놈이었기에 빌리는 그 일을 했다.

그 뒤로도 닉이 부탁한 일을 세 건 더 맡아서 했다. 앨런을 빼고 세 건이었고 그가 했던 일의 거의 3분의 1에 해당했다. 이라크에서 사살한 이슬람교도 수십 명은 제한 숫자다. 닉은 일을 의뢰하는 자리에 동석할 때도 있고 동석하지 않을 때도 있었지만 조르조는 항상 있었기 때문에 앨런 건을 진행하는 현장에 그가 일부 기간 동안이나마 함께했던 것이 이상하게 느껴지지 않았다. 그게 패착이었다. 이제 생각해 보니 아주 이상한 일이었다.

닉은 조르조가 입을 다물고 있어야 연관성을 부인할 수 있다. 그래야 당연히 빌리를 알지만 그가 이런 짓을 저질렀다 한들 단독 범행이라고 주장할 수 있다. 자기는 전혀 모르는 일이

---

* 미국의 TV 복음전도사.
** 챙이 넓은 모자를 트릴비라고 한다.

라고 말이다. 그럴 가능성은 없어 보이지만 처음 저녁을 같이 먹었던 날 요리사와 서빙을 맡았던 여자가 그를 조르조와 빌리와 한데 엮는다 하더라도, 어깨를 으쓱하며 더블 도미노 허가를 갱신할 때가 돼서 카지노 사업 문제로 조르조와 의논할 게 있었다고 하면 그만이다. 다른 남자는? 닉이 알기로는 조르조의 친구였다. 아니면 보디가드. 조용한 친구였다. 로크리지라고 자기 이름은 밝혔지만 그 외에는 별로 말이 없었다.

앨런이 총에 맞았을 때 어디 있었냐고 경찰이 물으면 닉은 라스베이거스에 있었다고 하고 알리바이를 입증해 줄 증인을 한 트럭 댈 것이다. 게다가 카지노 보안 카메라 영상까지. 그런 업소의 영상은 12시간이나 24시간마다 재활용되지 않는다. 최소 1년 동안 보관된다.

어디까지나 조르조가 입을 다물면 말이다. 하지만 그가 관할지법으로 인도될 운명에 처하더라도 침묵의 맹세를 지킬까? 1급 살인의 종범으로 살인형을 받을 가능성에 직면했다 하더라도?

사막 1.5미터 아래에 묻혔다면 조지 피그스는 아무 말도 하지 못하겠지. 이런 상황에서는 그게 상책이지.

빌리는 전화기를 이쪽 손에서 저쪽 손으로 던지던 것을 멈추고 조르조에게 다시 한번 문자를 보낸다. 여전히 답이 없다. 닉에게 문자를 보내거나 전화를 걸 수도 있겠지만 연결이 된다 한들 닉이 하는 말을 그가 믿을 수 있을까? 아니다. 빌리가 딱 하나 믿을 수 있는 건 그의 해외 계좌로 150만 달러가 입금 되면 컴퓨터로 사바사바해서 돌턴 스미스가 접근할 수 있는 다른 계좌로 송금하는 것뿐이다. 버키가 피신처에 도착하면 그 부분을 맡아서 해 주겠지만 그것도 돈이 입금됐을 때의 얘 기다.

오늘 밤에는 더 이상 할 수 있는 일이 없기에 빌리는 침대에 눕는다. 아직 9시도 안 됐지만 긴 하루였다.

8

그는 찰나의 냉기 주머니가 존재하는 베개 아래에 손을 넣 고 누워서 말이 안 된다는 생각을 한다. 전혀 말이 안 된다는 생각을 한다.

켄 호프라면 그럴 수 있다. 이 세상에는 똥밭이 아무리 깊어 도 밧줄을 던져 주는 사람이 있을 거라 생각하고 뭐든 획획 넘 기는 소도시의 얍삽이들이 존재한다. 이들은 함박웃음을 짓고 덥석 악수를 하며, 아이조드 폴로 셔츠에 발리 로퍼를 신고 다 니고, 출생 증명서에 *자기 도취형 낙천주의자*라고 도장이 찍 혀 있을지 모르는 사기꾼들이다. 하지만 조르조 피그릴리는 다르다. 저러다 죽지 싶을 정도로 먹는 건 맞지만, 그 밖의 다 른 부분에서는 냉혹한 현실주의자다. 그런데도 그는 이 일의 곳곳에 관여했다. 왜 그랬을까?

빌리는 그제야 그만 고민을 접기로 한다. 잠이 든 그는 사막 꿈을 꾼다. 하지만 모든 데서 화약, 염소, 오일, 배기가스 냄새를 풍기던 해병대 시절의 사막이 아니다. 오스트레일리아의 사막이다. 거기에는 거대한 바위가 있는데, 에이어스 록이라고 불리지만 실제 이름은 울루루다. 꼭 처마를 감도는 바람처럼 발음부터 으스스한 이름이다. 원주민들에게는 성소다. 그들은 그 바위를 우리보다 먼저 보았고 경배했지만 절대 자기들 소유로 간주하지는 않았다. 세상에 신이 존재한다면 그것은 신에게 속한 바위라는 걸 안다. 빌리는 거기에 가 본 적은 없지만 「어둠 속의 외침」 같은 영화나 「내셔널 지오그래픽」, 아니면 《트래블》같은 잡지에서 보았다. 한번 가 보고 싶고, 심지어 바위가 그 비현실적인 머리를 우뚝 내밀고 있는 울루루에서 차로 4시간 거리밖에 안 되는 앨리스 스프링스로 이사하는 상상을 하기도 한다. 거기서 조용히 사는 거다. 햇살이 방 안을 환하게 비추고 밖에는 조그만 정원이 있는 집에서 글을 쓰든지 하면서.

두 대의 전화기는 침대 옆 테이블에 놓여 있다. 빌리는 전원을 꺼 놓았다가 새벽 3시쯤에 소변이 마려워서 일어났을 때 연락 온 게 있나 싶어 전원 버튼을 눌러 본다. 일회용 전화기로 조르조가 연락한 내역은 없다. 예상했던 바다. 그 뚱보가 그에게 두 번 다시 연락할 일은 없을 것이다. 사기꾼이 대통령으로 당선되는 세상이니 뭐든 가능하기는 하지만. 그런데 돌턴 스미스의 전화기에는 접수된 메시지가 있다. 지역 신문사에서 보낸 기사 푸시 알림이다. *거물 사업가 스스로 목숨을 끊다.*

빌리는 화장실에 다녀온 다음 침대에 앉아서 기사를 읽는다. 내용은 간단하다. 두말하면 잔소리지만 거물 사업가는 케네스 P. 호프다. 조깅하러 나온 그린 힐스의 이웃 주민 하나가 호프의 집 앞을 지나다 차고에서 난 것 같은 총성을 들었다. 그때가 오후 7시쯤이었다. 이웃 주민은 911에 연락했다. 출동한 경찰은 시동을 켜 놓은 차 운전석에서 죽은 호프를 발견했다. 머리에는 총알구멍이, 무릎에는 리볼버가 있었다.

오늘이나 내일 좀 더 길고 자세한 기사가 나올 것이다. 호프의 사업 이력을 조망할 것이다. 늘 그렇듯 충격을 받은 친구들과 사업 관계자들의 증언이 실릴 것이다. "경제적인 어려움"을 운운하기는 하겠지만, 멀쩡히 살아 있는 이 지역의 다른 유지들이 좋아하지 않을 테니 자세한 언급은 피할 것이다. 헤어진 아내들은 이혼 법정에서와 달리 훨씬 근사하게 그를 포장할 테고, 상복을 입고 장례식에 참석해 휴지로 눈가를 토닥일 것이다. 마스카라가 번지지 않게 조심해 가며. 그가 발견된 차량이 빨간색 머스탱 컨버터블이었다는 것까지 기사에 소개될지는 잘 모르겠지만 그 차였을 게 분명하다.

호프와 앨런 사건의 관계, 자살의 동기는 나중에 밝혀질 것이다.

우울해진 호프가 일산화탄소를 흡입해 자살하기로 마음먹었다가 그때까지 기다리지 못하고 머리를 날려 버린 거라는 검시관의 추측을 보도하지는 않을 것이다. 빌리는 그렇게 된 게 아니라는 걸 안다. 닉의 부하들 중에서 누가 방아쇠를 당겼는지만 모를 뿐이다. 프랭크거나 폴리거나 레지였을 수도 있고 그가 만나 보지 못한, 플로리다나 애틀랜타에서 공수된 부하들이었을 수도 있다. 하지만 반짝이는 파란 눈과 짙은 빨간색 트레머리를 한 데이나 에디슨 말고는 다른 후보가 떠오르지 않는다.

그가 호프에게 총을 겨누고 차고로 데려갔을까? 그럴 필요도 없었을지 모른다. 호프에게 그냥 차에 앉아서 상황이 어떤 식으로 호프에게 유리한 쪽으로 해결될 예정인지 이야기를 나누어 보자고 했을지 모른다. 자기 도취형 낙천주의자이자 호구 지정자는 그 말에 속아 넘어갔을지 모른다. 그는 운전석에 앉는다. 데이나는 조수석에 앉는다. 켄이 *어쩔 생각이에요* 하고 묻는다. 그러면 데이나가 *이럴 생각이지* 하고 그를 쏜다. 그런 다음 시동을 걸고 뒷문으로 빠져나가 골프 카트를 타고 조용히 사라진다. 그린 힐스가 그런 곳이다. 콘도를 갖춘 골프장.

정확히 그렇게 진행되지는 않았을 수도 있고 에디슨이 아니었을 수도 있지만 빌리는 대강의 얼개는 그랬을 거라고 자신할 수 있다. 그러면 미완 사업의 마지막 퍼즐인 조르조가 남는다.

흠, 아니지. 내가 있잖아.

그는 다시 자리에 눕지만 이번에는 잠이 오지 않는다. 오래된 3층짜리 주택이 삐걱거리는 소리도 한몫 거든다. 바람이 거세어지고 그걸 차단하는 역사가 무너졌으니 그 바람은 공터와 피어슨 가를 곧장 가로지른다. 빌리가 잠이 들려고 할 때마다 바람이 휘파람 소리와 함께 처마를 감싸고돌며 울루루, 울루루라고 한다. 아니면 누가 헐거워진 마룻장을 밟는 것처럼 또다시 끼이익 하는 소리가 들린다.

빌리는 가벼운 불면증은 괜찮다고, 마음만 먹으면 내일 온종일도 잘 수 있다고, 당분간 아무 데도 가지 않을 거라고 자신을 다독이지만 새벽 시간이 길고 길다. 떠오르는 상상이 너무 많은데, 그중에 쓸모 있는 건 하나도 없다.

그는 일어나서 책이나 읽어야겠다고 생각한다. 종이책은 『테레즈 라캥』밖에 없지만 노트북에 다운받아서 졸릴 때까지 침대에서 읽으면 된다.

그런데 잠시 후 어떤 생각 하나가 떠오른다. 좋은 생각은 아닐지 모르지만 그 방법을 쓰면 잠을 잘 수 있다. 장담할 수 있다. 빌리는 일어나 바지 주머니에서 섀니스의 그림을 꺼내 펼친다. 머리에 빨간색 리본을 달고 웃고 있는 아이를 본다. 플라밍고의 머리에서 피어오르는 하트를 본다. 섀니스가 야구 결승전을 보다가 7회에 옆에서 잠이 들었던 것을 떠올린다. 머리를 그의 팔에 기대고. 빌리는 그 그림을 두 개의 전화기와 함께 침대 옆 테이블에 두고 금세 잠이 든다.

12장

1

빌리는 일어나 몽롱한 정신을 달랜다. 방 안이 완전히 시커 멓다. 뒷마당이 내다보이는 창문의 커튼 사이로 빛 한 줄기 새 어 들어오지 않는다. 그는 비몽사몽 간에 잠깐 그대로 누워 있 다가 이 방에는 창문이 없다는 사실을 기억한다. 이 집에 달린 창문은 거실 창문 하나뿐이다. 그가 잠망경이라고 부르는 창 문. 여긴 에버그린 가의 2층에 있는 널찍한 침실이 아니라 피 어슨 가에 있는 그보다 작은 지층 침실이다. 빌리는 그가 도피 중이라는 사실을 기억한다.

그는 냉장고에서 오렌지주스를 꺼내 게우지 않게 한두 모 금만 마시고 샤워로 어제 흘린 땀을 씻어 낸다. 옷을 갈아입고 알파 비츠 시리얼에 우유를 붓고 오전 6시 뉴스를 튼다.

맨 처음 그를 맞이한 것은 조르조 피그릴리의 얼굴이다. 사진이 아니라 몽타주인데, 너무 훌륭해서 사진이라 해도 믿겠다. 빌리는 누가 경찰 측 몽타주 담당자와 공조 중인지 단박에 알아차린다. 제러드 타워 경비인 어브 딘이 전직 경찰이라고 하더니 눈썰미가 여전한 모양이다. 《모터 트렌드》를 보거나 《스포츠 일러스트레이티드》 수영복 특집에서 가슴과 엉덩이만 들여다보는 줄 알았더니. 주요 뉴스에서 켄 호프는 다루지 않는다. 경찰에서 그와 앨런 총격 사건의 연결 고리를 파악했다 한들 방송국과는 공유하지 않은 것이다. 아직까지는.

금발의 생기발랄한 기상 캐스터가 예년보다 날이 춥겠다며 후딱 업데이트된 정보를 전한다. 추후에 좀 더 자세한 일기예보를 전하겠다고 약속하고는 금발의 생기발랄한 교통 리포터에게 마이크를 넘긴다. 교통 리포터는 "경찰의 경계 태세 강화"로 인해 오늘 아침에는 차가 많이 막힐 거라고 경고한다.

그러니까 도로가 봉쇄됐다는 말이다. 경찰 측에서는 범인이 아직 이 도시에 있다고 추측하고 있는데, 정답이다. 그들은 조지 러소를 자칭하는 뚱보도 아직 이 도시에 있다고 추측하고 있다. 빌리가 알기로 그건 아니다. 그의 예전 저작권 에이전트는 현재 네바다주에 있고, 그 엄청난 덩치가 땅속에서 벌써부터 썩기 시작했을 것이다.

셰비 트럭 광고에 이어 앵커들이 퇴직 경찰과 함께 돌아온다. 그들은 그에게 조엘 앨런이 살해당한 이유가 뭐라고 생각하느냐고 묻는다. 퇴직 경찰은 이렇게 대답한다.

"제가 생각할 수 있는 이유는 한 가지뿐이에요. 감형을 전제로 아는 정보를 폭로하지 못하게 누군가가 입을 막으려고 했던 거죠."

"어떤 감형을 요구할 수 있었을까요?"

한 앵커가 묻는다. 그는 생기발랄한 검은 머리다. 어떻게 아침 댓바람부터 다들 이렇게 생기발랄할 수 있을까? 약을 먹나?

"사형 대신 종신형이요."

전직 형사는 잠깐 고민해 보지도 않고 바로 대답한다.

빌리는 이것 역시 정답이라고 자신할 수 있다. 관건은 앨런이 알았던 정보의 성격과 그가 이렇게 공개적으로 살해당해야 했던 이유다. 앨런과 같은 정보를 아는 사람들을 향한 경고였을까? 평소 같았으면 빌리는 관심을 두지 않았을 것이다. 평소 같았으면 빌리는 기술자에 불과했을 것이다. 그런데 지금 그가 처한 상황은 평소와 전혀 다르다.

앵커들이 젊은 변호사 일당 중 한 명인 존 콜턴을 인터뷰하는 기자에게 마이크를 넘기지만 빌리는 보고 싶지 않다. 일주일 전만 해도 그와 존과 짐 올브라이트는 타코 값 계산할 사람을 뽑느라 동전을 던지던 사이였다. 이제 존은 어안이 벙벙하고 비통한 표정을 짓고 있다. 그가 "우리는 모두 그가 괜찮은 사람인 줄 알았……"까지 말했을 때 빌리는 TV를 꺼 버린다.

그는 시리얼 그릇을 씻고 돌턴 스미스의 전화기를 체크한다. 버키가 보낸 문자가 있는데, 딱 세 마디다. 아직 입금 전. 예상했던 바이긴 하지만 존 콜턴이 짓고 있던 표정까지 더해지자 감금 생활—현실을 인정하는 편이 나을 것이다—첫날부터 출발이 좋지 않다.

아직 입금이 되지 않았다면 앞으로도 영영 되지 않을 것이다. 그는 선금으로 50만 달러를 받았고 그것도 많은 액수지만 약속한 금액은 아니다. 오늘 아침까지만 해도 너무 정신이 없어서 믿었던 사람에게 돈을 떼먹힌 것에 대해 화를 낼 겨를이 없었는데, 지금은 한가하다 보니 열이 뻗친다. 그는 임무를 완수했고 어제 하루만의 문제가 아니었다. 이 일에 3개월 넘게 매달린 데다 상상했던 것 이상의 개인적인 손해를 감수했다. 약속을 믿었건만, 약속을 깨는 인간들을 뭐라고 부르더라?

"나쁜 놈."

빌리는 지역 신문사 홈페이지에 접속한다. 헤드라인이 큼지막하지만—법원 앞에서 자행된 암살!—그의 아이폰 화면보다 지면상의 활자로 보면 더 크고 근사하게 느껴질 것이다. 기사에 그가 모르는 내용은 없지만 1면 사진을 보면 비커리 보안관이 콘리 서장의 기자회견장에 참석하지 않았던 이유를 알 수 있다. 계단에 놓인 그 우스꽝스러운 스텟슨 모자가 찍혔지만 그걸 들고 있을 보안관은 없다. 비커리 보안관은 도망쳤다. 비커리 보안관은 꽁무니를 뺐다. 이 사진에는 천 마디의 가치가 있다. 그에게 그 자리는 기자 회견이 아니라 치욕의 길이었을 것이다.

이런 사진이 찍혔으니 재선은 물 건너갔군.

2

그는 대프니와 월터에게 물을 주러 2층에 올라가다가 분무기를 손에 쥔 채 걸음을 멈추고 자기가 점점 미쳐 가는 게 아닌가 하고 상념에 빠진다. 이러다 물을 주는 게 아니라 그 아이들을 익사시키게 생겼다. 젠슨 부부의 냉장고를 열어 보아도 끌리는 게 없다. 하지만 조리대 위에 한 개 남은 잉글리시 머핀 봉지가 있길래 그걸 구우며 그냥 두면 곰팡이가 피지 않겠느냐고 자신을 설득한다. 이 집에는 일반적인 창문이 달려 있다. 그는 햇빛이 비치는 곳에 앉아 머핀을 우적우적 먹으며 자신이 피하고 있는 것을 생각한다. 그러니까 벤지의 이야기에 대해서 말이다. 빌리를 여기로 호출한 임무가 이제 끝났으니 남은 할 일은 그것뿐이다. 하지만 그러자면 해병대 생활에 대해 써야 하는데, 버스를 타고 패리스 아일랜드*로 가던 것부터 시작해서 너무 많다. 정말이지 너무 많다.

---

* 해병대 신병훈련소가 있는 곳.

빌리는 쓴 접시를 씻고 닦아서 다시 찬장에 넣고 지하로 내려간다. 잠망경 창밖을 내다보며 평소처럼 별게 없는 걸 확인한다. 어제 입었던 바지를 침실 바닥에 벗어 놓았다. 그는 바지를 집어서 USB가 없어졌길 바라며 주머니를 뒤지지만 열쇠와 함께 멀쩡히 있다. 거기에는 돌턴 스미스의 이름으로 빌려서 이 도시 반대편의 주차장에 세워 놓은 포드 퓨전 열쇠도 있다. 그 차는 그가 이제 떠나도 안전하겠다는 생각이 들 때까지 거기서 기다리고 있을 것이다. 항상 문제가 생기는 마지막 한 탕을 다룬 영화에서 사람들이 쓰는 표현을 빌자면 "수사의 열기가 한풀 꺾일 때까지"라고 할까.

USB가 전보다 무거워진 것처럼 느껴진다. 30년 전만 해도 SF처럼 느껴졌을 그 엄청난 저장기기를 쳐다보며 그는 두 가지 사실에 놀라워한다. 하나는 그가 쓴 글이 이렇게 많다는 것이다. 또 하나는 앞으로 남은 게 더 많을지 모른다는 것이다. 두 배. 네 배. 열 배, 스무 배.

잃어버린 줄 알았던 노트북—먼지를 시커멓게 뒤집어썼던 너덜너덜한 아기 신발보다 훨씬 비싼 행운의 부적이지만 기본 기제는 같다—을 열고 전원을 켠다. 암호를 입력하고 USB를 꽂고 유일하게 저장되어 있는 문서를 노트북 바탕화면으로 끌어온다. 첫 줄을 읽는데—엄마랑 같이 사는 남자가 팔이 뿌러진 채 집으로 돌아왔다—절망 비슷한 게 느껴진다. 아직까지는 훌륭한 원고라고 자신할 수 있지만 맨 처음 시작했을 때는 가볍게 느껴졌던 것이 지금은 무겁게 느껴진다. 나머지도 이만큼 훌륭하게 만들어야 하는 책임이 있는데, 그럴 수 있을지 자신이 없기 때문이다.

그는 잠망경 유리창 앞으로 다가가 또다시 아무것도 없는 풍경을 내다보며, 수많은 작가 지망생이 시작한 걸 끝내지 못하는 이유를 자신이 방금 발견한 게 아닌가 생각한다. 지금까지 출간된 전쟁소설 중에서 손에 꼽힌다고 할 수 있는, 최고라고 할 수 있는 『그들이 가지고 다닌 것들』을 떠올린다. 글을 쓴다는 것도 일종의 전쟁이라는 생각, 자기 자신과의 싸움이라는 생각을 한다. 이야기는 내가 가지고 다니는 것이고 거기에 뭘 추가할 때마다 점점 더 무거워진다.

세계 곳곳의 책상 서랍에는 쓰다 만 원고들이 있다. 자서전, 시, 소설, 살을 뺄 수 있는 아니면 돈을 벌 수 있는 확실한 방법. 가지고 다니기에는 너무 무거워져서 내려놓은 것이다.

나중에 쓰지 뭐. 그들은 이렇게 생각한다. 아이가 좀 더 크면. 은퇴하면.

그 때문일까? 패리스 아일랜드까지 타고 간 버스, 해병대 헤어스타일, 업핑턴 병장이 그에게 처음으로 물은 순간에 대해서 쓰려고 하면 너무 무거워질까? *내 좆 빨고 싶냐, 서머스? 그래? 왜냐하면 내 보기에 너는 좆밥 같거든.*

그렇게 물었다고?

아니지, 묻지 않았지. 대답을 듣는 게 목적이 아닌 수사의문

문이었다면 모를까. 그는 내 얼굴에 대고 고함을 질렀지. 내 코 바로 앞에 자기 코를 갖다 대고 내 입술에 침을 튀겨 가며. 그리고 내가 '아닙니다, 병장님 좆을 빨고 싶지 않습니다.'라 고 하니까, '왜, 내 좆은 성에 안 차나, 서머스 일병? 신병이라 고 하기에도 부끄러운 좆밥 주제에?'라고 했지.

어쩌면 이렇게 다 기억이 나는지. 아무리 벤지 콤슨으로 빙 의한다 한들 그걸 다 글로 옮길 수 있을까?

빌리는 옮기지 못할 거라는 결론을 내린다. 그는 커튼을 닫 고 노트북 앞으로 다시 돌아간다. 노트북을 끄고 하루 종일 TV나 봐야겠다. 「엘런 드제너리스」, 「핫 벤치」, 「켈리 앤드 라 이언」 그리고 「얼마일까요?」. 점심 전에 이걸 전부 보는 거다. 그런 다음 낮잠을 자고 오후에 하는 연속극을 봐야겠다. 래퍼 쿨리오가 그 옛날 뮤직비디오에서 그랬듯이 망치를 시계추처 럼 흔들고 법정에서 헛소리를 용납하지 않는 「존 로」를 마저 볼 수도 있겠다. 하지만 그가 종료 버튼을 향해 손을 뻗는 도 중에 어떤 생각 하나가 뜬금없이 떠오른다. 마치 누군가가 귀 에 대고 속삭이기라도 한 것 같다.

너는 자유로워. 뭐든 마음대로 할 수 있어.

육체적으로는 자유롭지 않다, 그건 절대 아니다. 그는 최소 한 도로 봉쇄가 풀릴 때까지 이 닭장 같은 아파트에서 칩거해 야 할 테고, 봉쇄가 풀린 뒤에도 만전을 기하는 차원에서 며 칠 더 있는 편이 현명한 선택일 것이다. 하지만 이야기에 대해서라면 뭐든 마음대로 쓸 자유가 있다. 어떤 방식으로든 마음대로 쓸 자유가 있다. 어깨 너머에서 그가 뭘 쓰는지 감시하는 사람도 없으니 바보 이야기를 쓰는 바보인 척할 필요도 없다. 교육을 받지 못했고 순진하지만 멍청하지는 않은 젊은 남자(빌리가 내레이션을 재개한다면 벤지는 그런 인물로 설정될 것이다.) 이야기를 쓰는 똑똑한 인간이 될 수 있다.

포크너 놀음은 집어치워도 돼. 일부러 문법을 파괴하지 않아도 돼. 맞춤법을 틀리지 않아도 되고. 원하면 대화에 따옴표를 쓸 수도 있어.

오로지 그 자신만을 위해 글을 쓴다면 중요한 부분은 언급하고 그렇지 않은 부분은 건너뛸 수 있다. 해병대 헤어스타일에 대해 쓰고 싶지 않으면 쓰지 않아도 된다. 업핑턴이 그의 얼굴에 대고 고함을 질렀던 것에 대해서도 마찬가지다. 이름이 해거티였는지 해버티였는지 기억이 나지 않는 어떤 녀석이 구보를 하다 심장마비를 일으켜 의무실로 실려간 것이나, 업핑턴 병장 말로는 괜찮아졌다고 했지만 그 친구가 괜찮아졌을 수도 아니면 죽었을 수도 있었던 것에 대해서도 마찬가지다.

빌리는 절망이 불굴의 열의로 대체된 것을 느낀다. 어쩌면 오만으로 대체됐을 수도 있다. 그런들 무슨 상관일까? 그는 무엇이든 마음대로 쓸 수가 있고, 그렇게 할 작정이다.

그는 벤지를 빌리로, 콤슨을 서머스로 모두 바꾸기 한다.

3

나는 패리스 아일랜드에서 기본 훈련을 시작했다. 원래는 3개월 일정이었는데 8주 만에 끝났다. 고함과 헛소리가 난무했고 자진해서 그만두거나 퇴소당하는 신병도 있었지만 나는 아니었다. 그들에게는 돌아갈 데가 있었을지 몰라도 내게는 없었다.

6주차가 총기를 분해해 다시 조립하는 법을 배우는 풀밭 주간이 었다. 나는 그걸 좋아하고 잘했다. 업핑턴 병장이 이른바 '병기 전쟁' 을 붙이면 내가 항상 1등이었다. 별명이 타코일 수밖에 없었던 러디 벨이 대개 2등이었다. 그는 절대 나를 이기지 못했지만 어쩌다 한 번 씩은 거의 막상막하의 실력을 보였다. 조지 디너스타인이 대개 꼴찌 였고, 그래서 바닥에 엎드려 팔 굽혀 펴기를 25개씩 해야 했다. 그 러는 내내 '염병할' 업핑턴 병장은 조지의 엉덩이에 발을 얹고 있었 다. 하지만 조지가 총은 잘 쐈다. 나만큼은 아니었지만 그래도 270미 터 거리에서 종이 표적의 정중앙을 네 번에 세 번 꼴로 맞혔다. 나는 640미터 거리에서 정중앙을 네 번에 네 번 꼴로 맞히는 경우가 대부 분이었다.

하지만 풀밭 주간 동안에는 총격 훈련이 없었다. 그 주에는 사수의 신조를 읊조리며 총기를 분해했다가 조립하기만 했다. "이건 내 총이 다. 이런 총은 많지만 이건 내 총이다. 내 총은 내 가장 친한 친구다. 내 목숨이다." 어쩌고저쩌고. 내가 가장 또렷하게 기억하는 부분은 이거다. "내가 없으면 내 총은 아무짝에도 쓸모가 없다. 총이 없으면 나는 아무짝에도 쓸모가 없다."

풀밭 주간 동안 했던 또 한 가지 훈련이 풀밭에 앉아 있는 거였다. 가끔은 6시간 동안 앉아 있기도 했다.

빌리는 이쯤에서 멈추고 살짝 미소를 지으며 '똘똘이' 피트 캐시먼을 떠올린다. 똘똘이가 사우스캐롤라이나의 키 큰 풀밭에서 앉은 채로 잠이 들자 염병할 병장이 그 앞에 무릎을 꿇고 앉아서 얼굴에 대고 고함을 질러 잠을 깨운 적이 있었다. *이게 시시하냐, 신병?*

똘똘이는 비몽사몽간에도 저러다 넘어지겠다 싶은 속도로 벌떡 일어나 외쳤다. *아닙니다, 병장님, 아닙니다!* 그는 조지 디너스타인의 친구였고 자기 사타구니를 잡고 *내 똘똘이 딸딸이 쳐 주라* 하고 소리를 지르는 습관이 있어서 그런 별명을 얻었다. 하지만 염병할 앞에서 그런 적은 없었다.

빌리가 짐작했던 것처럼—사실 그는 그럴 줄 알고 있었다—추억들이 세차게 밀려오지만 그가 쓰고 싶은 건 풀밭 주간이 아니다. 나중이라면 모를까, 지금은 똘똘이에 대해서도 쓰고 싶지 않다. 그는 7주차와 그 이후에 벌어졌던 일들에 대해 쓰고 싶다.

그는 마음의 소리에 응한다. 아무것도 보지 못하고 아무것도 느끼지 못하는 시간이 흘러간다. 이 방 안에는 신비한 기운이 있다. 그는 그걸 마시고 뱉는다.

4

풀밭 주간 다음은 사격 주간이었다. 우리가 사용한 총기는 레밍턴 700의 군용 버전인 N40A였다. 다섯 발씩 장전이 됐고 삼각대가 장착됐고 NATO 보틀넥 탄을 썼다.

"너희는 타깃을 봐도 타깃은 너희를 보면 안 된다." 염병할은 같은 말을 몇 번이고 반복했다. "그리고 영화에서는 어떻게 나왔을지 몰라도 *저격수는 절대 단독으로 움직이지 않아.*"

저격수 훈련 기간이 아니었음에도 업핑턴은 우리를 관측수*와 사수, 이렇게 2인 1조로 묶었다. 나는 타코와, 조지는 똘똘이와 한 조가 됐다. 내가 그들을 언급하는 이유는 팔루자에서 2004년 4월에 단호한 결의 작전을, 그해 11월에는 유령의 분노 작전을 함께 했기 때문이다. 나하고 타코는

빌리는 여기서 멈추고 고개를 저으며 *바보 빌리*는 과거지사라고 기억을 환기한다. 그는 마지막 부분을 삭제하고 다시 쓴다.

타코와 나는 사격 주간 내내 관측수와 사수의 역할을 계속 번갈아 했다. 조지와 똘똘이도 처음에는 그렇게 했지만 염병할이 그러지 말라고 했다.

---

* 사격 연습 때 적중 여부를 알려 주는 병사.

"디너 위너, 네가 쏘고. 캐시, 너는 그냥 관측만 맡아라."

"저도 총을 쏘고 싶습니다, 병장님!"

똘똘이는 외쳤다. 염병할에게 말을 할 때는 항상 큰 소리로 외쳐야 했다. 그것이 해병대의 방식이었다.

"나는 네 젖꼭지를 뜯어서 네 그 한심한 궁둥이에 쑤셔 박고 싶다."

염병할이 대답했다. 그래서 그 조는 이후부터 조지가 사수를, 똘똘이가 관측수를 맡았다. 저격수 훈련 기간과 이라크에서도 줄곧 그랬다.

사격 주간이 거의 끝나갈 무렵, 업핑턴 병장이 나와 타코를 손바닥만 한 자기 방으로 불렀다.

"너희 둘은 썩을 종족이지만 총을 쏠 줄 안단 말이지. 어쩌면 서핑도 배울 수 있을지 모르겠다."

타코와 나는 캠프 펜들턴으로 전출된다는 것을 그런 식으로 통보받았고 거기서 우리는 기본 훈련을 마쳤다. 우리는 저격수 교육을 받고 있었기 때문에 기본 훈련의 대부분이 사격이었다. 우리는 유나이티드 에어라인을 타고 캘리포니아로 갔다. 나는 비행기 여행이 처음이었다.

빌리는 여기서 멈춘다. 펜들턴에 대해서 쓰고 싶은 마음이 있는가 하면 아니다. 적어도 그에게 서핑은 딴 나라 얘기였다. 수영도 배우지 못했는데 어떻게 서핑의 세계로 입문할 수 있었을까? 그는 찰리는 서핑을 하지 않아요라고 적힌 티셔츠를 한 장 구해서 너덜너덜해질 때까지 입고 다녔다. 아기 신발을 주워서 오른쪽 벨트 고리에 묶었던 날도 그 티셔츠를 입고 있었다.

이라크의 자유 작전에 대해서 쓰고 싶은 마음이 있는가 하면 그것도 아니다. 그가 바그다드에 도착했을 무렵 전쟁은 이미 끝났다. 부시 대통령이 에이브러햄 링컨 함선 갑판에서 그렇게 말했다. 대통령이 임무는 완수됐다고 했으니 빌리와 그의 연대 대원들은 '평화 유지군'이 되었다. 바그다드에서 빌리는 환영받는 느낌, 심지어 사랑받는 느낌을 받았다. 여자와 아이들이 꽃을 던졌다. 남자들은 *난 니후부 아메리칸*을 외쳤다. 미국을 사랑한다고.

그런 헛소리는 얼마 가지 않았지. 그러니까 바그다드는 건너뛰고 해병대 생활로 직행하자. 그는 다시 글을 쓰기 시작한다.

2003년 가을에 나는 라마디에 주둔하며 적극적으로 평화 유지군 활동을 하고 있었지만, 그즈음에는 가끔 총격이 벌어지고 이슬람교 율법학자들이 사원과 또 어떨 때는 여기저기 상점에서 방송되는 설교에 "미국 죽어라"를 추가하기 시작했다. 나는 다크호스라고도 불린 3대대 소속이었다. 중대는 에코였다. 우리는 그 무렵 사격 연습을 많이 했다. 조지와 똘똘이도 어딘가에 있었지만 타코와 내가 여전히 한 조였다.

어느 날 모르는 중령 하나가 지나가다가 걸음을 멈추고 우리의 사격 연습을 구경한 적이 있었다. 나는 70미터 거리에 맥주 캔을 피라미드 모양으로 쌓아 놓고 M40으로 위에서부터 하나씩 쓰러뜨리고 있었다. 전체가 와르르 무너지지 않게 하려면 캔의 아래를 맞혀서 넘어뜨려야 했다.

이 중령은 이름이 제이미슨이었는데, 나와 타코에게 자기를 따라오라고 했다. 그는 우리를 비장갑 지프차에 태우고 알다울라 사원이 내려다보이는 언덕으로 데려갔다. 아주 아름다운 사원이었다. 확성기를 통해 들리는 설교 내용은 그다지 아름답지 않았다. 미국은 유대인의 이라크 점령을 허락할 테고 이슬람교는 불법이 될 테고 유대인들이 정권을 장악하고 미국은 유전을 차지하게 될 거라는 식의 늘 듣던 헛소리였다. 우리는 그들이 쓰는 언어를 알아듣지 못했지만 *미국 죽어라*는 항상 영어로 외쳐졌고, 종교 지도자들이 썼을 전단지 해석본에서도 본 적 있었다. 이제 막 활동을 시작한 반군이 뭉텅이로 전단지를 나눠주었다. 당신은 조국을 위해 목숨을 바칠 수 있는가? 전단지에서는 이렇게 물었다. 이슬람교를 위해 명예롭게 죽을 수 있는가?

"저기까지 거리가 얼마나 될까?"

제이미슨이 사원의 반구형 지붕을 가리키며 물었다.

타코는 900미터라고 대답했다. 나는 820미터쯤 될 거라고 대답하고는 공손한 표현을 써 가며 종교 시설을 공격하는 것은 금기 사항이라고 덧붙였다. 중령의 의중은 알 수 없었지만.

"그야 어림없지." 제이미슨은 말했다. "내가 휘하의 병사에게 거룩한 똥통을 공격하라는 명령을 내릴 리 있나. 하지만 저 확성기에서 쏟아져 나오는 말들은 *정치/적*이다, 종교적이 아니라. 그러니까 너희 둘 중에 저걸 맞혀서 떨어뜨려 볼 사람 있을까? 지붕에는 구멍을 내지 않고. 그런 잘못을 저질렀다가는 우리 모두 이슬람교에서 말하는 지옥에 떨어질 수도 있으니까."

타코가 당장 내게 소총을 건넸다. 삼각대가 없었으니 지프차 지붕에 총신을 얹고 방아쇠를 당겼다. 제이미슨은 쌍안경을 눈에 대고 있었지만 나는 쌍안경이 없어도 확성기 하나가 전선을 늘어뜨리며 땅바닥으로 굴러 떨어지는 것을 볼 수 있었다. 지붕에는 구멍이 나지 않았고 장광설이, 적어도 그쪽 면에서는 확연히 작게 들렸다.

"갈겨라!" 타코가 고함을 질렀다. "오예, 저 쓰레기를 갈겨라!"

제이미슨은 저쪽에서 대응 사격을 하기 전에 얼른 도망치자고 했고 우리는 그 말대로 했다.

이제 와 생각해 보면 그 사건 안에 이라크에서 어긋난 모든 것이 담겨 있지 않나 싶다. '미국 사랑해요'가 '미국 죽어라'로 바뀐 이유가 말이다. 그 중령은 끊임없이 이어지는 헛소리가 지긋지긋해지자 우리에게 확성기를 쏘라고 했는데, 각기 다른 방향으로 설치된 확성기가 최소 여섯 개였으니 어리석고 무의미한 명령이었다.

차를 달려 기지로 돌아가는데, 문 앞에 서 있는 남자들과 창밖으로 내다보는 여자들이 보였다. 그들은 *미국을 사랑한다*는 행복한 표정을 짓고 있지 않았다. 그날에는 아무도 대응 사격을 하지 않았지만 그 표정을 보면 대응 사격이 시작될 날이 도래할 예정이라는 것을 알 수 있었다. 그들의 입장에서는 우리가 확성기를 쏜 게 아니었다. 사원을 쏜 거였다. 지붕에 구멍은 뚫리지 않았을지 몰라도 우리는 그들의 신앙의 중심부를 저격한 셈이었다.

라마디 정찰이 전보다 더 위험해지기 시작했다. 반군들이 지역 경찰과 이라크 방위군의 통제에서 점점 벗어나고 있었지만 워싱턴과 바그다드, 양쪽 모두 자치라는 개념에 목숨을 걸었기 때문에 미군은 방위군을 대신할 수 없었다. 보수반이 망가진(또는 파괴당한) 수도관을 고치거나 미국과 이라크 양측의 기술자들이 망가진(또는 공격당한) 발전소를 다시 가동시키려고 애를 쓰는 동안, 우리는 그들을 엄호하라는 명령이 떨어지지 않길 바라며 막사에서 시간을 때웠다. 엄호는 곧 총받이가 되라는 뜻이었고 2003년 말 기준으로 해병대 전사자는 대여섯 명, 부상자는 그보다 훨씬 많았다. 이슬람 저격수들은 실력이 꽝이었지만 그들의 사제 폭탄은 위협적이었다.

카드로 만든 집이 와르르 무너진 것은 2004년 3월의 마지막 날이었다.

오케이. 진정한 이야기는 여기에서부터 시작이지. 그리고 나는 염병할의 표현을 빌자면 헛짓거리를 최대한 자제해 가며 여기까지 도달했고.

그 무렵 우리는 라마디에서 드림랜드라고도 불린 바하리아 캠프로 이동한 참이었다. 그곳은 팔루자에서 약 3킬로미터 거리고 유프라테스 강 서쪽의 시골이었다. 사담의 부하들이 애용하던 휴양지라고 했다. 조지 디너스타인과 똘똘이 캐시먼도 우리 에코 중대로 복귀했다.

우리 넷이 포커를 치고 있었을 때 우리가 브루클린 다리라고 불렀던 곳의 저편에서 총성이 들렸다. 어쩌다 한 번씩 들리는 게 아니라 일제 엄호 사격이 일정하게 반복됐다.

해 질 녘이 되자 소문이 쫙 퍼졌고 우리는 대강이나마 전말을 파악할 수 있었다. 드림랜드의 우리 식당을 비롯해 미군에게 식량을 조달하던 블랙워터 도급업자 네 명이 평소와 다르게 우회하지 않고 팔루자를 가로지르는 지름길을 선택한 것이 화근이었다. 그러다 유프라테스 강을 건너는 다리 바로 앞에서 매복 공격을 당한 것이었다. 그들도 무장을 했겠지만 그들이 몰던 두 대의 미쓰비시 소형 트럭에 쏟아진 집중 포격은 당할 재간이 없었다.

"도대체 무슨 생각으로 거기가 오마하라도 되는 듯이 도심 한복판을 가로질렀을까? 바보짓이잖아."

타코의 말에 조지는 맞장구쳤지만 바보짓이거나 말거나 갚아 주어야 된다고 했다. 그건 우리 모두 동의하는 바였다. 죽임을 당한 것만으로도 끔찍한데, 반군은 그들을 죽이는 데 그치지 않았다. 그들의 시신을 끌고 나가 기름을 붓고 불을 질렀다. 그중 둘은 통닭처럼 뜯겼다. 나머지 둘은 가이 포크스* 인형처럼 브루클린 다리에 매달렸다.

다음 날 우리 분대가 정찰 준비를 하고 있었을 때 제이미슨 중령이 찾아왔다. 그는 허머 뒷자리에 앉아 있던 나와 타코에게 내려서 자길 따라오라고, 우리를 만나고 싶어 하는 사람이 있다고 했다.

그 남자는 자동차 기름과 배기가스 냄새가 진동하는 차고의 타이어 더미 위에 앉아 있었다. 문이 다 닫혀 있고 그런 차고에는 에어컨이 없었기 때문에 찜통 같았다. 우리가 들어가자 그는 자리에서 일어나 우리를 훑어보았다. 이미 온도가 30도에 육박하고 악취가 진동하는 그 안에서 황당하게도 가죽 재킷을 입고 있었다. 가슴에 다크호스 대대의 엠블럼이 박힌 재킷이었다. 맨 위에는 **완벽한 전문가**라고, 맨 아래에는 **갈겨**라고 적힌 엠블럼이었다. 하지만 그 재킷은 위장이었다. 나는 단박에 알아차렸고 타코도 나중에 말하길 자기도 알아차렸다고 했다. 그를 보면 '빌어먹을 CIA'라는 걸 한눈에 알 수 있었다. 그는 우리에게 누가 서머스냐고 했고 나는 나라고 했다. 그는 호프라고 자기 이름을 밝혔다.

빌리는 갑자기 멈추고 재밌어한다. 방금 그의 현재와 해병대였던 과거가 X자로 교차했다. 인간의 머리는 원숭이 같다고 했던 사람이 로버트 스톤이던가? 맞다, 『도그 솔저스』에서 그랬다. 그 책에서 스톤은 휴이 헬리콥터에서 코끼리들에게 기관총을 난사한 사람들은 자연스럽게 취하고 싶어진다고도 했다. 이라크에서는 졸병과 해병대가 가끔 낙타를 쏘았다. 하지

---

* 영국의 가톨릭교도이자 테러리스트. 성공회를 우대한 제임스 1세를 암살하려다 실패하고 사형 당했다. 사후에 그의 인형을 끌고 다니며 조롱하다가 마지막으로 태우는 가이 포크스 데이가 탄생됐다.

만 그렇다, 그건 이미 취했을 때 얘기다.

빌리는 마지막 문장을 지우고 그의 이마 뒤편, 귀와 귀 사이에 사는 원숭이에게 상의한다. 잠깐 기억을 더듬은 끝에 맞는 이름을 생각해 내고 이건 전적으로 용서받을 수 있는 실수라고 결론을 내린다. 호프와 비슷한 이름이기는 했다.

그는 포스라고 자기 이름을 밝혔다. 그는 악수를 청하지 않고 다시 타이어 위에 앉았다. 바지 궁둥이가 시커메질 게 분명했다.

"서머스, 중대 안에서 자네 사격 실력이 최고라고 들었네만."

질문이 아니었기에 나는 그 자리에 가만히 서서 아무 말도 하지 않았다.

"우리 쪽에서 강 건너 1100미터 거리에 있는 표적도 명중할 수도 있겠나?"

나는 타코를 흘끗 쳐다보았다. 그도 그 말을 듣고 무슨 뜻인지 알아차렸다는 걸 알 수 있었다. 우리 쪽이라면 도시 외곽의 어디든 될 수 있었다. 그리고 우리 쪽을 운운한다는 것은 안으로 침투하는 것을 의미했다.

"인간 표적을 말씀하시는 겁니까?"

"맞아. 그럼 내가 맥주병 얘기를 하는 줄 알았나?"

대답을 바라고 묻는 것이 아니었기에 나는 굳이 대답하지 않았다.

"네, 명중할 수 있습니다."

"그건 해병대의 입장인가 아니면 자네 입장인가, 서머스?"

제이미슨 중령은 그 말을 듣고 해병대의 입장이 아닌 다른 입장도 있을 수 있냐는 듯이 살짝 미간을 찌푸렸지만 아무 말도 하지 않았다.

"양쪽 모두입니다. 바람이 불면 명중률이 그다지 높지 않을 수도 있지만 저희가……" 나는 엄지손가락으로 타코를 가리켰다. "바람은 보정할 수 있습니다. 모래 바람은 다른 차원의 문제지만요."

"예보된 바로는 내일 풍속이 0에서 10노트라고 하던데." 포스가 말했다. "그 정도면 문제없겠나?"

"네." 그런 다음 나는 질문을 했다. 해서는 안 될 질문이었지만 어쩔 수 없었다. "악질 이슬람교도가 있는 겁니까?"

중령이 나더러 선을 넘었다며 뭐라고 하려고 들었지만 포스가 손을 내젓자 그는 입을 다물었다.

"인간을 조준한 적 있나, 서머스?"

나는 없다고 대답했고 그건 사실이었다. 조준은 곧 저격을 의미했고 밥 레인스는 바로 앞에서 쏜 거였다.

"그렇다면 이번이 아주 훌륭한 출발점이 되겠군. 왜냐하면, 맞아, 엄청난 악질이거든. 어제 어떤 일이 벌어졌는지 자네들도 알겠지?"

"네." 타코가 대답했다.

"그 도급업자들이 팔루자 도심을 관통한 이유는 믿음직하다고 생각한 정보원에게 그래도 안전하다는 얘기를 들었기 때문이었다네. 미국인을 대하는 분위기가 호의적인 쪽으로 바뀌었다고 말이지. 그리고 이들은 이라크 경찰에게 호위도 받았어. 그 호위병들이 훔친 제복을 입은 반군이었는지, 변절한 경찰이었는지, 정말 어마어마한 똥물이 들이닥치려는 걸 보고 무서워서 내뺀 진짜 경찰이었는지는 알 길이 없지만. 그리고 경찰이 도급업자들을 죽인 것도 아니었지. 그건 AK로 무장한 40여 명의 악질들이 저지른 짓이었는데…… 어떻게 생각하나? 그들이 현장에 등장한 게 우연이었을까?"

나는 모르겠다는 듯이 어깨를 으쓱하고 타코에게 공을 넘겼다. 그는 공을 건네받았다.

"그런 것 같지는 않습니다."

"그렇지, 전혀 그렇지가 않지. 그 이슬람교도들은 전부 대기 중이었어. 기다리고 있었다고. 픽업트럭 두 대가 큰길을 막고 있었지. 누군가가 계획한 매복 습격이었는데, 그게 누구였는지 우리는 알아. 그녀석의 휴대전화에 접속했거든. 무슨 말인지 알겠나?"

타코는 알겠다고 했다. 나는 다시 어깨만 으쓱했다.

"그놈이 누구인가 하면 암마르 야심이라는 쉬마그* 쓰고 다니는 쥐새끼야. 60대 아니면 70대인데, 정확한 나이는 자기도 잘 모를 거야. 그놈이 운영하는 컴퓨터와 카메라 가게는 인터넷 카페로도 쓰이고, 동네 젊은이들이 사제 폭탄을 만들지 않는 시간에 가서 팩맥과 프로거를 하는 게임방으로 쓰이기도 하지."

"저 어딘지 압니다." 타코가 말했다. "프론토 프론토 포토 포토 포토. 순찰 돌 때 봤어요."

---

* 중동에서 남자들이 쓰는 스카프.

봤다고? 우리가 가서 동키 킹과 매든 축구를 했던 데가 거기였다. 우리가 들어가자 진치고 있던 동네 청년들이 다른 데서 볼일이 있는 게 이제 생각났다는 듯이 일제히 주섬주섬 자리를 떴다. 타코는 굳이 그 얘기를 하지 않았고 나도 마찬가지였다.

"야심은 골수 바트주의자고 신흥 반군 두목이야. 우리는 그자를 원해. 간절하게. 레이저 유도 폭탄은 비디오게임을 하던 아이들을 여럿 죽일 수 있기 때문에 쓸 수가 없어. 그러면 알자지라에서 다시금 우리를 공격할 테니까. 그건 감당할 수 없지. 그리고 기다릴 수도 없는 것이, 대통령께서 며칠 안으로 소탕 작전을 승인할 예정이거든. 이걸 아무한테라도 발설하면 내 손으로 자네를 죽여야 할 거야."

"그럴 기회가 없으실 겁니다." 제이미슨이 말했다. "제가 먼저 해치울 테니까요."

포스는 그의 말을 못 들은 체했다.

"난리가 벌어지면 야심은 무장 병력과 함께 뒷골목으로 몸을 숨길 거야. 우리는 그 이전에 그를 잡아서 그 빌어먹을 유다의 염소*의 예로 삼아야 해."

타코는 유다의 염소가 뭐냐고 물었다. 나는 그에게 설명할 수 있었지만 입을 다물고 포스에게 그 영광을 양보했다. 그는 설명을 마친 뒤 나를 돌아보며 할 수 있겠느냐고 다시 한번 물었고 나는 할 수 있다고 대답했다. 내가 어디에서 저격하면 되느냐고 묻자 그가 알려 주

---

* 다른 염소들을 도살장으로 유인하는데 쓰이는 염소.

었다. 재보급 헬리콥터가 싣고 온 물건을 운반하느라 우리도 간 적 있는 곳이었다. 나는 내 소총의 조준기를 새 르폴드 조준기로 바꿀 수 있는지, 아니면 지금까지 쓰던 걸로 때워야 하는지 물었다. 포스는 제이미슨을 쳐다보았고 제이미슨은 "저희에게 맡기십시오."라고 했다.

막사로 돌아가는 길에—순찰대는 우리 없이 출발했다—타코가 내게 명중을 얼마만큼 자신하느냐고 물었다.

"실패하면 관측수 때문이라고 할 거야."

그는 내 어깨를 쳤다.

"비열한 놈. 너는 왜 항상 멍청한 척하냐?"

"그게 무슨 소리야?"

"또 그러네."

"그게 더 안전하니까. 사람들이 나에 대해서 모르는 부분을 가지고 나를 해코지할 수는 없잖아. 그게 돌아와서 나를 괴롭히지도 않을 테고."

그는 잠깐 내가 한 말을 곱씹었다. 그러더니 이렇게 말했다.

"그래, 너는 명중할 수 있어. 하지만 내가 그런 뜻에서 한 말이 아니야. 지금 우리는 실제 인간을 쏘아야 하잖아. 정말 할 수 있겠어? 그의 머리통을 정확히 맞혀서 죽일 수 있겠어?"

나는 타코에게 장담한다고 말했다. 예전에도 사람을 죽여 본 적 있기 때문에 할 수 있다는 걸 안다는 말은 하지 않았다. 나는 밥 레인스의 가슴을 쏘았다. 항상 머리를 쏘라고 가르친 곳은 저격수 양성소였다.

5

빌리는 지금까지 쓴 원고를 저장하고 일어났다가 발이 다른 차원에 있는 것처럼 느껴져서 살짝 비틀거린다. 얼마나 오랫동안 앉아 있었던 걸까? 손목시계를 확인했다가 거의 5시간이 지난 걸 보고 깜짝 놀란다. 꼭 생생한 꿈을 꾸고 일어난 기분이다. 손으로 허리의 오목한 부분을 짚고 기지개를 켜자 다리가 찌릿거린다. 그는 거실에서 부엌을 거쳐 방으로 들어갔다가 다시 거실로 나온다. 그걸 한 번, 또 한 번 반복한다. 처음 봤을 때는 아파트 크기가 딱 알맞게 느껴졌다. 상황이 정리돼 리스한 차를 몰고 북쪽(아니면 서쪽)으로 떠날 수 있을 때까지 몸을 숨기고 있기에 완벽한 공간처럼 느껴졌다. 이제는 어렸을 때 입던 옷처럼 너무 작게 느껴진다. 나가서 좀 걷거나 가볍게 뛰고 싶지만 돌턴 스미스로 변장하더라도 아주 위험한 발상이다. 때문에 그는 아파트 안을 좀 더 왔다 갔다 하고 그래도 성에 차지 않자 거실 바닥에서 팔 굽혀 펴기를 한다.

엎드려서 팔 굽혀 펴기 25회 실시한다. 그는 염병할 병장이 했던 말을 떠올린다. *그리고 내가 엉덩이에 발을 얹어도 기분 나쁘게 생각하지 말기 바란다, 따라지.*

빌리는 자기도 모르게 미소를 짓는다. 너무 많은 기억들이 되살아나고 있다. 그걸 다 적으면 그의 이야기가 1000페이지는 될 것이다.

팔 굽혀 펴기를 하자 마음이 차분해진다. 그는 TV를 켜서 수사가 어떻게 돼 가고 있는지 알아보거나 새로 뜬 신문기사가 있는지(신문사가 사양 산업일지 몰라도 아직도 중요한 정보는 신문사에서 가장 먼저 입수하는 것 같다.) 휴대전화로 확인할까 고민한다. 하지만 둘 다 하지 않기로 한다. 아직은 현실을 다시 맞닥뜨릴 자신이 없다. 뭘 좀 먹을까 생각해 보지만 배가 고프지 않다. 고플 때도 됐는데 그렇지 않다. 그는 블랙 커피를 한 잔 끓이고 부엌에 서서 마신다. 그런 다음 다시 노트북 앞으로 돌아가 이야기를 이어서 쓰기 시작한다.

6

다음 날 아침에 제이미슨 중령이 나와 타코를 10번 도로와 남북간을 잇는 도로가 만나는 네거리까지 직접 태워다주었다. 우리 해병대들이 AC/DC의 노래 제목을 따라 지옥으로 가는 고속도로라고 부르는 길이었다. 우리는 그가 애지중지하는 이글 스테이션왜건을 타고 갔다. 뒤편 데크에 빨간 눈의 흑마를 스티커로 붙인 차였다. 나는 그 차를 타고 가는 것이 못마땅했다. 이라크 관측수들이 알아보거나 심지어 사진을 찍을 수도 있기 때문이었다.

포스는 코빼기도 보이지 않았다. 계획했던 음모가 실행에 옮겨지면 그런 인간들이 어떤 데로 사라지는지 모르겠지만 하여간 거기로 돌아간 것이다.

먼지를 뒤집어쓴 언덕 꼭대기의 회차 지점에 트럭 두 대가 주차되어 있었다. 양옆에 이라크 전력인지 뭔지 모를 꼬부랑글씨가 적힌 트럭이었다. 미국 소형 트럭과 비슷한데 좀 더 작았고 노란색이 아니라 청사과색이었다. 양쪽 옆면에 더욱 두텁게 덧칠을 했지만 그래도 사담 후세인의 웃는 얼굴이 완전히 가려지지 않는 것이, 꼭 사라지지 않고 고집스럽게 버티는 유령 같았다. 거기에 버킷 플랫폼이 달린 지니 굴절식 붐 리프트도 한 대 있었다.

네거리를 지키는 전봇대 두 대에는 전압을 낮춰 팔루자와 주변 근교의 주택가에 공급하는 큼지막한 변압기가 달려 있었다. 카피예를 머리에 두른 남자들과 쿠피 모자를 쓴 두 명이 분주하게 움직이고 있었다. 다들 주황색 작업복 조끼를 입고 있었다. 하지만 안전모는 쓰지 않았다. 미국의 노동 안전 보건청이 알안바 지역까지는 진출하지 않았던 모양이다. 강 건너편에서는 그들이 관청 공사를 하는 어중이떠중이처럼 보였겠지만 50미터보다 더 가까이서 보면 모두 우리 편이라는 걸 알 수 있었다. 우리 분대원인 앨비 스타크가 머리에 쓴 두건을 펄럭이고 슈퍼맨의 망토를 밟지 말라는 그 노래를 부르며 내 쪽으로 다가오다가 중령을 보고 경례했다.

"다른 데 가서 바쁜 척해." 제이미슨이 그에게 말했다. "그리고 제발 노래는 그만하고." 그는 나와 타코 쪽으로 고개를 돌렸지만 타코가 똑똑한 쪽이라고 판단했기 때문에 그에게 명령을 내렸다. "다시 한번 복기하도록, 벨 일병."

"야심은 담배 한 대 피우면서 자기를 떠받드는 팬들과 대화를 나누려고 별일이 없는 한 10시쯤 밖으로 나올 겁니다. 그 팬 중에 도급 업자들을 공격한 녀석들이 있을 테고요. 그는 파란색 카피예를 두르고 있을 테고 빌리가 그자를 처리할 겁니다. 이상 끝입니다."

제이미슨은 나를 돌아보았다.

"사살하는 데 성공하면 너를 포상 후보로 추천할 거다. 총알이 빗나가거나 그보다 더 심각하게는 주변 인물을 맞히면 내가 윗선에 당한 것보다 더 심하게 너를 혼쭐낼 거고. 알아들었나, 해병?"

"그런 것 같습니다, 중령님."

나는 업핑턴 병장이라면 그 대사를 훨씬 더 힘 있고 자신만만하게 전달했을 거라는 생각을 하고 있었다. 그래도 그의 시도만큼은 인정했다. 몇 달 뒤에 그는 사제 폭탄을 맞아 얼굴 거의 대부분과 양쪽 눈을 잃을 예정이었다.

제이미슨은 조 클렉제프스키를 손짓해서 불렀다. 그도 우리끼리 핫 나인이라고 부른 우리 분대 소속이었다. 대부분의 '공사 인부'들이 그랬다. 그들은 이 일에 자원했다. 타코가 시켰기 때문에 어쩔 수 없었다.

"병장, 서머스가 총을 쏘자마자 어떻게 해야 하는지 알고 있겠지?"

빅클루는 벌어진 앞니를 드러내며 웃었다.

"저놈들을 순식간에 해치운 다음 좆빠지게 도망치면 됩니다."

나는 제이미슨이 긴장했다는 걸 알 수 있었지만—누가 봐도 그랬다—그래도 그는 그 말을 듣고 웃었다. 빅클루는 둘도 없이 차가운 상대도 웃게 만들 수 있었다.

"대충 그렇다고 보면 된다."

"그놈이 밖으로 나오지 않으면요?"

"우리에게는 항상 내일이 있으니까. 내일 정부 공격이 감행되면 물 건너간 얘기지만. 계속 움직여라, 제군들. 그 우라 함성*은 제발 자제해 주고." 그는 유프라테스 강과 그 건너편의 속도 위반 단속용 레이더 장치를 엄지손가락으로 휙 가리켰다. "노래 가사에도 있다시피 목소리는 멀리서도 들린단 말이지."

앨비 스타크와 빅클루는 버킷에 끼어 타려고 했다. 원래는 2인승인데, 그 둘 중 한 명의 덩치가 클렉제프스키만 하면 2인승이 될 수 없었다. 그 때문에 앨비가 옆으로 굴러떨어질 뻔했다. 제이미슨만 빼고 모두 웃음을 터뜨렸다. 애벗과 코스텔로 콤비만큼이나 재밌었다.

"내려라, 이 칠푼아." 중령이 빅클루에게 말했다. "어이가 없네." 그는 바지가 너무 짧아서 갈색 군화가 다 드러난 똘똘이에게 손짓했다. 아빠 신발을 신고 집 안을 돌아다니던 어린애 같아 보여서 이것도 우스꽝스러웠다. "너. 볼품없는 녀석. 이쪽으로 온다. 이름이 뭐지?"

"일등병 피터 캐시먼입니다. 그리고 저는……"

"작전 구역에서 경례는 하지 않는다, 이 바보야. 어머니가 애기 때 너를 안고 있다가 머리 쪽으로 떨어뜨리기라도 했나?"

"아뇨, 제가 알기로는 그런 적 없습니다만……"

---

* 미국 해병대에서 지르는 함성.

"저 새끼하고 같이 버킷에 타도록. 그리고 거기 올라가면……." 그는 주변을 두리번거렸다. "쌍, 빌어먹을 수의가 어디 갔지?"

엄밀히 따지면 수의가 맞는 단어였을지 몰라도 선택이 틀렸다. 나는 빅클루가 성호를 긋는 것을 보았다.

계속 버킷에 앉아 있던 앨비가 아래를 내려다보았다.

"어, 제가 그걸 밟고 서 있는 것 같은데요, 중령님."

제이미슨은 이마를 훔쳤다.

"그래, 좋아, 적어도 그걸 챙긴 사람이 있었다는 거로군."

그게 나였다.

"얼른 올라타서 그걸 설치해라, 캐시먼. 시간이 다 돼 가고 있어."

끼익끼익거리며 버킷 플랫폼이 올라가다가 10미터가 조금 넘는 최대 높이에 다다르자 부르르 떨며 한 변압기 옆에 멈추어 섰다. 앨비와 똘똘이가 춤을 추며 자기들 발 아래에서 수의를 끄집어냈다. 그런 다음 창의적인 욕을 곁들여 가며—사탕과 담배를 구걸하는 이라크 아이들에게 배운 것도 있었다—그걸 설치했다. 그 결과 버킷과 변압기 주변으로 거대한 캔버스 기둥이 탄생됐다. 전봇대 가로대에 달린 고리에 꼭대기를 걸고, 한쪽 면을 리바이스 501 청바지의 버튼 플라이처럼 똑딱 단추로 다물린 기둥이었다. 겉면에 밝은 노란색의 꼬부랑글씨가 선명하게 적혀 있었다. 뭐라고 적혔는지 알 수 없었지만 '저격조 작업 중'만 아니면 상관없었다.

기둥을 남겨 두고 버킷이 다시 내려왔다. 양옆으로 튀어나왔던 허리 높이의 버킷 난간이 사라지자 정말로 수의처럼 보였다. 똘똘이는 손에서 피가 났고 앨비는 얼굴이 긁혔지만 둘 다 버킷에서 거꾸로 떨어지지 않았다. 하마터면 떨어질 뻔한 적이 두어 번 있었지만.

타코가 목을 길게 빼고 올려다보았다.

"저게 뭐에 쓰는 물건입니까, 중령님?"

"모래 바람을 막는 용도다." 제이미슨이 대답하고는 이렇게 덧붙였다. "내가 알기로는."

"눈에 잘 안 띈다고 할 수는 없겠네요."

타코가 말했다. 이제 그는 강 건너편에 빽빽하게 자리 잡은 집과 가게와 공장과 사원 들을 쳐다보고 있었다. 우리가 퀸스라고 부르게 된, 이 도시의 남서부 지역이었다. 100명 정도 되는 해병들이 거기서 시신 운반용 부대에 실려 나왔다. 그보다 더 많은 숫자가 몸의 일부분을 거기서 잃어버렸다.

"네 의견이 필요하면 내가 뭐라고 하면 되는지 알려 주겠다." 중령은 오랜 역사를 자랑하지만 아직까지 먹히는 농담을 했다.* "장비 챙겨들고 당장 일어나. 버킷에 올라타기 전에 주황색 조끼를 챙겨입도록. 버킷을 타고 올라갔을 때 누구라도 조끼를 볼 수 있게. 나머지는 바쁜 척 이리저리 왔다 갔다 해라. 그 소총을 절대 들키면 안 돼. 서머스, 강을 계속 등지고 있어라. 그……." 중령이 말을 하다 말고 멈추었다. 그는 "수의 아래로 들어가기 전까지"라고 말하기 싫은 것이었고 나도 그 말을 듣기 싫었다. "위장책 아래로 들어가기 전까지."

---

* 「G I 제인」에 나오는 대사다.

나는 알았다고 대답하고 위로 올라갔다. 나는 앞에 총 자세로 M40을 들었고 타코는 관측수 장비 사이를 딛고 섰다. 저격수가 겉보기에는 화려하고 그들을 주인공으로 영화도 제작되고 스티븐 헌터는 소설도 쓰지만 진짜 중요한 일을 하는 쪽은 관측수다.

진짜 수의에서는 어떤 냄새가 나는지 모르겠지만 캔버스 원통에서는 썩은 생선 냄새가 났다. 나는 총 구멍을 만들기 위해 솔기에 달린 똑딱 단추 세 개를 풀었지만 라마디 쪽에서 방황하는 염소를 쏠 게 아닌 이상 방향이 잘못됐다. 우리 둘은 끙끙대고 욕을 해 가며 어찌어찌 원통을 돌렸다. 캔버스가 펄럭이며 우리 얼굴을 때렸다. 썩은 생선 냄새가 점점 더 심해졌다. 이번에는 내가 하마터면 버킷에서 떨어질 뻔했다. 타코가 한 손으로는 내 주황색 조끼를, 다른 손으로는 소총 끈을 붙잡았다.

"둘이 그 위에서 뭐하고 있는 거야?"

제이미슨이 외쳤다. 아래에서는 왈츠를 배우는 중학생처럼 어설프게 움직이는 우리 발밖에 안 보였다.

"집안일이요, 중령님." 타코가 마주 외쳤다.

"집안일은 그만하고 얼른 준비해. 이제 10시가 다 됐어."

"솔기가 이상한 방향을 보고 있게 설치한 건 우리가 아니고 저 바보들인데."

타코가 나를 향해 투덜거렸다.

나는 새로 단 조준기와 소총을 체크하고―똑같이 생긴 총이 수없이 많았지만 내 총은 이거 하나였다―네모반듯한 섀미 가죽으로 구석구석 깨끗하게 닦았다. 전장에서는 모든 것에 모래와 먼지가 들어 갔다. 재점검이 의무였기 때문에 나는 내 총을 타코에게 건넸다. 그는 총을 내게 다시 건네고 자기 손바닥에 침을 충분히 묻힌 다음 총 구멍 밖으로 내밀었다.

"풍속 제로야, 빌리 보이. 그 개새끼가 밖으로 나왔으면 좋겠네. 이보다 더 좋은 날도 없을 텐데."

우리가 들고 탄 물건 중에 내 소총 다음으로 큰 것은 관측수의 친구라고도 불리는 M151이었다.

빌리는 여기서 멈추고 화들짝 꿈에서 깨어난다. 그는 부엌으로 들어가 얼굴에 찬물을 끼얹는다. 지금까지는 완벽하게 일직선이었던 길에서 뜻밖의 갈림길이 나타났다. 그가 어느 길을 선택하든 상관이 없을지 모르지만 어쩌면 상관이 있을 수도 있다.

관건은 그 M151이다. M151은 관측수들이 총구에서 표적까지의 거리를 잴 때 쓰는 망원 조준기인데 섬뜩하리만치(적어도 빌리가 생각하기에는) 정확하다. 그 거리가 MOA, 즉 화기 분산도(minute of angle)의 기준이다. 빌리가 조엘 앨런을 쐈을 때는 그런 계산을 할 필요가 없었지만, 2004년의 그날 아마르 야심이 담배를 피러 나온다는 그의 가게 앞까지의 거리가 훨씬 길었다.

이걸 다 설명할까, 말까?

설명한다면 언젠가는 누군가가 그의 글을 읽을 거라고 기대한다는, 또는 그러길 희망한다는 뜻이 된다. 설명하지 않는다면 그런 기대를, 그런 희망을 접었다는 뜻이 된다. 그러니까 어느 쪽이 되어야 할까?

부엌 개수대 앞에 서 있는데, 그가 사막에서 탈출하고 얼마 되지 않았을 때 라디오에서 들은 인터뷰가 생각났다. 아마 출연자 전원이 똑똑하고 우울증 치료제를 잔뜩 먹은 것처럼 느껴지던 NPR의 어느 프로그램이었을 것이다. 거물급 작가들은 모두 백인 남성이고 알코올 중독의 경계선상에 있었던 시절에 인기가 많았던 한 원로 작가의 인터뷰였다. 누구였는지 아무리 기억을 더듬어도 모르겠지만 고어 비달보다 능글맞았고 트루먼 캐포티보다 시끄러웠다. 기억하는 것은 인터뷰어가 집필 과정에 대해 묻자 그 작가가 한 대답이었다. "나는 앉아서 글을 쓸 때 항상 두 사람을 염두에 두지요. 나 그리고 제삼자."

그러자 한 바퀴 돌아서 다시 M151로 돌아온다. 그는 M151에 대해 설명할 수도 있다. 그 용도를 설명할 수도 있다. MOA와 거리는 항상 한 묶음이지만 거리보다 MOA가 훨씬 중요한 이유를 설명할 수도 있다. 하지만 이 모든 것이 그가 자기 자신뿐 아니라 제삼자까지 감안해 이 글을 쓰고 있는 게 아닌 이상 필요 없는 설명이다. 그는 제삼자까지 감안하고 있을까?

정신 차려. 빌리는 속으로 중얼거린다. *여기 제삼자가 어디 있다고.*

하지만 상관없다. 어쩔 수 없다면 그 자신을 위해 설명하면 된다. 이런 때 뭐가 필요 없다고 하더라?

"컨펌."

그는 중얼거리고 다시 노트북 앞으로 돌아간다. 다시 이야기를 이어서 쓰기 시작한다.

7

우리가 들고 탄 물건 중에 내 소총 다음으로 큰 것은 관측수의 친구라고도 불리는 M151이었다. 타코가 삼각대를 설치하는 동안 나는 최대한 몸을 웅크렸다. 그러느라 버킷이 살짝 흔들리자 타코는 야심의 머리가 아니라 가게 문 위에 달린 간판을 맞히고 싶지 않으면 가만히 있으라고 했다. 티코가 계산하고 혼잣말을 중얼거리며 자기 일을 하는 동안 나는 최대한 가만히 있었다.

제이미슨 중령이 추정한 거리는 1100미터였다. 타코는 프론토 프론토 포토 포토 앞에서 공을 튀기고 있는 아이를 기준 삼아 거기까지의 거리가 1225미터라고 했다. 멀긴 했지만 그날처럼 바람이 불지 않는 4월 초에는 명중률이 높았다. 나는 그보다 더 먼 거리에서도 쏜 적 있었고, 세계 정상급 저격수들은 그보다 두 배 먼 거리에서도 사격한다는 이야기를 우리 모두 들은 적 있었다. 물론 야심이 종이 표적에 달린 머리처럼 미동도 하지 않을 리 없었다. 그래서 걱정이었지만 그가 심장이 뛰고 뇌가 살아 있는 인간이라는 사실에는 아무렇지 않았다. 그는 음식을 조달한 것 말고는 아무 죄가 없는 네 남자를 매복 공격지로 유인한 유다의 염소였다. 나쁜 놈이었으니 처단해야 했다.

9시 15분쯤 됐을 때 야심이 자기 가게에서 나왔다. 다시키*처럼 긴 파란색 셔츠와 헐렁한 흰색 바지를 입고 있었다. 오늘은 파란색이 아니라 빨간색 니트 모자를 쓰고 있었다. 그 모자가 조준기 마커로 제격이었다. 나는 총을 쏠 준비를 했지만, 야심은 공을 튀기던 아이의 엉덩이를 찰싹 때려 내쫓고 다시 안으로 들어갔다.

"아우, 짱나네." 타코가 말했다.

우리는 기다렸다. 젊은 남자들이 프론토 프론토 포토 포토로 들어갔다. 젊은 남자들이 거기서 나왔다. 카불에서 캔자스시티에 이르기까지 전 세계 남자들이 그러듯 그들도 웃고 티격태격하고 야단법석을 떨었다. 그중 일부는 분명 엊그제 AK로 그 블랙워터 트럭을 쐈을 것이다. 그중 일부는 그로부터 7개월 뒤에 온 동네를 샅샅이 뒤지며 소탕 작전을 펼치던 우리들을 향해 총을 쏠 것이다. 내가 알기로 그중 일부는 우리가 펀하우스라고 부른 곳에 있었다. 그곳에서 벌어질 수 있는 모든 문제가 벌어졌을 때.

10시가 됐고 다시 10시 15분이 됐다.

"오늘은 뒤에서 담배를 피우고 있는 거 아닐까?" 타코가 말했다.

잠시 후 10시 30분에 프론토 프론토 포토 포토의 문이 열리고 아

---

* 아프리카 남자들이 입는, 화려한 무늬의 헐렁한 셔츠.

마르 야심이 측근인 젊은 남자 둘과 함께 밖으로 나왔다. 나는 조준기를 맞췄다. 그들이 웃고 떠드는 것이 보였다. 야심이 한 남자의 등을 쳤고 젊은 남자 둘은 서로 어깨동무를 하고 멀어졌다. 야심은 바지 주머니에서 담뱃갑을 꺼냈다. 나는 망원 조준기를 들여다보고 있었기 때문에 트레이드마크 격인 금사자 두 마리가 있는 말보로라는 걸 알 수 있었다. 모든 게 선명하게 보였다. 그의 숱 많은 눈썹, 립스틱을 바른 여자처럼 빨간 입술, 깎지 않아서 희끗희끗하게 보이는 턱수염.

타코가 이제는 M151을 손에 들고 조준하고 있었다.

"저 새끼, 예설 아임 어 팻*이랑 완전 똑같이 생겼네."

"입 닥쳐, 타코."

나는 니트 모자에 십자선을 맞추고 야심이 담배에 불을 붙이길 기다렸다. 그의 숨통을 끊어놓기 전에 담배를 마지막으로 한 모금 피울 수 있게 허락할 용의가 있었다. 그가 담배를 입에 물었다. 담뱃갑을 다시 주머니에 넣고 라이터를 꺼냈다. 싸구려 일회용 라이터가 아니라 지포였다. 가게나 암시장에서 산 라이터일 수도 있었다. 총에 맞고 불에 태워서 다리에 내걸린 도급업자에게서 약탈한 것일 수도 있었다. 그가 라이터 뚜껑을 열자 조그만 불꽃이 꼭대기에서 깜빡였다. 나는 그걸 보았다. 나는 모든 걸 보았다. 펜들턴의 디에고 바스케스 원사는 해병대 저격수는 완벽한 한 방을 위해 산다는 말을 입버릇처

---

* 팔레스타인 자치 정부 초대 수장 야세르 아라파트를 이렇게 부른 것이다.

럼 했었다. 이것이 완벽한 한 방이었다. 그는 또 이런 말도 했었다. "섹스하고 똑같다, 숫총각들아. 맨 처음을 절대 잊지 못한다는 점에서."

나는 숨을 마시고 다섯 셀 때까지 참았다가 방아쇠를 당겼다. 반동의 충격이 내 어깨 오목한 곳으로 전해졌다. 야심의 니트 모자가 날아갔고 처음에 나는 딱 2.5센티미터쯤 빗나간 줄 알았다. 저격수에게 2.5센티미터는 2.5킬로미터나 다름없다. 그는 담배를 입에 문 채 그 자리에 가만히 서 있었다. 하지만 잠시 후 그가 손에 들고 있던 라이터와 입에 물고 있던 담배가 흙먼지 날리는 인도로 떨어졌다. 영화에서는 누가 총에 맞으면 뒤로 날아간다. 실제로는 그런 경우가 거의 없다. 야심은 사실 앞으로 두 발 걸어 나왔다. 그쯤 됐을 때 나는 모자뿐 아니라 그걸 쓰고 있던 그의 머리 꼭대기까지 날아갔다는 걸 알 수 있었다.

그는 무릎을 꿇었고 정면으로 쓰러졌다. 사람들이 달려왔다.

"복수는 잔인하다고들 하지." 타코는 말하고 내 등을 쳤다.

나는 몸을 돌리고 큰 소리로 외쳤다.

"우리 내려 줘!"

버킷이 내려가기 시작했다. 강 저편에서 총격이 시작됐기 때문에 너무 느리게 느껴졌다. 총 소리가 꼭 폭죽 소리 같았다. 타코와 나는 캔버스로 된 모래 바람막이에서 나왔을 때 머리를 수그렸다. 그러면 안전을 도모할 수 있어서라기보다 본능적인 반응이었다. 나는 총알이 지나가는 소리가 들리는지 귀를 기울이며 맞을 때에 대비해 마음의 준비를 하려고 했지만 아무 소리도 들리지 않았고 아무 것도 느낄 수 없었다.

"얼른 나와, 얼른!" 제이미슨이 고함을 질렀다. "뛰어내려! 튀어야 해!"

하지만 그는 의기양양하게 웃고 있었다. 다들 그랬다. 중령이 우리를 태우고 온 먼지 뒤집어쓴 미쓰비시를 향해 달려가는 동안 내 등을 세게 때리는 인간들이 너무 많아서 나는 하마터면 넘어질 뻔했다. 앨비, 똘똘이, 빅클루 그리고 다른 사람들은 두 번 다시 쓸 수 없을 사기극에 동원된 소형 트럭을 향해 달렸다. 강 건너편에서 고함 소리가 들렸고 이제는 총격도 더 심해졌다.

"엿 먹어라!" 빅클루가 외쳤다. "빅 엿 먹어라, 이 씹새들아! 너희 편이 우리 쪽 다크호스가 쏜 총에 맞아서 쓰러졌지!"

중령은 낡은 스테이션왜건을 회차 지점의 이라크 파워 트럭 뒤에 세워 놓았다. 나는 내 총과 타코의 장비를 넣으려고 뒷문을 열었다.

"서둘러." 제이미슨이 말했다. "우리가 저 트럭을 막고 있어."

아니, 댁이 거기다 주차했잖아. 나는 이렇게 생각했지만 말로 내뱉지는 않았다. 우리 물건을 안으로 던지고 해치백을 세게 닫았을 때 나는 흙바닥에 떨어져 있는 무언가를 보았다. 아기 신발이었다. 분홍색인 걸 보니 여자아이 신발이었다. 내가 그걸 주우려고 허리를 숙였을 때 누군가가 쏜 총알이 운 좋게 해치백의 방탄 유리창을 때렸다. 내가 허리를 숙이지 않았더라면 그 총에 뒷덜미나 뒤통수를 맞았을 것이다.

"타, 얼른!"

제이미슨이 악을 썼다. 또 누군가가 쏜 총알이 운 좋게 이글 왜건의 장갑 부분을 맞고 튕겨져 나갔다. 어쩌면 운이 좋은 게 아닐 수도 있었다. 그때쯤이면 저격수들이 저쪽 강가까지 진출했을 것이었다.

나는 신발을 집었다. 내가 차에 올라타자 제이미슨은 먼지 구름을 일으키며 쌩하니 내달렸다. 뒤따르는 트럭들이 그 먼지 구름을 헤치고 달려야 할 텐데 그는 안중에도 없었다. 그저 자기 목숨을 보존하는 데 급급했다.

"저놈들이 저 붐 리프트를 미친 듯이 쏘고 있어." 타코는 살상의 짜릿함에 취해 아직까지 웃고 있었다. "그거 뭐야?"

나는 신발을 그에게 보여 주며 이것 덕분에 목숨을 구한 것 같다고 말했다.

"야, 그거 잘 보관해. 어디든 들고 다니고."

나는 그 말대로 했다. 그해 11월 그 펜하우스로 쳐들어가기 전까지는. 산업지구에 있는 그 집을 소탕하러 들어갈 때 찾아보니 없어지고 보이지 않았다.

8

빌리는 마침내 노트북을 끄고 육지에 갇힌 잠수함의 잠망경 유리창을 통해 손바닥만 한 앞마당을 지나 길거리와, 한때 철도역이 있었던 도로 저편의 공터를 내다본다. 얼마나 거기 서 있었는지 모르겠다. 아마 상당히 오랫동안이었을 것이다. 전 세계를 통틀어 가장 길고 복잡한 시험을 치르기라도 한 듯 머리가 터질 것 같았다.

　오늘 몇 단어나 썼을까? 문서 정보로 확인할 수도 있지만—이제는 벤지가 아니라 빌리의 이야기다—그가 그 정도로 강박적이지는 않다. 그냥 많이 썼다고만 해 두자. 게다가 아직 갈 길이 멀다. 그가 야심을 죽이고 일주일도 안 돼서 4월의 공격이 시작됐고 정치인들이 발이 빼자 후퇴했다. 그런 다음 유령의 분노 작전이라는 마지막 악몽이 이어졌다. 46일 동안 지옥이 펼쳐졌다. 그런 상투적인 표현을 원고에 쓰지는 않겠지만(거기까지 진도가 나간다면) 그곳은 지옥이었다. 정점은 그 나머지를 모두 하나로 집약한 듯했던 펜트하우스였다. 일부는 그냥 건너뛸 수도 있지만 펜트하우스는 아니다. 펜트하우스가 팔루자의 핵심이었다. 그런데 핵심이 정확히 뭐였을까? 무의미하다는 것이었다. 그곳은 소탕해야 하는 또 하나의 집에 불과했지만 그들이 치러야 했던 대가는 어마어마했다.

　행인 몇 명이 피어슨 가를 걸어간다. 차량 몇 대가 지나간다. 그중 한 대는 경찰차지만 빌리는 걱정하지 않는다. 그 경찰차는 목적지도 없이, 급할 것도 없이 느긋하게 달리고 있다. 도심과 이렇게 가까운 동네가 이렇게 인적이 드물게 느껴질 수 있다니 아직까지도 놀랍게 여겨진다. 피어슨 가에서는 출퇴근 시간이 정적의 시간이다. 도심에서 일하는 사람들은 대부분

하루 일과가 끝나면 근교—벤튼빌이나 셔우드 하이츠나 미드우드처럼 좀 더 나은 동네—로 바삐 돌아가는 모양이다. 어쩌면 그가 어떤 여자아이에게 봉제인형을 상으로 받아서 선물했던 코디로 갈 수도 있다. 그가 그 일부분으로 흡수된 이 동네는 심지어 이름도 없다. 적어도 그가 알기로는 그렇다.

이제 밀린 뉴스를 좀 챙겨야 한다. 그는 아직까지도 앨런이 총에 맞던 순간의 영상을 내보내고 있을 채널6을 피해 NBC 계열사인 채널8을 튼다. 그러자 음산한 바이올린 연주와 요란한 드럼 소리로 이루어진 사운드트랙과 함께 뉴스 속보라는 로고가 뜬다. 암살범이 아직 잡히지 않았는데 무슨 중요한 속보가 있을까 싶다. 그 암살범은 하루 종일 책으로 발전하려는 심각한 위기에 처한 이야기를 쓰고 있었는데 말이다.

들어 보니 수사에 진전이 있었지만 빌리가 예상한 범주에서 벗어나거나 불길한 사운드트랙에 정당성을 부여할 만한 소식은 없다. 한 앵커가 말하길 지역 사업가 케네스 호프가 "범위가 점점 확대되어 가는 암살 음모"에 가담한 정황이 밝혀졌다고 한다. 다른 앵커는 일견 자살로 보였던 케네스 호프의 죽음이 타살일 수도 있다고 한다. 홈즈, *자네의 추론이 놀라울 따름이로군.* 빌리는 생각한다.

앵커들은 호프의 집에서 도로 건너편에 서 있는 특파원에게 마이크를 넘긴다. 그의 집도 고가의 저택이지만 닉이 임대한 대저택에 비하면 규모 면에서 몇 단계 아래다. 다리가 긴 금발

특파원은 지난주에 대학교를 졸업했다고 해도 믿을 수 있겠다. 그녀는 케네스 호프가 조엘 앨런을 살해하는 데 쓰인 레밍턴 700 소총과 "명백한 연관성"이 있었다고 설명한다. 이 밖에도 범인과의 연관성이 숱하게 드러났는데, 범인은 이라크전에 참전했고 훈장을 수차례 수상한 퇴역 해병 윌리엄 서머스로 "확실하게 신원이 밝혀졌다"고 했다.

동성 훈장과 은성 훈장을 받았지. 그리고 전투에서 한 군데가 아니라 두 군데 부상을 입은 병사에게 수여되는, 리본에 별이 하나 찍힌 퍼플 하트 훈장. 그는 그쪽 방향으로는 설명을 생략하고 싶은 그들의 심정을 이해한다. 그가 이 사건의 원흉인데, 뭐 하러 영웅적인 전적을 들먹여 상황을 복잡하게 만들겠는가. 상황을 복잡하게 만드는 건 뉴스 보도가 아니라 소설에나 어울린다.

사진 두 개가 나란히 뜬다. 하나는 제러드 타워에 상주하는 작가로 출근한 첫날 보안 데스크에서 어브 딘이 찍은 사진이다. 다른 하나는 해병대 스타일로 머리를 밀어서 진지한 동시에 바보 같아 보이는 신병 시절 사진이다. 포토 데이 때 찍은 사진이다. 사진 속의 그는 심지어 금발의 특파원보다 더 어려 보인다. 아마 더 어렸을 것이다. 빌리는 패밀리 데이 때 그 사진을 선물할 가족이 없었으니 어디 해병대 자료 보관실에서 찾아왔을 것이다.

특파원은 지역 경찰이 서머스가 이 도시에서 빠져나갔을 것으로 보고 있고, 다른 주로 도주했을 가능성도 있기에 FBI가 사건을 수사 중이라고 말한다. 금발의 특파원은 그 말을 끝으로 스튜디오로 마이크를 넘기고, 앵커들은 다음 순서로 조르조 피그릴리의 사진을 보여 주며 혹시 그 이름으로 도주 중일 수도 있으니 조지 피그스라는 조직 내 별명도 소개한다. 그는 라스베이거스, 리노, 로스앤젤레스, 샌디에이고에서 조직 범죄에 가담했지만 아직까지 체포된 적이 없었다. 그러니까 체중 170킬로그램에 악어가죽 구두를 신고 밀크셰이크를 먹는 중년의 이탈리아 남자가 보이거든 가까운 경찰서로 연락해 달라는 것이었다.

그렇다면, 호프는 죽었고 조르조도 죽은 게 거의 확실하고 닉은 알리바이를 거시기 근처까지 쌓아 놨겠군. 그런즉 내가 밭에 남은 마지막 멜론, 깍지에 남은 마지막 콩, 상자에 남은 마지막 초콜릿이라는 말이지.

더러는 치명적일 수도 있는 20여 가지 부작용이 있는 어떤 마법의 알약 광고가 끝난 뒤에 에버그린 가 주민들의 인터뷰가 나온다. 빌리는 TV를 끄려고 일어나다가 다시 앉는다. 그는 정체를 숨겼고 이 사람들에게 상처를 주었다. 그러니 그들이 토로하는 상처와 당혹감을 듣고 지켜보아야 마땅할지 모른다.

그 블록에 상주하던 알코올 중독자 제인 켈로그는 전혀 당황하지 않은 눈치다. "나는 처음 만난 순간부터 이상한 낌새를 알아차렸어요. 뭔가 숨기는 게 있는 눈빛이었거든."

헛소리하시네.

대니의 엄마인 다이앤 파치오는 피도 눈물도 없는 살인범과 아이들을 어울리게 했다는 걸 알았을 때 얼마나 경악했는지 모른다고 한다.

폴 래글랜드는 그가 얼마나 서글서글하고 정상적이었는지 모른다며 놀라워한다. "저는 진심으로 데이브를 진국이라고 생각했어요. 정말 괜찮은 사람 같아 보였거든요. 이로써 세상에 믿을 사람 없다는 사실이 입증된 거죠."

다른 모두가 놓친 부분을 짚고 넘어간 사람은 코린 애커먼이다. "물론 끔찍한 일이죠. 하지만 데이브가 쏜 사람이 좀도둑질로 재판을 앞두고 있던 게 아니지 않나요? 제가 알기로는 잔인한 살인범이었다고 하던데요. 그러니까 데이브 덕분에 재판에 드는 비용을 아낄 수 있었다고 생각해요."

신의 축복이 함께 하길 빌게요, 코리. 모든 게 해피엔딩으로 끝나는 라이프타임 채널의 영화를 보기라도 한 것처럼 눈에 눈물이 고이는 것이 느껴진다. 옳고 그름을 따질 때 사적인 정의 구현도 일부 감안한다면…… 조엘 앨런 같은 경우 빌리는 전혀 양심의 가책을 느끼지 않는다.

교통 상황(경찰이 설치한 검문소 때문에 여전히 많이 막힌다고 한다. 미안해요, 여러분.)과 날씨(점점 추워지고 있다.)로 넘어가기 전에 법원 앞 암살 사건과 관련해서 마지막 기사가 보도되는데, 그걸 보고 빌리는 웃을 수밖에 없다. 비커리 보안관이 초기에 수사에서 배제됐던 것은 재소자가 총격을 당했을 때 그가 어처구니없는 스텟슨 모자만 남겨 둔 채 줄행랑을 놓았기 때문이 아니었다. 아니, 전적으로 그 이유 때문만이 아니었다. 그는 좀 더 가면 나오는 직원용 출입문이 아니라 법원 앞 계단으로 재소자를 이송했다. 그래서 초기에 공범으로 의심을 받았다. 이후에 공범이 아니라고 경찰 측을 설득하는 데 성공했는데, 언론의 조명을 받고 싶다고 실토했을지도 모를 일이다.

그쪽 출입문으로 갔더라도 나는 맞힐 수 있었지. 창세기에 나오는 홍수가 아닌 이상 비가 왔어도 나는 맞힐 수 있었어.

그는 TV를 끄고 부엌으로 가서 남은 냉동식품을 점검한다. 내일은 뭐에 대해 쓸지 벌써부터 생각하는 중이다.

13장

1

팔루자라는 꿈 속에서 3일이 지난다.

빌리는 핫 나인에 대해 쓴다. 타코 벨, 조지 디너스타인과 앨비 스타크, 빅클루, 똘똘이 캐시먼. 어느 날 오전에는 조니 캡스가 사탕과 담배를 구걸하러 왔다가 남아서 야구를 하게 된 이라크 아이들을 어쩌다 입양 비슷한 걸 하게 됐는지에 대해서 쓴다. 조니와 파블로 '빅풋' 로페스는 그들에게 야구를 가르쳐 준다. 아홉 살 아니면 열 살쯤 된 자미르라는 아이는 "걔 세이프다, 이 씨방새야!"를 구호처럼 계속 외쳤다. "쳐라" 말고 할 수 있는 영어가 그것뿐인 것 같았다. 누가 유격수 플라이로 아웃되면 빨간색 바지와 스눕독 티셔츠에 블루 제이 모자를 쓰고 벤치가 앉아 있던 자미르가 "걔 세이프다, 이 씨방새야!"라고 소리 지르곤 했다. 빌리는 그들이 닥터라고 부른 위생병 클레이 브릭스가 수시티에 사는 아가씨 다섯 명과 어떤 식으로 계속 생동감 넘치고 야한 편지를 주고받았는지에 대해서도 쓴다. 타코는 그렇게 못생긴 놈에게 깔치들이 왜 그렇게 많이 붙는지 이해가 안 된다고 했다. 그러면 똘똘이는 소설 속 깔치라고 했고 앨비 스타크는 "걔 세이프다, 이 씨방새야!"라고 외쳤다. 닥터의 생동감 넘치고 야한 편지와 전혀 상관없는 발언이었지만 매번 그들은 배꼽을 잡고 웃었다.

빌리는 노트북 앞에 앉아 있는 틈틈이 운동을 한다. 팔 굽혀 펴기, 윗몸 일으키기, 다리 들어 올리기, 스쿼트 스러스트. 처음 이틀 동안은 팔을 앞으로 내밀고 손바닥으로 무릎을 치며 제자리 뛰기도 한다. 셋째 날 문득 이 집에 그 말고 아무도 없다는 사실이 떠오르자—헐!—제자리 뛰기 대신 숨이 차고 맥박수가 150에 육박할 때까지 3층까지 계단을 달려서 오르내린다. 일주일도 안 됐으니 답답해서 미칠 지경은 아니지만 앉아서 글을 쓰는 게 익숙지 않은 일이라 이런 식으로 빡세게 운동을 하면 좀이 쑤시는 걸 달랠 수 있다.

운동을 하면 생각하는 데도 도움이 된다. 빌리는 계단을 달려가던 도중에 좋은 아이디어를 떠올린다. 이제야 생각이 나다니 믿기지 않는다. 빌리는 젠슨 부부의 열쇠로 문을 따고 그 집에 들어간다. 대프니와 월터를 체크하고(둘 다 잘 자라고 있다.)

부부의 방으로 들어간다. 돈은 풋볼과 나스카 레이싱 경주를 좋아하고, 바비큐 립과 치킨을 좋아하며, 금요일 저녁에는 친구들과 맥주 마시는 걸 좋아한다. 그런 남자는 총을 한두 자루 가지고 있을 가능성이 거의 100퍼센트다.

돈이 자는 쪽 침대 옆 테이블에 한 자루 있다. 6연발 루거 GP고 총탄이 꽉 채워져 있다. 그 옆에 38구경 센터파이어 탄약통 상자가 있다. 빌리가 보기에는 그 총을 들고 가지 않을 이유가 없다. 경찰이 급습한들 그가 그들과 총격전을 벌이지는 않을 것이다. 하지만 언제 총이 필요한 일이 생길지 아무도 모르는 일이고, 그럴 때 어디로 손을 뻗으면 되는지 알고 있으면 든든하다. 무슨 일로 총이 필요하게 될지 알 수 없지만, 인생이라는 길을 걷다 보면 수많은 우여곡절을 맞닥뜨리기 마련이다. 그걸 그보다 더 잘 아는 사람은 없다.

그는 베벌리의 화분에 분무기로 한 번씩 물을 뿌리고 다시 지하로 내려간다. 도로 저편에서 공터 위로 부는 바람 소리가 점점 거세어지는 것이 느껴진다. 예보에 따르면 비가 오고 기온이 더 떨어질 거라고 한다. 그날 아침에 여자 기상캐스터가 이렇게 종알거렸다. "믿기지 않으시겠지만 진눈깨비가 섞일 수도 있겠습니다. 달력상의 날짜는 어디로 간 걸까요?"

빌리로서는 비가 오건 진눈깨비가 내리건 눈이 오건 바나나 모양의 똥이 내리건 상관없다. 그는 날씨와 상관없이 이 지층 아파트에 있을 것이다. 쓰고 있는 이야기가 삶을 대체해 당분간은 그 이야기가 그의 유일한 삶이 되었는데, 그것도 나쁠 건 없다.

지금까지 버키 핸슨과는 짤막하게 두 번 연락을 주고받았다. 간밤에 빌리가 잘 지내죠?라고 문자를 보내자 버키는 ㅇㅇ이라고 답장을 보냈다. 돈은 입금됐어요?라고 묻자 버키는 빌리도 짐작했다시피 ㄴㄴ라고 답장했다. 아무리 일회용 전화기라고 해도 조르조에게 연락할 수는 없다. 경찰에서 전화기를 추적하고 있을지 모른다. 그리고 위험부담을 감수한들 얻는 소득이 뭘까? 지금 거신 번호는 없는 번호라는 여자 목소리의 안내 멘트를 듣게 될 가능성이 거의 100퍼센트다. 조르조가 없는 사람이니까. 빌리는 그렇다고 장담할 수 있다.

그의 이야기라는 대안의 세계에서 빌리는 2004년 11월에 펼쳐진 유령의 분노 작전에 다다랐다. 그 부분을 쓰는 데 10일 아니면 2주가 걸릴 것 같다. 그게 완료되면, 펜트하우스 이야기를 해치우고 나면, 그는 짐을 싸서 떠날 것이다. 그때쯤이면 검문소가 없어졌을 것이다. 어쩌면 이미 없어졌을 수도 있다.

그는 노트북 앞에 앉아 어디까지 썼는지 살핀다. 공격 개시 명령이 내려지기 이틀 전에 제이미슨이 조니와 파블로에게 기지에서 야구를 배우던 아이들을 모두 내보내라고 했고, 그들 모두는 그 안에 담긴 뜻을 알아차렸다. 다시 진격해 이번에는 임무를 완수할 때까지 철수하지 않는다는 뜻이었다.

빌리는 자미르가 출입문을 돌아보며 마지막으로 "개 세이프다, 이 씨방새야!"라고 외쳤던 걸 기억한다. 그 말을 끝으로 그들은 영영 떠났다. 그 오랜 세월이 지났으니 어른이 됐을 것이다. 아직까지 살아 있다면.

야구를 배우던 아이들을 집으로 돌려보낸 날에 대해 쓰기 시작하는데, 밋밋하게 느껴진다. 우물이 잠깐 마른 것이다. 그는 문서를 저장하고 노트북을 끄고 다른 싸구려 노트북 앞으로 자리를 옮긴다. 하나씩 차례대로 전원을 켜고 낚시성 기사들(마이클 잭슨의 유언, 좌골 신경통을 없애는 간단한 방법, 오리지널 마우스키티어* 지금은 어떻게 됐을까)이 전부 업데이트됐는지 확인한 다음 이 노트북들도 끈다. 그의 조그만 세상 안에서 모든 게 잘 굴러가고 있다. 그에게는 계획이 있다. 그는 이야기에서 이라크 부분을 끝낼 작정이다. 펜트하우스를 자연스러운 클라이맥스로 삼아, 그 이야기를 끝내고 나면 짐을 싸서 이 재수 없는 도시를 떠날 것이다. 차를 몰고 서쪽 아니면 북쪽으로 갈 테고 그리 멀지 않은 미래에 닉 머제리언을 한번 찾아갈 것이다.

닉이 그에게 진 빚이 있으니 말이다.

---

* 「미키 마우스 클럽」의 출연진.

2

빌리의 계획은 밤 11시 45분까지 유지된다. 그는 속옷 차림으로 액션 영화를 보고 있었는데, 어떤 남자가 자기 개를 죽인 남자들에게 복수하는 단순한 줄거리인데도 몰입이 잘 되지 않는다. 그래서 이제 그만 하루를 마감하기로 한다. 그가 바보상자를 끄고 방으로 걸어가고 있을 때, 밖에서 타이어가 끼이익 하고 요란하게 미끄러지는 소리와 정비를 제대로 받지 않은 브레이크 밟는 소리가 들린다. 그는 차가 전봇대를 정면으로 들이받으며 커다란 문을 세게 닫는 것처럼 쾅 하는 소리가 들릴 것에 대비해 마음의 준비를 한다. 그런데 그 대신 희미한 음악 소리와 요란한 웃음소리가 들린다. 듣자 하니 술에 취해서 웃는 소리다.

그는 잠망경 창문 앞으로 다가가 커튼을 젖힌다. 저쪽에 켜진 가로등이 옆면에 녹이 슨 고물 밴을 비출 수 있을 만큼 환하다. 한쪽 바퀴가 공터 옆으로 이어지는 인도에 걸쳐져 있다. 이제는 비가 심하게 퍼붓고 있어서 밴의 전조등이 거즈 커튼을 관통하는 것처럼 보인다. 조수석 쪽의 길쭉한 문이 옆으로 스르르 열린다. 실내등이 켜지지만 퍼붓는 비 때문에 희미한 형체밖에 안 보인다. 최소한 세 명이 꿈틀대고 있다. 아니다, 네 명이다. 마지막 인물은 고개를 숙이고 고꾸라져 있다. 두 명이 그 네 번째 인물의 겨드랑이 아래를 잡자 팔이 부러진 날

개처럼 팔꿈치에서 꺾여 축 늘어진다.

다시 웃음소리와 말소리가 이어진다. 두 남자가 그 형체를 밴 밖으로 거칠게 옮기는 동안 세 번째 남자가 무슨 감독관처럼 그들 뒤에 서 있다. 의식을 잃은 사람은 머리가 까맣고 길다. 젊은 여자인 것 같다. 남자들이 그녀를 밴 뒤편으로 끌고 가 잡은 손을 놓는다. 그녀의 상반신은 인도에, 하반신은 하수구에 걸쳐진다. 두 남자는 다시 차에 올라탄다. 문이 스르르 닫힌다. 고물 밴은 전조등으로 퍼붓는 빗줄기를 가르며 잠깐 그 자리에 있다. 그러다 끼이익 하는 타이어 소리와 함께 배기가스를 내뿜으며 출발한다. 뒤에 범퍼 스티커가 붙어 있지만 읽을 도리가 없다. 번호판을 비추는 불빛이 거의 죽은 거나 다름없이 깜빡거린다.

여자인 게 확실하다. 운동화를 신었고, 치마는 구부린 한쪽 다리가 거의 다 드러날 만큼 위로 올라갔고, 그 위에 가죽 재킷을 입었다. 드러난 다리가 흐르는 하수구 물에 반쯤 잠겨 있다. 아주 하얘 보인다. 죽었을 수도 있을까? 죽었어도 그 남자들이 그렇게 웃었을까? 빌리는 사막에서 목격한(그리고 그 기억을 지울 수 없는) 광경이 있기에 그럴 수도 있다는 걸 안다.

가서 데려와야 한다. 그대로 두면 밖에서 죽을 수 있기 때문만은 아니다. 이 동네는 평일 대낮에도 조용하지만 결국에는 누군가가 지나가다가 그녀를 발견할 것이다. 선한 사마리아인은 항상 공급이 부족하기 때문에, 그들이 가던 걸음을 멈추지는 않더라도 911에 연락은 할 것이다. 지금이 이렇게 늦은 시각이라 다행이다. 그가 5분 전에 자러 들어가지 않아서 다행이다. 신고가 접수되면 경찰이 피어스 가 이쪽 집들을 돌아다니며 여자가 버려지는 광경을 목격한 사람이 있는지 찾을 테고, 만약 그들이 새벽 1시나 2시에 문을 두드리면 그는 가짜 배는커녕 돌턴 스미스의 가발조차 쓸 겨를이 없을 것이다. *어?* 경찰 하나가 이렇게 얘기할지 모른다. *어디서 뵌 분 같은데요. 저희랑 같이 가 주셔야겠습니다.*

빌리는 바지도 신발도 생략하고 사각팬티 바람으로 계단을 달려 올라간다. 현관문이 바람에 앞뒤로 왔다 갔다 하도록 열어 둔 채 베란다를 지나 앞 계단을 내려간다. 한쪽 엄지발가락 아래 부분에 나뭇가시가, 그것도 아주 깊숙이 박힌 것이 느껴지지만 그보다 더 심하게 느껴지는 것이 우라지게 추운 날씨다. 아직은 비가 진눈깨비로 바뀔 정도로 춥지는 않지만 거의 그 비슷하다. 두 팔이 닭살로 덮인다. 있지도 않은 엄지발가락이 욱신거린다. 여자가 아직 살아 있을지 몰라도 조만간 그것도 장담할 수 없게 생겼다.

빌리는 한쪽 무릎을 꿇고 여자를 안아 올린다. 아드레날린이 뿜어져 나오는지라 무거운지 가벼운지도 느끼지 못한다. 빗물이 얼굴과 맨 가슴 위로 흐르는 가운데 그는 좌우를 두리번거린다. 사각팬티가 비를 맞고 골반까지 내려왔다. 아무도 보이지 않는다. 다행이다. 도로변의 아파트를 향해 다시 질주

하는데, 진입로를 걸어가는 동안 안고 있던 여자가 고개를 돌리고 꾸르륵 하는 소리를 내더니 그의 옆구리와 한쪽 다리 위로 얇은 리본처럼 토를 한다. 전기 담요처럼 깜짝 놀랄 만큼 뜨끈하다.

흠. 멀쩡히 살아 있군.

계단을 올라갈 때 또다시 나뭇가시가 발에 박히지만 그는 무사히 안으로 들어간다. 현관문을 바람에 왔다 갔다 하도록 내버려 둘 수 없기에 여자를 현관에 내려놓고 문을 닫는다. 그러고 나서 몸을 다시 돌려보니 여자가 눈을 반쯤 뜨고 있다. 코 옆쪽으로 한쪽 뺨에 큼지막하게 자주색 멍이 든 것이 보인다. 얼굴로 넘어지지 않았으니 인도에 부딪혀서 생긴 건 아니다. 게다가 방금 생긴 거라고 하기에는 너무 자리가 잡혀 있다.

"누구세요?" 혀 꼬부라진 소리다. "여긴……."

그러고는 다시 토악질을 한다. 이번에는 토사물이 역류해 그녀가 켁켁거리기 시작한다.

빌리는 옆에 무릎을 꿇고 앉아서 여자의 복부를 한 팔로 감싼다. 여자의 가슴을 버팀목 삼아 그녀 몸을 앞에서 들어 올린다. 애초부터 조금 컸던 그 빌어먹을 사각팬티가 이제는 비에 젖어서 다리 아래로 내려오기 시작한다. 그는 물리지 않기 바라며 손가락 두 개를 여자의 입 안으로 넣는다. 상처가 나서 곪는 것이야말로 최악이다. 그는 덩어리를 끄집어내 바닥에 던지고 여자의 복부를 감싼 팔에 더욱 힘을 준다. 그 방법이 효과를 발휘한다. 그녀는 현관 벽에 튀겨 가며 토사물을 분수처럼 쏟아 낸다.

차량 한 대가 달려오고 있다. 그 차가 3분 전에 지나갔더라면 빌리의 운명이 달라졌을 것이다. 전조등 불빛으로 빗물이 튄 현관문의 유리창이 환해진다. 빌리는 여자를 앞으로 앉은 채 한쪽 무릎을 꿇는다. 바보 같은 사각팬티가 이제는 양쪽 무릎에 걸쳐지고, 그 틈에 그는 자신이 삼각팬티를 포기한 이유가 뭐였는지 의아해한다. 여자의 머리가 앞으로 축 늘어지지만 지금 들리는 거친 소리는 기도가 막힌 소리가 아니라 코를 고는 소리다. 다시 의식을 잃은 것이다.

전조등 불빛이 환하게 쏟아졌다가 그 속도 그대로 희미해진다. 빌리는 여자와 함께 자리에서 일어난다. 한쪽 팔은 여자의 무릎 아래에 넣고 다른 쪽 팔로는 어깨를 감싼다. 그녀의 머리가 뒤로 늘어진다. 빌리의 다리가 흔들리자 팬티가 발목으로 떨어진다. 그는 팬티를 아예 벗어서 옆으로 걷어찬다. 끔찍하고 황당한 촌극 같다.

그가 넘어지지 않으려고 게걸음으로 계단을 내려가는 동안 여자의 젖은 머리칼은 물을 뚝뚝 흘리며 진자처럼 좌우로 움직인다. 위로 향한 얼굴은 달처럼 창백하다. 이마에도 왼쪽 눈 위쪽으로 멍이 하나 더 있다.

그리고 맙소사, 발이 아파서 죽을 것 같다. 반 토막 난 발가락이 아니라 빌어먹을 나뭇가시 때문에! 그는 무사히 계단을 내려가 엉덩이로 아파트 문을 연다. 여자의 몸이 그의 품에서 빠져나가기 시작해 축 늘어진 U자 모양이 된다. 그는 한쪽 다리를 그녀의 허리에 대서 위로 추어올리고 비틀비틀 안으로 들어간다. 그녀가 다시 미끄러지기 시작한다. 그는 추워서 시뻘게진 발 속으로 파고드는 나뭇가시를 무시한 채 소파로 질주해 딱 맞게 도착한다. 쿵 소리와 함께 착지한 여자는 희미하게 끙끙대다 다시 코를 골기 시작한다.

빌리는 양쪽 무릎을 손으로 딛고 몸을 앞으로 숙여 쥐가 나려는 허리를 쉬게 한다. 여자에게서 올라오는 토사물 냄새 때문에 그까지 구역질이 난다. 술 냄새도 나지만 그건 희미하다.

그야 다 토해 냈으니까. 하지만 떡이 되도록 마셨다면 그래도 입에서 냄새가 날 텐데. 아까 현관에서도 술 냄새가 났어야 맞는 건데. 그리고……

빌리는 다리를 들어서 살갗에 묻은, 건더기가 거의 없는 토사물 냄새를 맡는다. 여기서도 술 냄새는 아주 희미하다.

그는 여자를 위아래로 훑어본다. 입고 있는 데님 치마는 단이 나달나달하고 짧다. 속옷을 입고 있다면 보였을 텐데 속옷이 아니라 다른 게 보인다. 바깥 허벅지는 달처럼 하얗고 창백하지만 허벅지 안쪽의 윗부분에는 점점이 묻은 핏방울이 말라 가고 있다.

3

여자가 다시 구역질을 하지만 힘이 없고, 부글거리는 침만 입가로 흐를 뿐 아무것도 나오지 않는다. 잠시 후에 그녀가 몸을 부들부들 떨기 시작한다. 온몸이 흠뻑 젖었으니 당연히 그럴 수밖에 없다. 빌리는 그녀의 운동화를 벗긴다. 손바닥만 한 발목 양말이 딸려 나온다. 꼭대기에 하트 무늬가 있는 양말이다. 그는 "자, 자, 정신 좀 차려봐."라고 중얼거리며 여자를 일으켜 앉히지만 정신을 차릴 수 없다는 걸 안다. 그녀는 눈꺼풀을 떨며 뭐라고 말을 하려고 한다. 자기가 말을 하고 있다고, 이런 상황에 놓인 사람이 할 만한 질문을 하고 있다고 생각할지 모르지만 빌리가 알아들을 수 있는 단어는 *누구*와 *당신*뿐이다. 그 나머지는 전부 *어* 아니면 *머*다.

"맞아. 이제 걱정할 것 없어. 이 집에서 죽지만 마."

하지만 이 빌어먹을 상황에 대처하려고 애를 쓰는 와중에도 빌리는 여자가 그냥 죽어 버리면 문제가 간단해질지 모른다는 사실을 깨닫는다. 쓰레기 같은 발상이긴 하지만 그래도 맞는 말이다.

그는 여자의 재킷을 벗긴다. 진짜 가죽이 아니라 얇은 싸구려 인조 가죽 재킷이다. 그 아래 받쳐 입은 티셔츠는 앞면에 블랙 키스 북미 투어 2017이라고 적혀 있다. 티셔츠를 위로 벗겨 보려고 하지만 턱에서 걸린다. 여자가 신음을 흘리며 네 단어를 또렷하게 뱉는다.

"싫어, 목 조르지 마."

그러더니 옆으로 미끄러지기 시작한다. 빌리는 제때 티셔츠를 벗기고 그녀가 바닥으로 떨어지기 전에 붙잡는다. 흰색 민무늬 브래지어가 삐뚜름하니 한쪽 가슴만 가리고 있다. 왼쪽 어깨 끈이 떨어져 나갔기 때문이다. 그는 브래지어를 아래로 내리고 돌려서 어찌어찌 고리를 푼다.

윗도리를 전부 벗겼으니 이제 똑바로 눕힐 수 있다. 그는 비에 젖은 데님 스커트도 벗겨서 나머지 옷들과 함께 바닥에 던진다. 이제 여자는 알몸이고 한쪽 귀걸이만 남았다. 나머지 한쪽은 어디로 갔는지 아무도 모를 일이다. 그녀는 온몸에 소름이 돋은 채로 계속 사시나무처럼 떨고 있다. 추워서이기도 하지만 충격 때문이기도 하다. 그는 팔루자에서 그런 오한을, 그리고 그것이 경련으로 발전하는 것을 본 적이 있었다. 물론 그녀는 가엾은 조니 캡스처럼 다리에 다수의 총상을 입지 않았지만 피를 흘렸고, 이제 보니 조그마한 가슴에도 세 군데 멍이 들었다. 자국이 좁다. 누군가가 거길 잡고 쥐어짠 것이다. 그것도 아주 세게. 왼쪽 목에도 손가락 모양의 멍 자국이 두 군데 더 있다. 빌리는 그녀가 *싫어, 목 조르지 마*라고 했던 걸 떠올린다.

빌리는 아직 구토가 끝나지 않았을지 모른다는 사실에 유념하며 그녀를 모로 돌린 다음 소파에서 떨어지지 않도록 앞면을 소파 등받이 쪽으로 민다. 그녀는 거칠지만 일정하게 다시 코를 골기 시작한다. 그러면서 이를 딱딱 부딪친다. 이야말로 완전히 맛이 간 상태다.

얼른 화장실로 가서 두 장 있는 목욕 수건 중에 한 장을 들고 온다. 소파 앞에 무릎 꿇고 앉아 그녀의 등과 엉덩이와 허벅지와 종아리를 문지른다. 세게 문지르고, 창백했던 피부에 희미하게 화색이 도는 걸 보며 안심한다. 한쪽 어깨를 잡고(여기도 멍이 들었지만 자국이 좀 더 작다.) 똑바로 눕혀서 똑같은 과정을 반복한다. 발, 다리, 배, 유방, 가슴, 어깨 순이다. 빌리가 얼굴을 문지르자 그녀는 막으려는 듯 힘없이 손을 들었다가 그것조차 너무 힘에 부친지 그대로 떨어뜨린다. 그녀의 머리를 말려 보려고 하지만 숱이 많은 데다 하수구의 빗물이 두피까지 적셔서 별반 소용이 없다.

망했다. 이 사태가 어떤 방향으로 흘러가더라도 나는 망했어.

빌리는 수건을 내려놓고, 그녀가 다시 구토를 하더라도 질식하지 않게 몸을 굴려서 옆으로 눕히려고 손을 내밀다 생각을 바꾼다. 그는 그녀의 오른쪽 다리를 잡고 발뒤꿈치가 바닥에 닿도록 아래로 내려 질이 드러나게 한다. 음순이 시뻘겋게 부은 데다 여러 군데 찢어졌고 그중 한 군데에서는 다시금 피가 배어 나오고 있다. 질과 직장 사이―이 부위를 지칭하는 단어가 있다는 걸 알지만 워낙 스트레스가 심한 상황이다 보니 기억이 나지 않는다―는 음순보다 더 심하게 찢어졌고, 안쪽은 얼마나 심하게 상처를 입었을지 아무도 모를 일이다. 말라서 들러붙은 정액도 군데군데 보이는데, 대부분 하복부와 음모에 묻어 있다.

남자가 하다가 중간에 뺐군. 빌리는 밴에 세 사람이 타고 있었고 웃음소리로 판단하건대 전부 남자였다는 사실을 떠올린다. 아무튼 그중 한 명의 소행이다.

여기에 생각이 미치자 현재 상황이 의식의 선상으로 들어온다. 그의 집 소파 위에 누워 있는 여자에게 벌어진 일을 감안했을 때 다소 아이러니한 상황이다. 그녀는 다리를 벌린 채 정신을 잃었고 두 사람 모두 실오라기 하나 걸치지 않았으니 말이다. 에버그린 가 이웃사촌들이 이 광경을 보았다면 무슨 생각을 할까? 인정 많은 코린 애커먼조차도 그를 계속 변호하지 않을 것이다. 「레드 블러프 뉴스」의 헤드라인이 눈에 보이는 듯하다. 법원 앞 암살 사건의 범인, 10대 소녀까지 성폭행하다!

망했네. 하늘을 찍고 다시 땅으로 곤두박질 칠 만큼 망했어.

빌리는 여자를 침대에 눕히고 싶지만 그보다 먼저 해야 하는 일이 있다. 이제 상황을 어느 정도 정리하고 보니 발바닥이 돌아 버리게 아프기 시작한 것이다. 칩거를 준비하며 생략한 수많은 물건 중에는 핀셋도 있지만 화장실에 지난번 세입자가 두고 간 밴드와 과산화수소가 있다. 소독약의 유통기한이 이미 오래전에 지났겠지만 지금은 찬 밥, 더운 밥 가릴 처지가 아니다.

빌리는 최대한 발날로 걸어가 부엌에서 과일 칼을, 화장실에서 밴드와 소독약을 들고 온다. 밴드에는 「토이 스토리」 캐릭터가 그려져 있다. 그는 부들부들 떨며 코를 고는 여자 옆 바닥에 앉아서 칼끝으로 가시를 들어 잡아당긴다. 모두 합해 다섯 개고 그중 두 개는 큼지막하다. 피가 나는 상처 부위에 과산화수소를 붓는다. 따끔거리는 걸 보면 소독 효과가 있는 모양이다. 가장 큰 두 군데 상처에 밴드를 붙이지만 금방 떨어지게 생겼다. 전전 어쩌면 전전전 세입자가 두고 간, 엄청 오래된 밴드인 듯하다.

그는 일어나 어깨를 돌려서 긴장을 풀고 여자를 안아 올린다. 흥분을 가라앉히고 안아 보니 몸무게가 52킬로그램쯤 되는 것 같다. 아니면 55킬로그램일 수도 있겠다. 아무튼 세 남자의 상대가 되지 못한다. 세 명이 모두 성폭행을 했을까? 아마 같이 있는 상황에서 한 명이 그랬다면 모두 그랬을 것이다. 그녀가 정신을 차리면 물어보겠지만 그래 봐야 무슨 소용일까 싶다. 기억을 할 수나 있을지조차 의심스럽고, 빌리가 경찰을 부르거나 가까운 응급실로 데려가지 않은 이유를 궁금해할 것이다.

여자가 다시 U자 모양으로 늘어진다. 빌리는 결국 마음먹었던 것과는 다르게 그녀를 조심스럽게 내려놓지 못하고 침대 위로 떨어뜨린다. 그녀는 눈을 살짝 떴다가 감고 다시 코를 곤다. 그는 그녀와 더는 씨름하고 싶지 않지만 알몸으로 눕혀 놓고 싶지도 않다. 그랬다가는 일어나서 기겁할 것이다. 서랍장에서 티셔츠를 꺼내고 여자 옆에 앉아서 왼팔로 몸을 들고 오른손으로 머리에서부터 옷을 입힌다. 얼굴을 지나 어깨로 티셔츠를 내리는 동안 그녀는 웅얼웅얼 투덜거리다 다시 코를 곤다.

"이제 협조 좀 해 주라." 한쪽 팔을 들고 두어 번 실패한 끝에 반팔 소매 안으로 집어넣는 데 성공한다. "조금만, 응?"

빌리의 말이 어렴풋하게나마 들렸는지 여자가 다른 쪽 팔을 들더니 휘청휘청 소매 안으로 넣는다. 그는 그녀를 다시 내려놓고 숨을 토하며 팔로 이마의 땀을 닦는다. 티셔츠가 가슴 위로 접혀 있다. 그는 티셔츠 앞면을 내리고 그녀를 들어서 뒷면도 내린다. 그녀는 다시 몸을 벌벌 떨며 살짝 훌쩍거린다. 빌리는 한쪽 팔을 그녀의 무릎 아래로 넣고 그녀를 든 상태에서 티셔츠 자락을 잡아당겨 엉덩이와 허벅지를 덮는다.

맙소사, 꼭 신생아 옷 갈아입히는 것 같네.

빌리는 그녀가 침대에 오줌을 싸지만은 않길 바라지만—시트가 이거 하나뿐인 데다 가장 가까운 빨래방까지는 세 블록 거리다—그럴 가능성이 높다는 걸 안다. 그래도 피는 대부분 멎었다. 이만하길 다행이다. 남자들이 그녀를 갈기갈기 찢어놓거나 심지어 죽였을 수도 있었다. 그런 식으로 길바닥에 버렸으니 죽일 생각이었을 수도 있지만 빌리가 보기에 그런 것 같지는 않다. 놈들은 다만 인사불성으로 취했을 따름이다. 아니면 필로폰 같은 몹쓸 것에 취했을 수도 있다. 그 개자식들은 그녀가 나중에 정신을 차리고 씁쓸한 교훈을 곱씹으며 집까지 걸어갈 수 있을 거라고 생각했을 것이다.

빌리는 일어나 이마를 한 번 더 닦고 이불을 덮어 준다. 그녀는 당장 이불을 붙잡고 턱까지 끌어올린 다음 옆으로 돌아눕는다. 다시 토할 수도 있으니 훌륭한 선택이다. 현관 앞에서 뿜어낸 걸 감안할 때 배 속에 남은 게 과연 있을까 싶지만 알 수 없는 일이다.

이불을 덮고서도 그녀는 계속 부들부들 떨고 있다.

널 어쩌면 좋을까? 널 어쩌면 좋겠는지 말 좀 해 봐.

빌리는 이 문제의 해답을 모르겠다. 아는 게 있다면 그가 똥통 중에서도 대왕 똥통에 빠졌다는 것뿐이다.

4

그는 서랍장에서 두 장 남은 사각팬티 중에 한 장을 꺼내고 거실로 나가서 소파에 눕는다. 잠을 잘 수 있을지 의심스럽고, 잠이 든다 하더라도 선잠을 잘 테고, 여자가 일어나 집에서 나가려고 하면 그 소리를 듣고 깰 것이다. 그러면 어떻게 해야 할까? 춥고 비가 오고 듣자하니 돌풍에 가까운 바람이 불고 있으니 그것 때문에라도 당연히 말려야 한다. 하지만 그건 오늘 밤 얘기다. 그녀가 내일 아침에 숙취와 혼란을 달래며 모르는 사람의 아파트에서 눈을 떴는데 옷마저 없다면……

그녀의 옷. 다 젖어서 바닥에 뭉뚱그려져 있는 그 옷.

빌리는 소파에서 일어나 옷을 들고 화장실로 간다. 가던 길에 잠깐 불청객을 살핀다. 코골이는 멈췄지만 계속 와들와들 떨고 있다. 축축하게 엉긴 머리칼이 한쪽 뺨에 들러붙었다. 그는 허리를 숙여 머리칼을 치워 준다.

"제발 이러지 마."

그 말에 빌리는 그 자리에서 얼어붙지만 더는 아무 소리도 들리지 않자 화장실로 들어간다. 문에 고리가 달려 있다. 그는 싸구려 재킷을 거기에 건다. 화장실에는 싸구려 모텔에서 볼 수 있는 샤워기 겸용 욕조가 설치되어 있다. 그는 욕조에 대고 티셔츠와 스커트를 짜고 샤워 커튼 위로 걸친다. 재킷에는 지퍼 달린 주머니가 세 개다. 왼쪽 가슴 위에 조그만 주머니가 하나, 양옆으로 좀 더 큼지막한 사선형 주머니가 하나씩이다. 한쪽 옆주머니에 남자용 지갑이. 다른 쪽 주머니에 전화기가 들어 있다.

그는 유심 카드를 제거하고 전화기를 원래 있던 주머니에 다시 넣는다. 지갑을 연다. 맨 먼저 나온 것이 면허증이다. 여자의 이름은 앨리스 맥스웰이고 로드아일랜드 킹스턴 출신이다. 나이는 스무 살이다. 아니, 제대로 계산해 보니 이제 막 스물한 살이 됐다. 운전면허증 사진은 과속으로 잡혔을 때 경찰에게 보이기 민망할 정도로 엉망인 게 원칙인데 그녀의 사진은 제법 괜찮다. 아니면 면허증 사진보다 훨씬 형편없는 모습을 보았기 때문에 그렇게 느껴지는 것일 수도 있다. 눈은 동그랗고 눈동자가 파란색이다. 입가에는 살짝 미소를 머금고 있다.

맨 처음 딴 면허증이로군. 미성년자라 동승자 탑승을 제한한다는 조항이 있는 걸 보니 아직 갱신을 하지 않았다.

신용카드는 앨리스 레이건 맥스웰이라고 정성들여 또박또박 서명한 것 한 장뿐이다. 여기 이 도시의 클래런던 실업대학 학생증, AMC 기프트 카드(죽은 켄 호프 소유의 극장이 여기라고 했는지 기억이 나지 않는다.), 혈액형(O형)이 명시된 보험증, 고등학교 친구들, 개, 어머니로 보이는 여자와 찍은 어린 앨리스 맥스웰의 사진도 몇 장 있다. 웃통을 벗고 웃고 있는 10대 남자아이 사진도 있는데, 고등학교 시절 남자친구인가 보다.

지폐 칸에는 10달러짜리 두 장, 1달러짜리 두 장 그리고 오려낸 신문기사가 있다. 킹스턴의 크라이스트 침례교회에서 헨리 맥스웰의 장례식이 열리는데, 조화 대신 미국암협회에 기부해 달라는 부고다. 사진상의 남자는 중년 중반에서 후반의 나이다. 턱이 늘어졌고 점점 성기어져 가는 머리칼을 머리가 벗어진 쪽으로 꼼꼼하게 빗어 넘겼다. 길거리에서 마주치면 그냥 지나칠 만한 외모지만 이 희미한 사진에서도 가족끼리 닮았다는 것을 알 수 있고, 앨리스 레이건 맥스웰은 지갑 안에 부고를 넣고 다닐 만큼 아버지를 사랑했다. 빌리는 그것만으로도 그녀를 좋아할 수밖에 없다.

학교는 여기에서 다니고 아버지는 킹스턴에 묻혔다면, 거기를 지키고 있을 게 거의 분명한 어머니는 당장은 딸의 행방을 궁금해하지 않을 것이다. 빌리는 지갑은 다시 재킷에 넣지만 전화기는 꺼내서 서랍장 맨 위 서랍을 열고 그의 티셔츠 아래에 숨긴다.

토사물이 말라 버리기 전에 현관 앞 베란다를 청소할까 고민하다가 관두기로 한다. 그녀가 일어나 생식기가 불에 덴 듯 화끈거리는 이유가 그 때문인 것으로 오해할 경우에 대비해 그녀를 밖에서 데려왔다는 증거 비슷한 게 있어야 한다. 물론 그게 있어도 토사물을 뿜거나 정신을 차리거나 반항하지 않겠다는 판단이 내려지자 집 안으로 데려온 뒤에 재미를 봤을지 모른다는 의혹을 완전히 해소하지는 못하겠지만.

그녀는 아직까지도 벌벌 떨고 있다. 쇼크 현상일 수밖에 없지 않을까? 아니면 그 남자들이 술에 탄 뭔지 모를 약물 때문에 생긴 반응일까? 빌리도 루피스*의 존재를 들어서 알지만 어떤 부작용이 있는지는 전혀 모른다.

그는 이제 그만 나가려고 한다. 그런데 앨리스라는 이름의 여자가 끙끙댄다. 외롭고 상심한 것처럼 들린다.

에이, 젠장. 최악의 선택일지 모르지만 알 게 뭐야.

---

* 성범죄에 악용되는 불법 진정제. 먹으면 의식을 잃는다.

그는 침대로 들어가 옆에 눕는다. 그녀는 그에게 등을 보이고 있다. 그는 한쪽 팔로 그녀를 감싸안고 가까이 끌어당긴다.

"나한테 바짝 안겨라, 얘야. 이제 괜찮아. 바짝 안겨서 몸을 덥혀, 그렇게 떨지 말고. 아침이 되면 좀 괜찮아질 거야. 이 일을 어떻게 해결하면 좋을지 아침에 고민해 보자."

난 망했다. 그는 다시 생각한다.

위로가 필요했던 걸까 아니면 빌리의 체온 때문일까 아니면 떨림이 마침 저절로 멈추려는 시점이었을까. 빌리로서는 알수 없고 상관도 없다. 떨림이 드문드문해지다 마침내 멈춘 것이 그저 반가울 따름이다. 코골이도 그쳤다. 이제 빗방울이 건물을 때리는 소리가 그의 귀에 들어온다. 오래된 건물이라 바람이 불면 연결 부위가 삐걱거린다. 그 소리가 묘하게 위안이 된다.

잠깐만 누웠다가 일어나야지. 이제 이 여자애가 벌떡 일어나 비명을 지르지 않겠다는 확신이 들자마자. 잠깐만 누웠다가.

하지만 그는 잠이 들고 부엌에서 연기가 나는 꿈을 꾼다. 탄쿠키 냄새가 난다. 캐시에게 엄마의 남자친구가 오기 전에 쿠키를 오븐에서 꺼내야 한다고 경고해야 하는데 말을 할 수가 없다. 이건 과거고 그는 관객일 뿐이다.

5

얼마 뒤에 어두컴컴한 방 안에서 움찔하며 깨어난 빌리는 조엘 앨런 문제로 정해진 시간이 지나도록 늦잠을 자서 몇 달 동안 준비한 일을 망친 게 분명하다는 생각을 한다. 그러다 옆에 누운 여자의 숨소리를 듣고—코 고는 소리가 아니라 숨소리다—거기가 어딘지 기억한다. 이제 보니 그녀의 엉덩이가 그의 그 부분을 누르고 있어서 이런 상황에서는 정말 부적절하게도 발기가 됐다. 사실상 엽기적이지만, 육신은 주변 상황에 관심이 없는 경우가 워낙 많다. 자기가 원하는 것에만 관심이 있다.

그는 어둠 속에 침대에서 일어나 오므린 손으로 불룩한 팬티 앞섶을 덮고 더듬더듬 화장실을 향해 간다. 불룩해진 성기가 서랍장에 부딪히면 오늘 밤 대환장 파티의 피날레를 장식할 수 있다. 그러는 동안에도 여자는 꼼짝하지 않는다. 느린 숨소리를 들어 보니 깊은 잠을 자고 있다. 다행이다.

화장실로 들어가 문을 닫았을 즈음에는 발기가 풀려서 소변을 볼 수 있다. 물 내려가는 소리가 요란한 데다 레버를 여러 번 누르지 않으면 물이 계속 흐르기 때문에, 그냥 덮개를 내리고 불을 끈 뒤 더듬더듬 서랍장 앞으로 방을 가로질러 트레이닝 반바지에 달린 고무줄 허리가 손에 닿을 때까지 이리저리 뒤진다.

그는 방문을 닫고 좀 더 자신감 있게 거실을 가로지른다. 잠망경 창문의 커튼을 치지 않았던지라 가까운 가로등 불빛이 집 안을 충분히 밝게 비추고 있다.

밖을 내다봐도 인적 없는 거리 말고는 아무것도 보이지 않는다. 여전히 비가 오고 있지만 바람은 조금 잠잠해졌다. 그는 커튼을 치고 절대 벗지 않는 손목시계를 확인한다. 새벽 4시 15분이다. 반바지를 입고 소파에 누워서 여자가 일어나면 어떻게 해야 할지 고민해 보려고 하지만, 머리 한복판을 가득 채우고 있는 생각은 그의 삶에 등장한 그녀라는 불청객으로 인해 더는 글을 쓰지 못하게 됐을지 모른다는 것이다. 한참 진도가 잘 나가던 참이었는데. 웃음이 절로 나온다. 이건 마치 태풍 경보가 울렸는데, 화장실 휴지가 모자라지는 않는지 걱정하는 것과 같다.

육신은 자기가 원하는 것에만 관심 있고 마음도 마찬가지라는 생각을 하며 그는 눈을 감는다. 잠깐 눈을 붙일 생각이었는데 다시 깊은 잠에 빠지고 만다. 그러다 다시 눈을 떠 보니 여자가 어제 침대에 눕힐 때 입힌 티셔츠 차림으로 서서 그를 내려다보고 있다. 그리고 손에는 칼을 쥐고 있다.

〈2권에서 계속〉

옮긴이 | 이은선

연세대학교에서 중어중문학을, 국제학대학원에서 동아시아학을 전공했다. 편집자, 저작권 담당자를 거쳐 전문 번역가로 활동 중이다. 옮긴 책으로는 스티븐 킹의 『11/22/63』, 『닥터 슬립』, 『리바이벌』, 빌 호지스 3부작 (『미스터 메르세데스』, 『파인더스 키퍼스』, 『엔드 오브 왓치』), 『악몽을 파는 가게』, 『자정 4분 뒤』, 『악몽과 몽상』, 『아웃사이더』, 『인스티튜트』, 『피가 흐르는 곳에』를 비롯하여 『실크하우스의 비밀』, 『모리어티의 죽음』, 『맥파이 살인 사건』, 『그레이스』, 『도둑 신부』, 『아킬레우스의 노래』, 『키르케』 등이 있다.

빌리 서머스 1

1판 1쇄 찍음 2022년 9월 1일
1판 1쇄 펴냄 2022년 9월 8일

지은이 | 스티븐 킹
옮긴이 | 이은선
발행인 | 박근섭
편집인 | 김준혁
책임편집 | 장은진
펴낸곳 | 황금가지

출판등록 | 2009. 10. 8 (제2009-000273호)
주소 | 06027 서울 강남구 도산대로 1길 62 강남출판문화센터 5층
전화 | 영업부 515-2000 편집부 3446-8774 **팩시밀리** 515-2007
홈페이지 | www.goldenbough.co.kr

도서 파본 등의 이유로 반송이 필요할 경우에는 구매처에서 교환하시고
출판사 교환이 필요할 경우에는 아래 주소로 반송 사유를 적어 도서와 함께 보내주세요.
06027 서울 강남구 도산대로 1길 62 강남출판문화센터 6층 민음인 마케팅부

© ㈜민음인, 2022. Printed in Seoul, Korea
ISBN 979-11-7052-187-7 04840(1권)
ISBN 979-11-7052-189-1 04840(set)

㈜민음인은 민음사 출판 그룹의 자회사입니다.
황금가지는 ㈜민음인의 픽션 전문 출간 브랜드입니다.